国学经典

尚书

顾迁 注译

中州古籍出版社

尚 书

前言

作为记载中国远古尧舜时代以来历史事迹的典籍，《尚书》被儒家尊为"五经"之一，在孔子、孟子的思想世界中占有重要地位。《论语·述而》篇云："子所雅言，《诗》《书》执礼。"《尚书》实际上就是孔子给学生讲授古代史的课本。儒家不喜怪力乱神及虚妄无稽之谈，《尚书》之所以被重视，正是因为它记载上古历史的忠实可靠；其中很多篇章保留了原始的政治公文面貌，可以称作信史。金景芳先生在《〈尚书·虞夏书〉新解·序》中称《尚书》是"中国自有史以来的第一部信史"，可谓知言。但是，《尚书》的悠久古老，也使得它的传习过程历经劫难，版本、文字都曾发生过错乱，形成的问题聚讼纷纭，历唐宋明清至今都没有能够完全解决。下面简单说说阅读这部经典需要注意的几个问题。

一、《尚书》的传本及其辨伪

《说文解字·叙》说："著于竹帛谓之书。"《礼记·中庸》篇说："文武之政，布在方策。""书"原先只是简册的泛称，是对政治、文化等社会内容的记载，《尚书》应该也在其中。《尚书》最初单名《书》，先秦古籍引述《尚书》内容，称"《书》"或"《书》曰"，有时也按朝代称"虞书"、"夏书"、"商书"、"周书"等。西汉司马迁撰《史记》，在《五帝本纪》中说："学者多称五帝，尚矣。然《尚书》独载尧以来。"最早将"书"称作"尚书"。孔颖达《尚书正义》引东汉马融说："上古有虞氏之书，故曰《尚书》。"唐代司马贞《史记索隐》说："尚，上也，言久远也。"据此，《尚书》也就是上古的史书。

但是我们也有所怀疑，《尚书》记载的是尧舜以来的古史，夏商周那么多君主（近一百位），按理应该留下大量的记载才是。谶纬中说古《书》三千余篇，但今日所见考定确实的《尚书》不过二三十篇而已，其间的流失怎会如此严重？蒋善国先生在《尚书综述》中总结了几条原因，我认为最重要的是以下两条。其一，频繁的战乱和朝代更迭，使图书遭到破坏。其二，古代学在王官，史官掌管王室的图籍文物，传习者少，一旦官失其守，图书也会随之散亡，以致到了春秋时期"书"已百不存一，孔子所以有"文献不足征"的慨叹。孔子因陋就简，删《书》作为教材，成为"独载尧以来"的《尚书》，约有百篇之数。在《论语》中，我们经常看到孔子评价《书》中所载人物的内容。孔子的修订改造，使得《尚书》明显带上了儒家思想的痕迹。周初诸"诰"、《洪范》大法，以及《尧典》，都有儒家的观念掺杂其中。

春秋以降，虽战乱不绝，《尚书》一直还在儒门弟子及后学手中传习，尤其在儒学兴盛的齐鲁之地不绝如缕。到了秦朝，焚书坑儒破坏了儒家经典的正常传习，"六艺"都有很大程度的缺失，《尚书》更是遭到严重焚弃。《史记·儒林传》说："及至秦之季世，焚《诗》、《书》，坑术士，'六艺'从此缺焉。"秦末的战乱也导致民间和秦宫所藏《尚书》损失严重。幸好当时有个讲《尚书》的老博士伏生，在大乱中将《尚书》隐藏在墙壁里，保存了下来。可是到了汉初，伏生只找回来二十多篇，丢失了很多。汉文帝昭告天下，广求能治《尚书》的人才，那时伏生已经九十多了，没有能力出门，文帝就派晁错去学。后来，将伏生那二十八篇《尚书》用隶书录下来，这就成了孔子之后第一个有实际篇数和大体内容的《尚书》传本。《史记·儒林传》记载此事本末颇为翔实："伏生者，济南人也，故为秦博士。孝文帝时，欲求能治《尚书》者，天下无有，乃闻伏生能治，欲召之。是时伏生年九十余，老，不能行，于是乃诏太常使掌故晁错往受之。秦时焚书，伏生壁藏之。其后，兵大起，流亡。汉定，伏生求其书，亡数十篇，独得二十九篇（按：后来考定其实只有二十八篇），即以教于齐鲁之间。学者由是颇能言《尚书》，诸山东大师无不涉《尚书》以教矣。"可见伏生对于汉代《尚书》传承的重要。他讲授的《尚书》因为被晁错用汉代的通行文字记写，因此称为《今文尚书》。

伏生这个系统的《尚书》经过几代传授，在武帝、宣帝时渐渐取得官方的正统地位。所谓欧阳（高）、大夏侯（胜）、小夏侯（建）三家，宣帝时并列于官学，各成门户，自成一派。三家之学盛行于两汉，欧阳氏的本子还被刻石。可惜到了西晋永嘉之乱，生灵涂炭，图书严重散亡。三家《尚书》也亡逸在此时，民间也找不到传习者，最终就失传了。

与《今文尚书》相对，还有《古文尚书》。相传汉武帝末年，鲁共王为了扩大宫室面积，拆除了孔子的住宅，没想到在宅壁中发现了一部《尚书》，因为是用先秦古文字书写的，所以称作《古文尚书》。此书被孔子第十一世孙、武帝的博士孔安国得到了，他用汉代通行的隶书加以转写，所以被称作"隶古定"本。孔本与伏生本的差别就是后世盛称的《尚书》今古文之分的起因。蒋善国先生在《尚书综述》中说："今文名称大约在魏晋以后才出现。起先伏生《尚书》径称为《尚书》。实际上两者主体部分还是相同的。由于没有立官，《古文尚书》只能习于民间，影响较小。两个都是今文，区别在于一个是秦朝传下来的今文，一个是汉代由古文改过来的今文。司马迁曾从孔安国学习过《古文尚书》，他在《史记》中关于《尚书》的记载是今古文并用。"这段话可以帮助我们正确理解《尚书》今古文差异的根本性质。班固《汉书·艺文志》说孔安国用古文本"以考二十九篇，得多十六篇"，即孔本《古文尚书》比伏生本《今文尚书》多出十六篇。多出的篇章孔安国没有训诂解说，东汉时马融、郑玄传古文之学，但也只注释与今文相应的那二十多篇。其余那些因为没有师说，后来陆续散失了。总体来说，西汉时仅有《今文尚书》立于学官，《古文尚书》仅仅是民间私学。后来刘歆提倡古文，得到王莽支持，《古文尚书》短暂立了官学，到了东汉却又恢复了民间身份，终始没有能够立学官。但是，东汉以降古学风气特浓，学者多好兼习群经，《古文尚书》受到通儒贾逵、马融、郑玄等的重视，并为其作训诂、传注。三国魏正始年间刻三体石经（古文、篆文、隶书），《尚书》也还以《古文尚书》为底本。及至西晋，《古文尚书》经王肃的提倡，可谓独领风骚，一直盛行到南北朝。到了唐初，官修《五经正义》指定要用东晋晚出的另一部《古文尚书》作为底本，马、郑等古文本这才遭到冷落，最后竟然失传了。

孔颖达《尚书正义》作为唐代士子考试的官方教材定本，其底本虽号称古文，其实与孔壁等真古文本不相干。东晋元帝（317—322年在位）时，豫章内史梅赜向元帝献了一部《孔传古文尚书》（"传"就是注解）。据他自己讲，书是魏末晋初的学者郑冲传下来的，就是当年孔安国得自孔壁后加以整理注解的那个本子。这部书经文共计五十八篇，其中三十四篇的名称和当时流行的郑玄注本《古文尚书》相同，除了《舜典》以外，其他各篇都有注释，书前还有一篇孔安国的《序》，说明他得书和作传的情况。这篇序后来收入梁代昭明太子萧统所编《昭明文选》之中。梅赜献的这部"古文"，在梁朝开始流行起来，北朝大儒刘炫、刘焯为它作了详备的《义疏》。其后，隋代经学大师陆德明作《经典释文》，为这部《尚书》作了《音义》。

唐太宗初年，命颜师古校正五经文字，《尚书》也是依的这个本子。孔颖达作《五经正义》，又以此书为工作底本，采集二刘的义疏加以发挥，终于成了终唐之世无异辞的定本。从此，梅赜所献的《古文尚书》树立了官方正统地位，压倒了东汉以来流行的郑玄本，成为《尚书》的唯一传本。唐玄宗时，又命令卫包将这部《古文尚书》中很多古体字改成楷书，在开成二年（837年）又以此本刻石，即唐"开成石经"，成为后代版刻的远祖。

梅赜献上的这部《古文尚书》虽说得到官方支持，一路顺利获得正统地位，成为科举功令的标准本，但到了宋代，很多学者已陆续开始怀疑这部书的真实性。先是南北宋之交的吴棫作了一部《书裨传》指出梅赜献上的五十八篇中溢出原来今文本和真古文本篇目外的篇章，语言文字并未秉承一贯的诘屈聱牙的风格，甚至还文从字顺，文体上似乎不那么"古"。他的书已散佚，这些观点保存在明代梅鷟所撰《尚书考异》当中。幸有梅氏，我们才看到他的敏锐见解。稍后理学大师朱熹深化了吴棫的比较法，直接说"疑孔安国《书》是假书"，并进一步怀疑那篇《古文尚书序》并非孔安国的手笔，"汉文粗枝大叶，今《书序》细腻，只是魏晋六朝人文字"。朱子的学生蔡沈作了一部《书集传》，在体例上区分了今古文，厘清了原有篇目和溢出的篇目，极有见地。后来元代赵孟頫《书今古文集注》严格区分今古文、吴澄《书纂言》摒弃伪《古文尚书》溢出的篇章、明代梅鷟认定伪《古文尚书》是皇甫谧杂取先秦文献《论语》、《孟子》的词句拼凑粉饰而成，都是在宋儒的见解下进一步深化的成果。其中，梅氏所撰《尚书谱》、《尚书考异》具有很强的说服力，刘起釪先生在《尚书学史》中说："梅氏之疑辨，其科学性大大提高了，这两项研究方法，给清代阎若璩、惠栋的科学考辨起了'导夫先路'的作用。"清代康熙年间阎若璩撰《古文尚书疏证》八卷，详细列举一百多条证据，确凿地揭发了晚出《古文尚书》的作伪面貌。稍后，吴派经学家惠栋作《古文尚书考》，疑案基本定谳。其后，还有崔述、丁晏等很多学者就这个问题加以辨析，结论更加细致而具体。但伪《古文尚书》的作者究竟是谁，因为缺乏直接证据，迄今尚无定论。

民国以降，顾颉刚先生创发了"层累地造成的古史观"，开辟了影响深远的古史辨伪风气。他将这种观念运用于《尚书》的研究和分析，初步考订估量了《今文尚书》二十八篇的价值以及成书时代。他的工作具有很强的开拓性，对现代学者的《尚书》辨析和研究有着很深影响。其说存于《古史辨》，引领了他那个时代《尚书》研究的新风气。

二、《尚书》的主要内容

现在根据孔颖达《尚书正义》（清代阮元刻《十三经注疏》本），将五十八篇篇目抄录如下，属于晚出古文的，标"伪"字以示区别。

尧典　舜典　大禹谟（伪）　皋陶谟　益稷　禹贡　甘誓　五子之歌（伪）　胤征（伪）　汤誓　仲虺之诰（伪）　汤诰（伪）　伊训（伪）　太甲（三篇,伪）　咸有一德（伪）　盘庚（三篇）　说命（三篇,伪）　高宗肜日　西伯戡黎　微子　泰誓（三篇,伪）　牧誓　武成（伪）　洪范　旅獒（伪）　金縢　大诰　微子之命（伪）　康诰　酒诰　梓材　召诰　洛诰　多士　无逸　君奭　蔡仲之命（伪）　多方　立政　周官（伪）　君陈（伪）　顾命　康王之诰　毕命（伪）　君牙（伪）　冏命（伪）　吕刑　文侯之命　费誓　秦誓

孔颖达《尧典正义》根据以上篇目，将《尚书》分成典、谟、贡、歌、誓、诰、训、命、征、范等十类，虽说细致，但似乎有望文生义之嫌。我们认为基本可以分成六个大类，即孔安国《尚书序》所谓"典、谟、训、诰、誓、命"。从这些大类可以看出，《尚书》

的内容大多是历代君王言行的记载，如《尧典》、《舜典》记载了尧、舜的事迹；《皋陶谟》记载了君臣在宫廷上的谋略讨论；《伊训》讲的是商代老臣伊尹以德政对商王太甲的劝诫；《康诰》、《酒诰》、《梓材》是周王朝册封文王之子康叔的告谕和训诫；《甘誓》、《牧誓》、《汤誓》则是征伐作战之前的誓师词；《文侯之命》是君王任命官员或赏赐诸侯的册命之词。《禹贡》篇专言物产地理，不在以上六类之中。

更广阔地看，《尚书》内容涉及历史、哲学、宗教、法律、制度、天文、语言文字等诸多方面，可谓中国古代思想文化的宝库。《尧典》中观象授时、四仲中星等记载可以说是世界上最早期的天文学记载，其真实性得到现代天文学家的广泛肯定，在世界汉学界引起了极热烈的讨论。《禹贡》一篇，被誉为"鸿篇大作"（日本铃木虎次郎），对我国的区域地理根据物产、土壤等作了详细的划分，引起后世自然科学家、地理学家广泛深入的探讨。《吕刑》篇主张不滥施刑罚、注意德教的"祥刑"思想深深影响了后世统治者。近百年来，伴随着甲骨文、简帛、青铜器等广泛出土，考古学的发展印证了《今文尚书》二十八篇的价值。《洛诰》等篇记载周初营建洛邑之事，得到了1963年陕西宝鸡出土的青铜器何尊铭文的印证。因为《尚书》各篇并非成于一时，文句有着语法、词汇、方言的差异，即使《古文尚书》也可以作为魏晋语料来加以发掘，这些都成为现代语言学家们研究古代汉语词汇语法的重要资源。

三、《尚书》的研究和译解

除了上述辨伪工作，《尚书》的研究基本围绕学术史和注释考证这两条路展开。前者以蒋善国先生《尚书综述》、刘起釪先生《尚书学史》最为精详；后者一直是古代《尚书》学的核心，自东汉马融、郑玄即有精审的注解。孔颖达《尚书正义》以伪《孔传》为底本，根据北朝二刘的《义疏》加以梳理考述，材料丰富翔实，是唐代以前《尚书》学集大成之作。陆德明《经典释文》中的《尚书音义》，是理解《尚书》字音语意的重要参考。宋代蔡沈的《书集传》简明扼要，广泛采择两宋儒者的见解加以融会，是宋代《尚书》学的集大成之作，精微贯通，义理深切，是一部十分重要的参考书。

清代考据学的发展使《尚书》研究达到前所未有的精审和细致，清儒重视搜集汉代经师的逸说加以考述，对文字、词义的解释极为精确。这方面以江声《尚书集注音疏》、王鸣盛《尚书后案》、段玉裁《古文尚书撰异》、王引之《经义述闻》为代表。再如孙星衍的《尚书今古文注疏》，搜罗汉代经师的解说作为注文，再自作"疏"详加梳理考释，可以说是清代《尚书》学集大成之作。清末皮锡瑞撰《今文尚书考证》，引用大量汉碑，校理文字，是了解汉代《尚书》学的重要著作，很值得翻阅。王先谦的《尚书孔传参正》依据《孔传》，参核他书，分别真伪，比较平实。至于胡渭的《禹贡锥指》，在地理研究上取得了极大成绩，要通晓《尚书》，不可不加以涉猎。孙诒让运用甲骨文释读《尚书》，所作《尚书骈枝》有很多崭新创见。

近代以来，古文字学取得长足发展，学者用来治经，取得了比孙诒让更大的突破。王国维先生《观堂集林》和《观堂学书记》运用金文、甲骨治《尚书》，兼具史家眼光，所释通达而出人意表，对《尚书》和古史研究有很大启发性。于省吾先生精通古文字，其《双剑誃尚书新证》、《甲骨文字释林》（涉及《尚书》二十余篇）深究词例，审明通假，多为不刊之论。杨树达先生《积微居小学金石论丛》、《积微居金文说》、《积微居读书记》中也有很多精彩的意见。通释全书的，尚有杨筠如《尚书核诂》、曾运乾《尚书正读》，各具特色，能自成一家之言。

这里我们还要强调一下晚出《古文尚书》及孔安国《传》的性

质和作用。黄季刚先生曾经说："伪《古文尚书》，一文字古，二文采高，三取材广博，四训诂不谬，故在今日言之，仍可作'准康成'观也。"又说："用孔《传》讲《尚书》，于文理终不谬。若用孙星衍之说，往往文理不通。"(《量守庐论学札记》，载《人文论丛》，1999)他的话足以启发我们正确对待《古文尚书》。黄氏的名著《手批白文十三经》就是按《孔传》加以句读圈点的，精审而不武断。事实上，《孔传》虽不是汉人著作，但其解释明通，往往能得文句的大意，极有助于我们对《尚书》的理解。所以，阅读《尚书》，以《孔传》、《正义》为主，以《蔡传》(《书集传》)为辅，有疑问则翻检清儒孙星衍等人之书，再综合近现代古文字学家的考证，基本能得到平实近情的理解。

近年来，出现了一些注解和白话转译《尚书》的著作，其中以周秉钧《尚书易解》(岳麓书社，1984)和李民、王健《尚书译注》(上海古籍出版社，2005)比较简明扼要。顾颉刚、刘起釪二先生的《尚书校释译论》(中华书局，2005)专释今文二十八篇，以唐石经为底本，对历代浩繁的旧说进行详备考述和清理，极有参考价值。台湾最权威的《尚书》研究者应属屈万里先生，他的《尚书集释》训诂精审、平实可靠，疑难之处也不强解，水平极高而态度审慎。以上几种，是初学及研究者最宜首先参考的经典著作。

四、对本书的几点说明

本书以中华书局影印《十三经注疏》本《尚书正义》为底本，按原书顺序分为虞夏书、商书、周书三部分，五十八篇。断句参酌诸家，择善而从；对字词的注释力求简明，不做繁征博引；译文在敷述经文的前提下，疑难处偏重意译，力求文从字顺、流畅自然。前辈成果，如顾颉刚、刘起釪、李民、王健、周秉钧、王世舜、陈戍国、钱宗武诸先生之书皆有披览采集，然限于体例，未能一一注明，在此一并致以深深的谢意。

希望本书对于一般读者阅读《尚书》有所帮助。由于学识短浅，本书的释义肯定存在着缺陷，恳请大家批评指正。

另外，本书的撰写得到"南京大学研究生科研创新基金"的资助，在此亦致谢忱。

顾　迁

目 录

虞夏书

尧典 ... 17
舜典 ... 24
大禹谟 ... 36
皋陶谟 ... 45
益稷 ... 49
禹贡 ... 55
甘誓 ... 73
五子之歌 ... 74
胤征 ... 77

商 书

汤誓 ... 81
仲虺之诰 ... 83
汤诰 ... 87
伊训 ... 89
太甲上 ... 93

太甲中	96
太甲下	98
咸有一德	100
盘庚上	103
盘庚中	109
盘庚下	114
说命上	117
说命中	120
说命下	123
高宗肜日	126
西伯戡黎	127
微子	129

周 书

泰誓上	132
泰誓中	135
泰誓下	138
牧誓	141
武成	144
洪范	149
旅獒	160
金縢	163
大诰	168
微子之命	175
康诰	178
酒诰	187
梓材	194

篇名	页码
召诰	197
洛诰	204
多士	212
无逸	218
君奭	224
蔡仲之命	232
多方	235
立政	242
周官	250
君陈	255
顾命	258
康王之诰	266
毕命	269
君牙	273
冏命	275
吕刑	278
文侯之命	290
费誓	292
秦誓	295
主要参考书目	298

虞夏书

尧 典①

曰若稽古帝尧②,曰放勋③,钦、明、文、思、安安④,允恭克让⑤,光被四表⑥,格于上下⑦。克明俊德⑧,以亲九族⑨。九族既睦⑩,平章百姓⑪。百姓昭明,协和万邦。黎民于变时雍⑫。

[注释]

①尧典:记载帝尧事迹的典册书籍。尧,相传是原始社会后期一个著名的部落首领,名放勋,属陶唐氏,又称唐尧。本篇主要记述了尧时的制度和法令,其主体部分成于春秋孔子的时代,但也有秦汉时期的材料掺杂其中。②曰若:句首发语词。稽:考察。③放(fǎng)勋:尧的名号。④钦:恭敬。明:通达圣明。文:郑玄说:"经纬天地谓之文。"思:马融说:"道德纯备谓之思。"安安:宽容,温和。⑤允:确实。克:能。让:推贤让能。⑥光:通"横",充满。被(pī):同"披",覆盖。四表:四海之外。⑦格:至。⑧俊:大。⑨九族:许多氏族。九是虚数,言其多。⑩既:已。⑪平:通"辨"。百姓:百官族姓。⑫黎民:老百姓。于:助词。变:通"弁",快乐。时:通"是"。雍:和睦。

[译文]

查考古代有个帝尧,名叫放勋,他恭敬职事,通达大道,而且善治天下,谋虑深远,给人以温和宽厚的感觉。他严谨不懈,举贤让能,道德名望充满四方,至于天地上下。尧发扬他的大德,使各个氏族都和睦相处。各族和睦后,又辨明彰显朝廷百官的职守。百官职事辨明了,又进而团结其他部落。天下老百姓都快乐和睦起来。

乃命羲、和①,钦若昊天②,历象日月星辰③,敬授民时。

[注释]

①命:任命。羲、和:羲氏与和氏,相传为重黎之后,是世代掌管天文历象的官员。②钦:敬。若:顺。昊(hào)天:广大的天际。③历象:推算、观测。辰:据以分辨季节的标准星象,如下文的四中星。

[译文]

于是命令羲氏与和氏谨慎地顺应上天,观察日月星辰的运动规律,把推算总结出的历法知识告诉人民,以安排农时,方便耕作。

分命羲仲宅嵎夷曰旸谷①,寅宾出日②,平秩东作③。日中、星鸟④,以殷仲春⑤。厥民析⑥,鸟兽孳尾⑦。

[注释]

①分:分别。宅:居。嵎(yú)夷:泛指东方极远之地。旸(yáng)谷:传说中日出之处。②寅:通"夤",敬。宾:迎接。③平秩:使有次序。东作:春天的农作。④日中:指昼夜时间均等,即春分时节。鸟:恒星名,现代天文学家定为长蛇座。⑤殷:正。仲春:春分所在之月,指二月。古时以孟、仲、季分称四季的每三个月。⑥厥:其。析:分散在野。⑦孳(zī)尾:指鸟兽生育。孳,哺乳动物的生殖。尾,虫鸟的生殖。

[译文]

分别任命羲仲在东方的旸谷主持迎接日出的祭礼,并引导春天的农作正常进行。昼夜一样长的日子,傍晚在南方天空正中可看到鸟星,凭以确定是春分了。这时气候温和,人民分散在田野里劳作,鸟兽也在繁殖、生育。

申命羲叔宅南交①,平秩南讹②,敬致③。日永、星火④,以正仲夏。厥民因⑤,鸟兽希革⑥。

[注释]

①申:又。南交:指南方极远之地。②南讹:指太阳从北回归线向南移动。讹,动。③敬致:指对日的祭祀、礼敬。④日永:白昼最长的日子,指夏至。永,长。火:恒星名,旧称"大火"、"心宿二",现代天文学家定为天蝎座。⑤因:指就高地居住。古人常居高以避水患。⑥希革:毛羽稀少。

[译文]

又任命羲叔在遥远的南交之地,观测太阳从北向南的移动,恭敬地主持祭日之礼。白昼最长的日子,傍晚在南方天空正中看到大火星,可凭以确定是夏至。这时百姓居高以避水患,鸟兽毛羽稀疏。

分命和仲宅西曰昧谷①,寅饯纳日②,平秩西成③。宵中、星虚④,以殷仲秋。厥民夷⑤,鸟兽毛毨⑥。

[注释]

①昧谷:传说中日落之处。②饯:送。纳:入。③西:太阳西落。成:秋收。④宵中:昼夜长度相等,指秋分。虚:恒星名,居二十八宿北方玄武七宿之中,现代天文学家定为宝瓶宫。⑤夷:平原地带。⑥毨(xiǎn):毛羽重生。

[译文]

又任命和仲居住遥远的西方昧谷,主持对落日的礼祭,引导察看秋收活动。昼夜一样长的日子,傍晚在南方天空正中看到虚星,可凭以确定是秋分。此时百姓回归平原居住，气候转凉，鸟兽开始生出新毛。

申命和叔宅朔方曰幽都①，平在朔易②。日短、星昴③，以正仲冬。厥民隩④，鸟兽氄毛⑤。

[注释]

①朔方：指北方最远之地。幽都：指极北之地，具体不详。②在：查。朔易：指太阳从南回归线向北运转。朔，极北之地。易，变动。③日短：白昼最短之时，指冬至。昴（mǎo）：一簇恒星的名称，也称髦头（旄头）。昴居二十八宿"西方白虎"七宿的中间，现代天文学家称作昴星团。④隩：通"奥"，室内。⑤氄（rǒng）：细密的软毛。

[译文]

又任命和叔住到极远的北方幽都，辨别观测太阳从南向北的运行。白昼最短的日子，傍晚在南方天空正中看到昴星团，可凭以确定是冬至。这时气候寒冷，人们都回到屋里，鸟兽也生出细软密集的毛给自己保温了。

帝曰："咨汝羲暨和①，期三百有六旬有六日②，以闰月定四时成岁③。"

[注释]

①咨：告。暨：与。②期（jī）三百有六旬有六日：一年有三百六十六日。旬，十日为一旬。有，又。③以闰月定四时成岁：由于月亮绕地球和地球绕太阳两个周期不一样，阴历十二个月要比阳历一年少十一天多，必须过几年设一闰月（"置闰"）才能使二者相合，否则四时会错乱。

[译文]

帝尧说："告诉你们，羲与和，一年有三百六十六日，你们用设置闰月的方法调整好四季以制定每个年岁吧。"

允厘百工①，庶绩咸熙②。帝曰："畴咨若时登庸③？"放齐曰④："胤子朱启明⑤。"帝曰："吁⑥！嚚讼可乎⑦？"帝曰："畴咨若予采⑧？"驩兜曰⑨："都⑩！共工方鸠僝功⑪。"帝曰："吁！静言庸违⑫，象恭滔天⑬。"

[注释]

①允：信，确实。厘：整饬。百工：百官。②庶：众。绩：指政事。咸：都。熙：兴盛。③畴：谁。咨：能。若时：如此。登庸：进用，提拔，也可以理解为登帝位。④放（fǎng）齐：人名，传说中尧的大臣。⑤胤（yìn）子：后嗣。朱：丹朱，尧之子。启明：通达。⑥吁（xū）：叹辞，表惊讶。⑦嚚（yín）讼：愚顽丧德并且心地凶狠。讼，通"凶"。⑧若予采：（谁能）胜任我的官位。若，如。采，政事。⑨驩（huān）兜：尧的大臣，传说中他与共工、三苗、鲧合称为"四凶"。⑩都（dū）：叹美之辞。⑪共工：尧的大臣。方：通"旁"，广。鸠：聚集。僝（zhuàn）：显现。⑫静言庸违：说好话但做坏事。静，通"靖"，小人巧言。庸，用。违，通"回"，邪僻。⑬象恭滔天：表面恭敬却不信天命。象，似。滔，通"慆"，轻慢，不敬。

[译文]

帝尧切实地整饬百官，政事也处理得很昌明。他说："谁能做到这样的，就提拔他。"大臣放齐说："您的儿子丹朱开明通达，可以任用。"帝尧说："唉呀！他缺乏德行，又心地凶狠，怎么能行！"帝尧又问："谁可以担任我的职位呢？"大臣驩兜说："噢！共工吧，他聚合众力，已经积累了功业。"帝尧说："唉！他就会讲好话，行为却很违逆，表面上恭恭敬敬的，其实很轻慢，根本就不信天命。"

帝曰："咨①！四岳②，汤汤洪水方割③，荡荡怀山襄陵④，浩浩滔天⑤，下民其咨⑥，有能俾乂⑦？"佥曰⑧："於⑨！鲧哉⑩。"帝曰："吁！咈哉⑪，方命圮族⑫。"岳曰："异哉⑬！试可乃已⑭。"帝曰："往，钦哉⑮！"九载，绩用弗成⑯。

[注释]

①咨：叹词。②四岳：官名或大臣名。③汤（shāng）汤：波涛汹涌的样子。洪水：大水。方：通"旁"，大。割：同"害"，祸害。④荡荡：清代臧琳说此二字是衍文，可从。怀：包围。襄陵：淹没丘陵。襄，凌驾。⑤浩浩：盛大的样子。滔：漫。⑥咨：哀叹。⑦有：谁。俾：使。乂（yì）：治理。⑧佥（qiān）：皆，都。⑨於（wū）：叹词。⑩鲧（gǔn）：尧的大臣。相传是大禹的父亲，治水失败而遭罪。⑪咈（fú）：违逆。⑫方：同"放"，违背，放弃。圮（pǐ）：毁。⑬异：通"已"，叹词。⑭已：通"以"，用。⑮钦：敬。⑯绩：功。

[译文]

帝尧说："唉！四岳啊，汹涌的洪水形成巨大灾害，包围了高山，淹没了丘陵，浩浩荡荡都要弥漫天地了，天下的百姓忧困不堪，谁能使洪水得到治理？"四岳与群臣都说："啊！鲧吧。"帝尧说："唉！他脾气怂戾，常逆天行事，毁害氏族。"四岳说："唉！先试试看吧，行的话就让他干。"帝尧说："那就去吧！叫他恪敬职守！"九年过去了，鲧也没收到成效。

帝曰："咨，四岳，朕在位七十载①，汝能庸命巽朕位②。"岳曰："否德③，忝帝位④。"曰："明明扬侧陋⑤。"师锡帝曰⑥："有鳏在下⑦，曰虞舜⑧。"帝曰："俞⑨！予闻⑩，如何？"岳曰："瞽子⑪，父顽、母嚚⑫，象傲⑬；克谐以孝⑭，烝烝乂⑮，不格奸⑯。"帝曰："我其试哉⑰！"

[注释]

①朕：古人自称。②庸命：即"用命"，履行命令。巽：通"践"，履行。③否（pǐ）：小，没有。④忝（tiǎn）：辱。⑤明明：明察贤明之人。扬：举。侧陋：隐没民间的贤人。⑥师锡帝曰：众人都对尧说。师，众人。锡，同"赐"，古代上对下、下对上都可用"赐"。⑦鳏（guān）：老而无妻。⑧虞舜：相传为古代黄河下游东夷部落的著名首领，名重华。孔颖达《尚书正义》

说:"舜居虞地,以虞为氏。"今河南省东部有虞城县。⑨俞:相当于"然",噢。⑩闻:听说。⑪瞽(gǔ):盲人。⑫父顽、母嚚:《左传》僖公二十四年云:"心不则德义之经为顽,口不道忠信之言为嚚。"这里顽、嚚二字互文义通。《史记》载"舜母死,瞽叟更娶妻而生象",知此"母"乃舜的继母。⑬象:舜的异母弟。⑭克谐以孝:能以孝行和顺家庭。⑮烝(zhēng)烝乂:治理得很好。⑯格:至。⑰其:将。

[译文]

帝尧说:"唉!四岳,我在位七十年了,你能履行我的命令,接替帝位吧。"四岳说:"我的德性太浅薄,不配继任帝位。"帝尧说:"那就推荐其他贤明之臣,或者隐没民间的人才。"大家都对帝尧说:"民间有一个叫虞舜的单身汉,是个人才。"帝尧说:"噢,我也听说过,那他到底怎么样呢?"四岳说:"他是一个盲人的儿子,父亲和继母都愚顽凶狠,异母弟象傲慢骄纵。但舜能用自己的孝行感动全家和谐相处,家族事务搞得很兴盛,远离了奸邪行为。"帝尧说:"那我将考察他一下!"

女于时①,观厥刑于二女②,厘降二女于妫汭③,嫔于虞④。帝曰:"钦哉!"

[注释]

①女(nǜ)于时:把女儿嫁给舜。时,通"是",指代舜。②观厥刑于二女:观察舜对待二女的德行、法度。刑,同"型"。二女,传说中尧的女儿娥皇、女英。③厘:饬,命令。降:下(嫁)。妫(guī)汭(ruì):妫水注入另一水的相交弯曲地带。妫,大概指河南东部虞城西南附近的一条水。汭,一条水注入另一条较大之水的相交弯曲之处。④嫔(pín):妇人嫁人之称。

[译文]

尧将两个女儿嫁给舜,以锻炼观察他齐家治国的能力。尧命令二女下到舜的家乡妫汭,嫁给虞舜。帝尧对舜说:"敬于职守啊!"

舜 典①

曰若稽古帝舜,曰重华,协于帝②。浚哲文明③,温恭允塞④。玄德升闻⑤,乃命以位⑥。

[注释]

①舜典:记述舜事迹的典册书籍。本篇在西汉伏生今文本中是合在上篇《尧典》里的,并且没有开头的二十八字。②协:合。③浚:深邃。④允:诚信。塞:笃实。⑤玄德:潜修之德。⑥命:任命,授予。

[译文]

查得古时候有个帝舜,名字叫重华,和尧帝志向相合。他智慧深邃,通达而善于治理天下,宽容温和、敦厚笃实。他的潜德上闻于朝廷,尧帝授予他以官位。

慎徽五典①,五典克从②。纳于百揆③,百揆时叙④。宾于四门⑤,四门穆穆⑥。纳于大麓⑦,烈风雷雨弗迷。

[注释]

①慎:诚。徽:治。五典:五种礼教,《左传》文公十八年有"父义、母慈、兄友、弟共(恭)、子孝"五教。②克:能。从:顺。③纳:入,赐予职务。百揆:百官。④时:通"是"。叙:整齐,就绪。⑤宾:同"傧",迎接宾客。四门:传说中的名称,不详所指。⑥穆穆:端庄雍容的样子。⑦麓:山脚。

[译文]

尧让舜谨慎地推行父义、母慈、兄友、弟恭和子孝五种伦常礼教,舜施行得很顺利;又命舜总管所有事务,舜也处理得井井有条;又叫舜广开四方之门迎接各方觐见的各部落首领,来朝的宾客都肃然起敬;又叫舜深入山林,行祭祀山川之事,风雨得以调顺。

帝曰："格汝舜①，询事考言②，乃言厎可绩③，三载。汝陟帝位④。"

[注释]

①格：告。②询：谋。考：考核。③乃：你的。厎（zhǐ）可绩：为"可厎绩"的倒装，"厎绩"乃当时成语，即取得成绩。厎，致。④陟：登。

[译文]

帝尧说："舜，我和你说，三年来，我询问你的政绩，考量你的所说，认为你可以取得成绩。你来登帝位吧。"

舜让于德弗嗣①，正月上日②，受终于文祖③。在璇玑玉衡以齐七政④。肆类于上帝⑤，禋于六宗⑥，望于山川⑦，遍于群神，辑五瑞⑧。既月乃日⑨，觐四岳群牧⑩，班瑞于群后⑪。

[注释]

①舜让于德弗嗣：舜以德襄赞而不推辞。让，同"攘"，襄助。于，以。弗嗣，犹云"无辞"，没有推辞。②正月上日：正月上旬的吉日。③受终：指尧的禅让。文祖：祖庙。④在：察。璇玑玉衡：北斗七星。齐七政：安排农事、行政等各项事务。七政，可理解为日、月和金、木、水、火、土五星。⑤肆：遂。类：祭天之礼。⑥禋（yīn）：精诚洁敬之祭礼。六宗：即甲骨文中的"六示"，指六代祖先的神主。⑦望：祭祀山川之礼。⑧辑：集。五瑞：五种美玉，《周礼·春官·典瑞》有公、侯、伯、子、男五等爵所执"桓圭、信圭、躬圭、谷璧、蒲璧"五玉。⑨既月乃日：已经占卜选择了吉月，再卜筮吉日。⑩觐：朝见天子。牧：地方官员。⑪班瑞：颁发"五瑞"。后：四方首领。

[译文]

舜以德行襄赞尧的禅让，于是不再推辞。正月吉日，在祖庙中举行了禅位大典。舜观察北斗七星，推测日月及五星的运行，以此来安排四季农事与民生要政。以类礼祭天，以精诚的禋祀之礼祭告六代祖先，以望礼遍祭名山大川，遍及众神。又聚集诸侯觐见所持的信符瑞玉。选择了吉月吉日，接受四岳、诸侯、地方官员的朝见，然后将瑞玉分别颁还给他们。

岁二月，东巡守①，至于岱宗②，柴③。望秩于山川④，肆觐东后⑤。协时月、正日⑥，同律、度、量、衡⑦。修五礼、五玉、三帛、二生、一死贽如五器⑧。卒乃复⑨。

[注释]

①巡守：即"巡狩"。②岱宗：东岳泰山。③柴：祭天之礼，祭时积柴，加牲于其上而焚烧。④望秩：以望祭之礼祭祀山川，比照公卿大夫或五等爵之制，各按次序进行。⑤肆：遂，于是。觐东后：接受东方各氏族首领的觐见。⑥协时月、正日：协和齐正四时节气、月之数、日之名，使各地相同。⑦同：统一。律：音律。古代截十二根不同长度的管子，作为确定乐音高低的标准音，称为十二律，即黄钟、大吕、太簇、夹钟、姑洗（xiǎn）、仲吕、蕤（ruí）宾、林钟、夷则、南吕、无射（yì）、应钟。其中，单数六种称六阳律，双数六种称六阴吕。单称"律"可包含十二律吕。度、量、衡：古代的度量衡制度源于音律，皆以黄钟数为基准。⑧五礼：泛指几种礼，也可能是承上"慎徽五典"之目，但绝非汉人所谓"吉凶军宾嘉"或"公侯伯子男"五礼。五玉：五种瑞玉。三帛：三种颜色不同的帛，或谓赤、玄、黄。二生：两种活物，或谓羔和鹅。一死贽：贽是古代卑者见尊者所献的礼物，死贽或谓野鸡。如：和，与。五器：五礼所备之器。⑨复：返回。

[译文]

这年二月，舜向东巡狩，到达泰山，用燔柴之礼祭天，以望祭之礼遍祀山川，接着又接受东方诸侯们的觐见，将四时节气、月之大小，日之甲乙名称——齐正，并确立统一了音律和度、量、衡的定制。舜还修治五种礼法，确定臣子觐见时所持献的礼物：五种瑞玉，三种彩帛，两种活物（羊羔和鹅），一种死雉（野鸡）以及相应的礼器。礼毕，就返回了。

五月，南巡守，至于南岳①，如岱礼②。八月，西巡守，至于西岳，如初③。十有一月，朔巡守④，至于北岳，如西礼⑤。归，格于艺祖⑥，用特⑦。

[注释]

①南岳：战国秦汉间文献中四岳、五岳之山多虚指，有的并非实际山名，难于地理上坐实。今日习称之西岳华山、南岳衡山、北岳恒山，都是汉代以后的说法。②如岱礼：和巡狩泰山之礼一样。③如初：和最初（巡狩泰山）之礼一样。④朔：北。⑤如西礼：如西岳巡狩之礼。⑥格：告。艺祖：祖、祢（父）之庙。⑦特：一头公牛。

[译文]

五月，舜又向南巡狩，到了南岳，一如泰山巡狩之礼。八月，向西巡狩，到了西岳，也如最初泰山巡狩之礼。十一月，向北巡狩，到了北岳，如西岳巡狩之礼。返回后，告祭于祖祢之庙，用一头公牛祭祀祖先。

五载一巡守，群后四朝①。敷奏以言②，明试以功③，车服以庸④。

[注释]

①四朝：按方位朝见于所在方岳之下。②敷奏：遍以政事奏告。③明试以功：明确考察其功绩。④车服以庸：根据功勋赏赐车马冠服。庸，功。

[译文]

舜规定五年巡狩一次。巡狩之时，诸侯按四方之位各朝于方岳之下。朝见时，诸侯须口头奏告政事，然后据其所言核查政绩，按功劳赏赐车马冠服。

肇十有二州①，封十有二山②，浚川③。

[注释]

①肇:通"垗(zhào)",划定边界。十有二州:十二之数乃泛称,无确指。下十二山同。②封:即封禅。具体来讲,在大山上筑土为坛祭天称"封"("积土为封"),在大山旁小山上除地为墠(shàn)以祭地称"禅"。③浚川:疏通河道。

[译文]

划分天下为十二州野,封土以祀十二名山,又疏通了河道。

象以典刑①,流宥五刑②,鞭作官刑③,扑作教刑④,金作赎刑⑤,眚灾肆赦⑥,怙终贼刑⑦。钦哉⑧!钦哉!惟刑之恤哉⑨!

[注释]

①象:在犯人衣服上刻画不同的图像来表示惩罚。典:常。②流:流放。宥:宽宥。五刑:即《吕刑》篇有墨(刻面)、劓(yì,割鼻)、刖(fèi,断足)、宫(去生殖器)、大辟(死)五刑。③官:公事。④扑:槚楚,作为打人的木棍。教:学校。⑤金:金属货币。赎:赎罪。《吕刑》篇还记载了各种刑罚出金赎罪的数额。⑥眚(shěng)灾:一时糊涂犯罪。肆:故。赦:赦免。⑦怙终:相当于今天的"怙恶不悛",指作恶到底。贼:通"则"。刑:刑杀。⑧钦:敬。⑨恤:谨慎。

[译文]

把在冠服上刻画图像的象刑作为主要刑罚,用流放之法宽宥、替代五种常刑,把鞭笞作为怠慢、贻误公事所用的刑罚,用木棍抽打作为不服从教育者的刑罚,但可以用货币来赎刑。凡属过失犯罪,可以赦免。故意犯罪的,且怙恶不悛,则必加刑杀。谨慎啊!谨慎啊!要慎重对待刑法啊!

流共工于幽洲①,放驩兜于崇山②,窜三苗于三危③,殛鲧于羽山④,四罪而天下咸服。

[注释]

①共工：尧的大臣。幽洲：即上文的"幽都"。②崇山：泛指南方极远的山区。③窜：逐。三苗：古代东夷族的一支，属蚩尤部落，可参考下文《吕刑》篇。三危：泛指西方极边远之地。④殛（jí）：流贬。羽山：鲧遭流放而死之处，一说在今山东郯城东北，一说在蓬莱东南，未知孰是。

[译文]

于是流放共工到幽都，流放驩兜到崇山，窜逐三苗到三危山，流贬鲧到羽山一直到死。处罚了这四个罪人，全天下都心服了。

二十有八载，帝乃殂落①，百姓如丧考妣②。三载，四海遏密八音③。

[注释]

①帝：指尧。殂（cú）落：死。②百姓：人民。考妣（bǐ）：父母。③遏：止。密：静谧。八音：金、石、丝、竹、匏（páo）、土、革、木。这里泛指所有音乐。

[译文]

舜摄帝位二十八年后，帝尧逝世，百姓们都像死了父母一样悲伤。三年之内，全国上下停止了所有音乐活动。

月正元日①，舜格于文祖②，询于四岳，辟四门③，明四目、达四聪④。咨十有二牧曰⑤："食哉惟时⑥，柔远能迩⑦，惇德允元⑧，而难任人⑨，蛮夷率服⑩。"

[注释]

①月正元日：正月初一。②格：祭告。③四门：四方之门。④明四目、达四聪：苏轼《东坡书传》云："广视听于四方。"⑤咨：告。十有二牧：十二州的官员。⑥食哉惟时："惟时食哉"之倒装，"时"通"是"，"食"通"饬"，谨敬。⑦柔远能迩：周代成语，指能服外者要使内部亲善。柔，安、驯服。能，亲善。⑧惇（dūn）：厚。允：信。元：善人。⑨难：阻，这里指

舜典　29

疏远。任人：奸邪小人。⑩蛮夷：泛指华夏族以外各民族。率服：顺服。

[译文]

正月初一，舜祭告于祖庙，询问政事于四岳，遍开四方之门，以招揽贤俊之士；广视听于四方，以博闻远见。告诫十二州的长官说："多加谨慎啊！能服远方的须先使内部亲善，要修养厚德，信用善人，疏远奸人，才能感化四方蛮夷竞相归服。"

舜曰①："咨四岳②，有能奋庸③，熙帝之载④，使宅百揆⑤，亮采惠畴⑥？"佥曰⑦："伯禹作司空⑧。"帝曰："俞⑨！"咨禹："汝平水土⑩，惟时懋哉⑪！"禹拜稽首⑫，让于稷、契暨皋陶⑬。帝曰："俞！汝往哉！"

[注释]

①舜曰：别于上文所称"尧曰"，此处以下"帝曰"皆指舜。②咨：告。③有：谁。奋庸：奋起事功。④熙：振兴。载：事。⑤宅：居。百揆：百官。⑥亮：辅佐。采：事。惠：顺。畴：各类政事。⑦佥：皆，都。⑧伯禹：即禹。相传禹从鲧腹中剖出，鲧为禹父，鲧又号称崇君，为伯爵。故禹又称伯禹。司空：周代官职名，与司徒、司马并列，司土地、工事等，此处掌管水利。⑨俞：然。⑩平：治。⑪时：是。懋：勉励。⑫稽（qǐ）首：跪拜礼，叩头到地。⑬稷：人名，即后稷，又名"弃"，被奉为周的始祖。契：相传为殷商族的始祖。暨：与。皋陶（yáo）：又作"皋繇"，相传为东夷族首领，偃姓。

[译文]

帝舜对四岳说："谁能奋发有为，振兴王业的，就让他总领百官，辅佐朝政以顺成万事。"四岳和群臣都说："让伯禹担任司空吧。"帝舜说："好！"接着对禹说："你治理水土大有功劳，好好重视这个工作啊！"禹跪拜叩头，推让给稷、契和皋陶。帝舜说："好了！还是你去干吧。"

帝曰:"弃①,黎民阻饥②,汝后稷③,播时百谷④。"

[注释]

①弃:稷的另一个名字,来源于《毛诗·生民》篇所载稷遭姜嫄抛弃的传说。②阻饥:久饥。③后:执掌。④时:同"莳",种植。

[译文]

舜又说:"弃啊!老百姓久陷饥荒,你去担任主管农政的稷官,领导大家种植庄稼。"

帝曰:"契,百姓不亲,五品不逊①,汝作司徒②,敬敷五教在宽③。"

[注释]

①五品:五种礼教、品格,大概指"父义、母慈、兄友、弟共(恭)、子孝"这五种家庭道德。逊:顺。②司徒:周代官职名,金文中司藉田、林衡、牧人等职,战国秦汉之间渐转化为专掌教化之职。③敷:布,展开。五教:指父义、母慈、兄友、弟恭、子孝。

[译文]

舜又说:"契!现在老百姓缺乏亲睦,父、母、兄、弟、子女之间礼法伦常也不讲究,你来担任司徒,大力推行父义、母慈、兄友、弟恭、子孝这五教,但不要太严峻,稍稍宽柔点。"

帝曰:"皋陶,蛮夷猾夏①,寇贼奸宄②,汝作士③。五刑有服④,五服三就⑤;五流有宅⑥,五宅三居⑦。惟明克允⑧。"

[注释]

①猾夏:侵乱中国。猾,乱。②寇:群行劫掠者,盗匪。贼:害人、违法。奸宄(guǐ):周代成语,见于《微子》、《牧誓》、《康诰》等,盗窃、凶乱之意。③士:官名,兼掌军事和刑狱。④五刑:这里指甲兵、斧钺、刀锯、钻笮、鞭扑五种刑具。服:服刑。⑤三就:指原野、市、朝三个行刑的场所。⑥五流有宅:即上文"流宥五刑"。马融说:"谓在八议,君不忍刑,宥之以

远。"流，流放。宅，居。⑦五宅三居：指五刑之流所居之处按远近分为三等。马融说："五等之差亦有三等之居，大罪投四裔，次九州之外，次中国之外。"⑧克：能。允：信服。

[译文]

帝舜又说："皋陶，现在外有蛮夷侵伐，内有违法害民、盗窃凶乱之事，你去兼掌军事和刑狱。施用五刑，都要有承服者，原野、市、朝各当其处；宽宥五刑施以相应的流放之刑，远近各等也要各有处所。定要明察刑案，判罪公允，众人才能信服。"

帝曰："畴若予工①？"佥曰："垂哉②！"帝曰："俞！"咨垂："汝共工③。"垂拜稽首，让于殳斨暨伯与④。帝曰："俞！往哉，汝谐⑤。"

[注释]

①畴：谁。若：善。工：百工之长。②垂：舜的大臣，主管百工之事。③共：作，担任。工：掌管百工之官。④殳（shū）斨（qiāng）：人名。伯与：人名。⑤谐：宜。

[译文]

帝舜问："谁能掌管治理好我的百工职事？"群臣都说："垂呀！"帝舜说："好！"对垂说："你来担任共工之官。"垂跪拜叩头，推让给殳斨和伯与两人。帝舜对垂说："好了！去吧，你适合这个职位。"

帝曰："畴若予上下草木鸟兽①？"佥曰②："益哉③！"帝曰："俞！"咨益："汝作朕虞④。"益拜稽首，让于朱、虎、熊、罴⑤。帝曰："俞！往哉！汝谐。"

[注释]

①上：山。下：泽。②佥：皆。③益：即伯益，文献亦作"伯翳"、"伯

罴"等，为嬴秦之祖，又名大费。④虞：官名，掌管山泽。⑤朱、虎、熊、罴：代指四位大臣。

[译文]

帝舜问："谁能替我管理山林川泽鸟兽？"群臣都说："益啊！"帝舜说："好啊！"对益说："任命你担任掌管山泽的虞官。"益跪拜叩头，推让给朱、虎、熊、罴诸人。帝舜说："好了！去吧，你适合这个职位。"

帝曰："咨四岳，有能典朕三礼①？"佥曰："伯夷②。"帝曰："俞！"咨伯③："汝作秩宗④，夙夜惟寅⑤，直哉惟清⑥。"伯拜稽首，让于夔、龙⑦。帝曰："俞，往，钦哉！"

[注释]

①有：谁。典：主。三礼：泛指各种礼法，三是虚数。有人说三礼是天神、地祇、人鬼之礼，似不可靠。②伯夷：相传为姜姓宗祖神，《吕刑》篇中他与夏族宗祖神禹、周族宗祖神稷同被上帝派到人间造福百姓，他掌管刑狱之政。但在本篇，伯夷的身份是礼官。③伯：即伯夷。④秩宗：主宗庙的礼官。蔡沈说："秩，序也；宗，祖庙也。秩宗主叙次百神之官，而专以秩宗名之者，盖以宗庙为主也。《周礼》亦谓之宗伯。"⑤寅：敬。⑥直：正直。清：廉洁。⑦夔（kuí）：舜的大臣，后为乐官。龙：舜的大臣，后为纳言之官。

[译文]

帝舜问："四岳啊，谁能为我主持礼典？"四岳和群臣都说："伯夷可以。"帝舜说："好！"就对伯夷说："任命你担任秩宗之官，早晚都要精诚、洁净地主持祭礼啊。"伯夷跪拜叩头，推让给夔、龙二人。帝舜说："好了！还是你去干，敬重职守啊。"

帝曰："夔，命汝典乐①，教胄子②。直而温③，宽而栗④，刚而无虐⑤，简而无傲⑥。诗言志⑦，歌永言⑧，声依咏⑨，律和

舜典 33

声⑩，八音克谐⑪，无相夺伦⑫，神人以和。"夔曰："於⑬！予击石拊石⑭，百兽率舞⑮。"

[注释]

①典：执掌。乐：乐正。②胄子：贵族子弟。③直而温：正直而温和。④宽而栗：宽容但有所辨别。栗，通"秩"，有条理。⑤刚而无虐：刚毅但不苛暴。⑥简而无傲：简约但不傲慢。⑦诗言志：《毛诗·周南·关雎》序云："在心为志，发言为诗。"⑧永：同"咏"。⑨声依咏：依歌咏的需要来运用宫商角徵羽五声。⑩律和声：用律管来校定五声的音高。⑪克：能。⑫夺伦：乱其旋律，走调。夺，乱。伦，序。⑬於（wū）：叹词。⑭石：磬。拊（fǔ）：轻击。⑮百兽率舞：人们装扮成百兽随乐起舞。

[译文]

帝舜说："夔，任命你为乐正，教导贵族子弟，让他们正直而温和，宽容但能明辨，刚毅而不苛暴，简约但不傲慢。诗教是用来抒发高尚情志的，歌咏则是用来进一步宣畅诗中所寄之意的，按歌咏的需要来运用宫商角徵羽五声，用律管来校定五声的音高。这样，所有乐器才能和谐不跑调，也能使人和神和谐快乐。"夔说："我或轻或重地拍击石磬，人们装扮成百兽随之翩翩起舞。"

帝曰："龙，朕堲谗说、殄行①，震惊朕师②，命汝作纳言③，夙夜出纳朕命，惟允④。"

[注释]

①堲（jí）：通"疾"，憎恶。殄（tiǎn）行：恶行。殄，败坏。②师：众人。③纳言：官名。《孔传》说："纳言，喉舌之官，听下言纳于上，受上言宣于下，必以信。"④允：信。

[译文]

帝舜说："龙！我憎恶那些谗言恶行，使我的民众受到惊吓。你来担任纳言，替我及时下达命令，传达民意，必须信实不误。"

帝曰:"咨汝二十有二人①,钦哉!惟时亮天功②。"

[注释]

①咨:告。二十有二人:苏轼《东坡书传》云:"盖十二牧、四岳、九官也。"极确。②时:是。亮:通"谅",辅佐。功:事。

[译文]

帝舜说:"告诉你们二十二个人,要敬重职守啊,来辅助成就上天赋予大家的功业。"

三载考绩,三考,黜陟幽明①,庶绩咸熙。

[注释]

①黜:废,罢免。陟:升。幽:暗。明:贤明。

[译文]

此后,舜每三年举行一次政绩考核,经过九年、三次的考核,黜退了昏庸的官员,晋升了贤明之士,国家各项事业都兴盛起来。

分北三苗。

[译文]

又将三苗的一部分分出来迁到了北方。

舜生三十征庸①,三十在位,五十载,陟方乃死②。

[注释]

①征庸:召用,任用。②陟方乃死:韩愈说"陟方"即升遐、徂落,犹云"升天"。《孟子·离娄下》说舜"卒于鸣条",则在今开封陈留境。

[译文]

舜年三十岁时被尧征用,摄帝位三十年,即帝位又五十年,最后升天而逝。

舜典 35

大禹谟①

曰若稽古大禹，曰文命②，敷于四海③，祗承于帝④。曰："后克艰厥后⑤，臣克艰厥臣，政乃乂⑥，黎民敏德⑦。"

[注释]

①大禹谟：本篇记载了大禹、伯益、皋陶和帝舜讨论政事，以及大禹受舜禅位，开拓疆域等经过，属东晋晚出《古文尚书》。大禹相传是原始社会末期夏部落的首领，姒姓，名文命，又称夏禹。传说是鲧之子，继其父之后治水，疏导有方，获得成功。后来接受舜的禅让，成为部落首领，其子启为夏朝的建立者。谟，谋。②文命：禹的名字。③敷：布。四海：指天下四方。④祗：恭敬。帝：上帝。⑤后：指部落首领或者君主。克：能。艰：难。⑥乂：治理。⑦敏：勤勉。

[译文]

查得古代有个大禹，名叫文命，他的德业广布天下，恭谨地承顺上帝。他说："君主要能认识到当君主的艰难，臣下能够认识到做臣子的艰难，政事就好治理了，百姓也会勤勉于道德修养。"

帝曰："俞！允若兹①，嘉言罔攸伏②，野无遗贤③，万邦咸宁④。稽于众⑤，舍己从人，不虐无告⑥，不废困穷⑦，惟帝时克⑧。"

[注释]

①允：的确。若：如。②嘉：善。攸：所。伏：隐伏。③野：乡村，民间。④万邦：指天下所有部落。咸：都。宁：安宁。⑤稽：考。⑥虐：虐待。无告：指鳏寡孤独、无所依靠的人。⑦废：离弃。⑧时：通"是"。克：做到。

[译文]

帝舜说:"对啊!确实如此,善言没有遭到隐藏,贤才没有流落民间,天下四方都平安无事。广听群众意见,能够舍弃一己私见,遵从大家的正确见解,不虐待无依无靠的人,不舍弃贫穷困苦的人,只有帝尧才能够做到。"

益曰:"都①!帝德广运②,乃圣乃神③,乃武乃文。皇天眷命④,奄有四海⑤,为天下君。"

[注释]

①都(dū):叹美之辞。②运:远。③乃:如此。④眷:顾念。⑤奄:尽。

[译文]

伯益说:"啊,帝尧的德行广大深远,如此神圣,兼备文德武功。皇天加以眷念,赐予福命,使他享有四海之地,成为天下的君主。"

禹曰:"惠迪吉①,从逆凶②,惟影响③。"

[注释]

①惠:顺。迪:道。②逆:悖谬之道。③影响:《孔传》说:"吉凶之报,若影之随形,响之应声。"

[译文]

大禹说:"顺从善道就吉祥,顺从恶道就会凶险,就像倒影、回声一样应验。"

益曰:"吁!戒哉,儆戒无虞①,罔失法度②,罔游于逸,罔淫于乐③。任贤勿贰④,去邪勿疑,疑谋勿成⑤,百志惟熙⑥。罔违道以干百姓之誉⑦,罔咈百姓以从己之欲⑧。无怠无荒,四夷来王。"

[注释]

①儆(jǐng)：戒备。虞：失误。②罔：不要。③淫：过。④贰：有二心。⑤疑谋：犹豫不决的谋划。⑥百志：各种思考。⑦干：求。⑧咈(fú)：乖戾，违背。

[译文]

伯益说："啊！谨慎啊！要时时戒备不要失误，不要抛弃法律制度，不要贪图安逸、过分享乐。任用贤才不要轻信小人之言去怀疑他，消灭奸邪小人不要犹豫不决，有疑虑的谋略不要施行。不要违背常理来求得民众赞誉，不要违背民众利益来顺从私欲。如果能够不懈怠、荒废政务，周边各族就会自动臣服。"

禹曰："於①！帝念哉②！德惟善政，政在养民。火、水、金、木、土、谷惟修；正德、利用、厚生惟和③；九功惟叙④，九叙惟歌⑤。戒之用休⑥，董之用威⑦，劝之以九歌⑧，俾勿坏⑨。"

[注释]

①於：叹词。②帝：指舜。念：考虑。③正德、利用、厚生：即下文的"三事"。蔡沈《书集传》说："正德者，父慈、子孝、兄友、弟恭、夫义、妇听，所以正民之德也。利用者，工作什器，商通货财之类，所以利民之用也。厚生者，衣帛食肉、不饥不寒之类，所以厚民之生也。"④九功：指上文火、水、金、木、土、谷（即下文的"六府"）及正德、利用、厚生（"三事"）。叙：安排，使有秩序。⑤歌：歌颂。⑥用：以。休：美。⑦董：督。⑧九歌：九德之歌。⑨俾：使。

[译文]

大禹说："哎呀！大王您可要深思啊！所谓大德，就是要政治昌明，百姓生活好。火、水、金、木、土、谷六府之事要多修持经营；家庭道德、商贸财用、衣食住行等事业要顺利实行。这九件大事要有条不紊，百姓才会歌颂君王。拿美好的事物来劝诫百姓，用严格的刑罚监督百姓使其心怀畏惧，再用九德之歌来鼓励百姓，不要使他们败坏德政。"

帝曰："俞！地平天成①，六府三事允治②，万世永赖，时乃功③。"

[注释]

①平：水土得到治理。成：万物成长。②允：确实。③时：通"是"。乃：你的。

[译文]

帝舜说："对啊！水土平治，万物长成，六府三事得到切实的治理发展，这些造福千秋万代的事业，都是你的功劳。"

帝曰："格汝禹①，朕宅帝位三十有三载②，耄期倦于勤③。汝惟不怠，总朕师④。"

[注释]

①格：告。②宅：居。有：又。③耄（mào）期：《孔传》说："八十、九十曰耄，百年曰期。"倦：困倦。勤：勤劳于职事。④总：统领。师：众。

[译文]

帝舜说："告诉你，禹，我在位已经三十三年了，繁忙的工作让我这个百十岁的人感到疲倦。你从不懈怠，就让你来统领我的民众吧。"

禹曰："朕德罔克①，民不依。皋陶迈种德②，德乃降③，黎民怀之。帝念哉！念兹在兹④，释兹在兹⑤，名言兹在兹⑥，允出兹在兹⑦。惟帝念功！"

[注释]

①罔克：不能。②迈：勇往力行。种：施行，开展。③降：降及下民。

大禹谟　39

④念兹在兹：考虑到德行为皋陶所具备。上一个"兹"指代德，下一个"兹"指代皋陶。⑤释：通"怿"，喜悦。⑥名言：称道，称说。⑦允：信。出：发出，推行。

[译文]

大禹说："我的德行还不能胜任，百姓不会依附。皋陶勇往直前，广布德行，德政降及下民，百姓都心向着他。您应该考虑到这些啊！皋陶自身具备德行，且乐于德治，称说德义，能够真正推行德政。您要好好考虑皋陶的功绩呀！"

帝曰："皋陶！惟兹臣庶，罔或干予正①，汝作士②，明于五刑③，以弼五教④。期于予治⑤。刑期于无刑，民协于中⑥。时乃功⑦，懋哉⑧！"

[注释]

①或：有人。干：冒犯。正：通"政"。②士：掌刑狱之官。③五刑：即《吕刑》篇墨、劓、剕、宫、大辟五刑。④弼：辅弼。五教：即《左传》文公十八年之"父义、母慈、兄友、弟共（恭）、子孝"五教。⑤期：合。⑥中：中正之道。⑦时：通"是"。⑧懋：勉。

[译文]

帝舜说："皋陶啊！这些臣子庶民们，从没人干犯法制，你作为掌管刑狱的官员，要知道用五刑来辅助五教的实施，合于我的统治。使用五刑的目的是为了不使用五刑，这样民众才能走上中正之道。这是你的功绩，要努力啊！"

皋陶曰："帝德罔愆①。临下以简②，御众以宽③。罚弗及嗣④，赏延于世⑤。宥过无大⑥，刑故无小⑦。罪疑惟轻，功疑惟重⑧。与其杀不辜⑨，宁失不经⑩。好生之德，洽于民心⑪，兹用不犯于有司⑫。"

[注释]

①愆(qiān):过失。②简:简约。③御:驾驭。④嗣:后代。⑤延:延续,扩及。⑥宥:宽恕。过:过失犯错。⑦刑:动词,刑杀。故:故意犯罪。⑧罪疑惟轻,功疑惟重:蔡沈《书集传》说:"罪已定矣,而于法之中,有疑其可重可轻者,则从轻以罪之。功已定矣,而于法之中,有疑其可轻可重者,则从重以赏之。"⑨不辜:无罪。⑩不经:不守正道的人。⑪洽:和谐。⑫有司:指刑狱司法。

[译文]

皋陶说:"君主您的德行没有任何过失。您对待大臣简约,控制民众宽容,惩罚不株连殃及子孙,奖赏则延续到后代。如果是过失犯罪,即使罪大,也可以得到宽恕;如若故意犯罪,无论罪行大小,都要施加刑罚。处罚轻重不确定时,就从轻发落;功劳奖赏大小无法确定时,就从重赏赐。与其误杀无罪之人,宁可放过不守正道的人。这种好生之德,深深合于民心。因此,百姓也不会触犯刑法。"

帝曰:"俾予从欲以治①,四方风动②,惟乃之休③。"

[注释]

①从欲以治:蔡沈《书集传》说:"民不犯法,而上不用刑者,舜之所欲也。"②四方风动:指四方民众百姓像风一样鼓动应合。③乃:你的。休:美德。

[译文]

帝舜说:"使我能够如愿治理天下,四方百姓纷纷响应,这都是你的美德所致啊!"

帝曰:"来,禹!降水儆予①,成允成功②,惟汝贤;克勤于邦,克俭于家,不自满假③,惟汝贤。汝惟不矜④,天下莫与汝争能;汝惟不伐⑤,天下莫与汝争功。予懋乃德⑥,嘉乃丕绩⑦。

大禹谟 41

天之历数在汝躬⑧，汝终陟元后⑨。人心惟危，道心惟微⑩，惟精惟一⑪，允执厥中⑫。无稽之言勿听，弗询之谋勿庸⑬。可爱非君？可畏非民？众非元后何戴⑭？后非众罔与守邦。钦哉！慎乃有位，敬修其可愿⑮。四海困穷，天禄永终⑯。惟口出好兴戎⑰，朕言不再。"

[注释]

①降水：一作"洚水"，大水，洪水。儆：警告。②成允成功：蔡沈说："允，信也。禹奏言而能践其言，试功而能有其功。"③假：夸大。④矜：自夸。⑤伐：夸耀。⑥懋：褒美，表扬。⑦丕：大。绩：功绩。⑧历数：历运之数，指帝王相继的次序。躬：自身。⑨陟：登上。元后：帝位。⑩微：精微、隐微。⑪精：精诚。一：专一。⑫允：的确。中：中正之道。⑬询：咨询，核实。庸：用。⑭戴：拥戴。⑮可愿：指民众之所愿。⑯天禄：受自上天的福命。⑰好：好话，善言。兴戎：引起战争。

[译文]

帝舜说："过来，禹！洪水在警告我们。你言行一致，治水成功，这是你的贤能；你勤劳于国事，居家生活节俭，从不自满浮夸，也是你的贤能。你从来不自我夸耀，因此，天下没有人能和你争能，也没有人能和你争功。我褒扬你的大德，嘉许你的功绩。君主大位将落在你身上，你终要登上帝位。人心险恶，道心精微难测，只有精诚专一之人，才能守住中正之道。没有经过验证的话不要听，没有经过广泛参详的谋略不能采用。民众爱戴的不就是君王吗？君王畏惧的不正是民众吗？除了君王，百姓还拥戴谁呢？君王离开了民众，就没有人来守卫家国了。要恭敬啊！谨慎对待君位，恭敬地达成民众的愿望。如果天下百姓都困苦，你所受天命也会终结的。至于口能赞扬善行，也会引起战争，你是知道的，我就不再重复了。"

禹曰:"枚卜功臣①,惟吉之从。"帝曰:"禹!官占②,惟先蔽志③,昆命于元龟④。朕志先定,询谋佥同⑤,鬼神其依,龟筮协从⑥,卜不习吉⑦。"禹拜稽首固辞⑧。帝曰:"毋,惟汝谐。"

[注释]

①枚卜:古代选官要经过逐个占卜。②官占:掌占卜之官,这里也可以理解为占卜的方法。③蔽:断定。④昆:后。命:占卜。元龟:用于占卜的大龟。⑤询:咨询。谋:谋议。佥(qiān):都。⑥龟:龟甲。筮(shì):蓍草。⑦习吉:重复出现吉兆。⑧固辞:坚决推辞。

[译文]

大禹说:"还是逐个来占卜有功之臣,选择有吉兆的继位吧!"帝舜说:"禹!占卜的方法,是先断定志向,然后用大龟占卜。我的志向先已决定了,与大家谋议的结果一样,鬼神依顺,龟卜蓍策全都依从,况且占卜的方法,不需要重复出现吉兆。"大禹跪拜叩头,坚决推辞。帝舜说:"不要推辞了,只有你合适。"

正月朔旦①,受命于神宗②,率百官若帝之初③。

[注释]

①朔:阴历每月初一。②神宗:尧的宗庙。神是尊称。③若帝之初:和当初舜受尧禅让相同。

[译文]

正月初一的早晨,大禹在帝尧的神庙里接受舜的大命,像帝舜当初接受帝尧禅让一样,率领百官进行大典。

帝曰:"咨①,禹!惟时有苗弗率②,汝徂征③。"禹乃会群后④,誓于师曰:"济济有众,咸听朕命。蠢兹有苗⑤,昏迷不恭⑥,侮慢自贤⑦,反道败德。君子在野,小人在位。民弃不保,天降之咎。肆予以尔众士⑧,奉辞伐罪⑨,尔尚一乃心力⑩,其克有勋⑪。"

[注释]

①咨：叹词。②有苗：三苗族。率：遵循，顺服。③徂（cú）：往。④群后：各民族部落首领。⑤蠢：骚动的样子。⑥昏：暗昧。迷：迷惑。⑦侮慢：轻慢，怠慢。自贤：妄自尊大。⑧肆：所以。⑨辞：命令。⑩尚：庶几。⑪克：能。勋：功勋。

[译文]

帝舜说："唉，禹！那三苗不服从我们，你前去征讨！"大禹召集四方首领，在军前誓师："诸位将士，听我命令！三苗蠢蠢欲动，昏了头了，狂妄自大，败坏道德。搞得贤能君子被抛弃，奸佞小人得到重用。民众被抛弃，得不到安宁，上帝也降下灾难来了。因此，我率领诸位将士，奉君王之命，征伐有罪的三苗，大家同心协力，建立功勋！"

三旬①，苗民逆命②。益赞于禹曰③："惟德动天，无远弗届④。满招损，谦受益，时乃天道。帝初于历山⑤，往于田，日号泣于旻天⑥，于父母，负罪引慝⑦；祗载见瞽瞍⑧，夔夔斋栗⑨。瞽亦允若⑩。至诚感神⑪，矧兹有苗⑫？"禹拜昌言曰⑬："俞！"

[注释]

①三旬：三十天。②逆命：违背、抵触命令。③益：伯益。赞：辅佐，进言。④届：达到。⑤帝：指舜。历山：舜初耕作之地，具体所在不可考。⑥日：每天。旻天：上天。⑦负罪：蔡沈说："自服其罪，不敢以为父母之罪。"引慝（tè）：蔡沈说："自引其慝，不敢以为父母之慝也。"慝，邪恶。⑧祗：敬。载：服侍。瞽瞍（sǒu）：舜的父亲。⑨夔夔：庄敬战栗的样子。斋：庄敬。栗：战栗。⑩允若：和顺。⑪诚（xián）：和，诚。⑫矧（shěn）：何况。⑬昌言：美言。

[译文]

过了三十天,三苗就是不服。伯益进言说:"只要道德能感天动地,无论多远也能归顺。满招损,谦受益,这是自然之理。当初,帝舜在历山耕作,每在田野,都向上天呼号哭泣,对于父母,总是引咎自责;服侍父亲瞽瞍恭恭敬敬,庄重而敬畏。瞽瞍也渐渐对他和顺了。他的至诚之心感动了神灵,何况今天对三苗呢?"大禹拜谢了这番美言,说:"对啊!"

班师振旅①,帝乃诞敷文德②,舞干、羽于两阶③。七旬,有苗格④。

[注释]

①班:还。振:整顿。②诞:大。敷:布,开展。③干、羽:舞具。干,盾牌。羽,翳。两阶:古代堂前有宾主两阶。④格:来,归顺。

[译文]

于是整顿队伍,班师回朝,帝舜从此大兴德政,民众挥着盾牌、美羽在帝廷前跳着舞。七十天后,三苗前来归顺。

皋陶谟①

曰若稽古皋陶曰:"允迪厥德②,谟明弼谐③。"禹曰:"俞④!如何?"皋陶曰:"都⑤!慎厥身修,思永⑥。惇叙九族⑦,庶明励翼⑧,迩可远在兹⑨。"禹拜昌言⑩,曰:"俞。"

[注释]

①皋陶谟:本篇是皋陶和禹在虞舜朝廷上问答、议论的记录。皋陶相传是东夷族首领,偃姓,本篇中是舜掌管刑法狱讼的大臣。②允:确实。迪:引导。厥:其。③谟:谋。弼:辅。谐:和。④俞:然,犹今云"好的"。

⑤都：叹美之辞。⑥永：长。⑦惇：厚。叙：按次序。九族：众多氏族。⑧庶：众。明：贤明之人。厉：勉。翼：辅。⑨迩：近。⑩昌言：美言。

[译文]

古时候皋陶说："要切实发扬德教，我们所规划、辅佐的事业才能光明和谐。"禹说："对啊！但如何实现呢？"皋陶说："哦！要谨慎地修养品德，还要深谋远虑。以厚德来团结各氏族，推举贤明之士成为辅弼之臣，使政务能够由近及远，达于全境。"禹拜领了这番美言，说道："对啊！"

皋陶曰："都！在知人，在安民。"禹曰："吁①！咸若时②，惟帝其难之③。知人则哲④，能官人⑤；安民则惠⑥，黎民怀之⑦。能哲而惠，何忧乎驩兜，何迁乎有苗，何畏乎巧言令色孔壬⑧？"

[注释]

①吁：叹词。②咸：皆。若时：如此，像这样。③惟：发语词。④哲：明智。⑤官：任用。⑥惠：爱。⑦怀：思。⑧巧言：说好话。令色：装好人。孔：很。壬：佞。

[译文]

皋陶又说："啊！这全在于知人善任，安定百姓。"禹说："唉！能做到这样，连帝王也感到不容易啊。知人则有才智，能授予恰当的职位；安民则有仁爱之心，能使百姓感恩戴德。能够知人善任、关怀人民，还怕什么驩兜作乱，哪里还需要放逐三苗，哪里还畏惧花言巧语善于装假的坏人呢？"

皋陶曰："都！亦行有九德①，亦言其人有德。"乃言曰："载采采②。"禹曰："何？"皋陶曰："宽而栗③，柔而立④，愿而恭⑤，乱而敬⑥，扰而毅⑦，直而温⑧，简而廉⑨，刚而塞⑩，强而义⑪。彰厥有常⑫，吉哉⑬！日宣三德⑭，夙夜浚明有家⑮。日严祗敬六德⑯，亮采有邦⑰。翕受敷施⑱，九德咸事，俊乂在官⑲。百僚、师师、百工惟时⑳，抚于五长㉑，庶绩其凝㉒。无教逸欲有邦㉓。兢兢业业，一日二日万几㉔。无旷庶官㉕，天工人其代之㉖。天叙有典㉗，敕我五典五惇哉㉘；天秩有礼，自我五礼有庸哉㉙；同寅协恭和衷哉㉚；天命有德，五服五章哉㉛；天讨有罪，五刑五用哉㉜；政事懋哉懋哉㉝！天聪明，自我民聪明㉞；天明畏，自我民明威。达于上下㉟，敬哉有土㊱！"

[注释]

①亦：通"迹"，检验。行：品行。九德：九种品德，见下。②载：始。采：事。③宽而栗：宽宏又庄严。④柔而立：柔和又能坚定。⑤愿而恭：谨厚而能干练于职事。恭，通"供"。⑥乱而敬：善治事者又能谨敬。⑦扰而毅：和顺但能果断。⑧直而温：正直而能温和。⑨简而廉：简约率性但能志行端正。⑩刚而塞：刚强而又平实。⑪强而义：坚强不屈而能守道义。⑫彰：明。厥：其。⑬吉：善。⑭宣：布。⑮浚：今文作"翊"，明。⑯严：通"俨"，庄重。祗：敬。⑰亮：信。采：事。⑱翕（xī）：合。⑲俊乂：超过常人的才智之士。⑳百僚：百官。师师：较高级的长官。百工：百官。时：天时。㉑抚：顺。五长：五位众官之长，如司徒、司马、司寇、司空、大宗伯等各官之长。㉒凝：成。㉓无：通"毋"。㉔几：同"机"，机微。㉕旷：废。庶：众。㉖天工：即"天功"，天事。㉗叙：伦序。㉘敕（chì）：诫。惇：厚。㉙自：由，用。五礼：泛指几种礼，郑玄说："五礼，天子也，诸侯也，卿大夫也，士也，庶民也。"有人说是"吉、凶、军、宾、嘉"五礼，不可信。庸：常。㉚寅：敬。协：和。衷：善。㉛五服：天子、诸侯、卿、大夫、士五等礼服。章：彰显，表彰。㉜五刑：即《吕刑》之墨、劓、剕、宫、大辟。用：施行。㉝懋：美好。㉞自：由。㉟达：通。上下：天心和民意。㊱有土：指有封地的诸侯卿大夫等。

[译文]

皋陶说："啊！检验一个人的品行，有九种美德。"接着说："有没有德，要从他所干的每件事出发来考察。"禹说："怎么说呢?"皋陶说:"宽宏又能严谨,柔和而能独立,老实忠厚而能干练守职,善治事者又能谨敬,驯顺且能刚毅果断,耿直而能温和,简易率性而志行端正,刚正不阿而又平实,坚强不屈而能守道义。天子如能奖励那些德行有常的人,就称善政了。对这九种德行每天能做到其中三种、六种的,就能治理并保有家国。天子更要能综合此三德、六德之人而普施政教,使备有九德的贤俊之士都能担任王朝职官。百官职司都按时以展事功,在政府五长的领导下,使各种政事都获成功。切勿使国家政教为逸乐嗜欲所腐化,大家每天都要兢兢业业地谨慎洞察万事的端倪。不可让不称职者旷废官位,因为王朝的君位、官职都是秉承天职,天事由人代行,不可旷废。上天定下了人的伦常次序,告诫我们要遵守君臣、父子、夫妇、兄弟、朋友等常法,使这五种关系深厚有序。上天制定了尊卑贵贱的品秩等级之礼,由此才有君臣、父子、夫妇、兄弟、朋友等礼法的贯彻实行。君臣民众上下一心和衷共济吧!上天嘉命有德之人,制定了多种彩绘的服饰来表彰他们;上天惩罚有罪之人,用墨、劓、剕、宫、大辟五种刑罚处治他们。这样,政事就美好了!兴旺了!上帝听取意见,观察问题,都是根据民众的态度;上天赏赐贤德、惩罚有罪,也是依据民众的态度。天心民意上通下达。要谨慎啊,四方诸侯们!"

皋陶曰:"朕言惠可厎行①?"禹曰:"俞,乃言厎可绩②。"皋陶曰:"予未有知,思曰赞赞襄哉③。"

[注释]

①惠:发语词。厎(zhǐ):致。②绩:成功。③思:助词,无意义。曰:通"爰"。赞:引导、宣明。襄:成。

[译文]

皋陶说:"我讲的这些可以成功地贯彻执行吗?"禹说:"你的

话完全可以实行。"皋陶说："其实我并没有什么见识,只是一直在考虑如何成就治国之道罢了。"

益 稷①

帝曰："来,禹!汝亦昌言。"禹拜曰："都!帝,予何言?予思日孜孜②。"皋陶曰："吁!如何?"禹曰："洪水滔天,浩浩怀山襄陵,下民昏垫③。予乘四载④,随山刊木⑤。暨益奏庶鲜食⑥。予决九川、距四海⑦,浚畎浍距川⑧。暨稷播奏庶艰食⑨,鲜食⑩,懋迁有无化居⑪,烝民乃粒⑫,万邦作乂⑬。"皋陶曰："俞!师汝昌言。"

[注释]

①益稷:本篇主要记载了舜和禹的对话,其中,禹向帝舜报告了益、稷的功绩。②孜孜:勤勉不懈的样子。③昏:淹没。垫:陷。④四载:四种运载工具,旱路坐车,水路乘船,泥路用橇,山路用梮(jū)。⑤随山刊木:沿着山岭形势,斩木通道,以便治水。⑥暨(jì):与,和。奏:进。庶:庶民。鲜食:新鲜食物。⑦九川:泛指九州名川。距:至,通。⑧浚:疏浚、加深水道。畎(quǎn)浍(huì):田间大小不同的沟洫等。小沟称畎,大沟称浍。⑨播:布。奏:进。艰食:根生植物,即五谷。⑩鲜(xiǎn)食:少食的地方。鲜,少。⑪懋迁有无:转移有余以补充不足。懋,通"贸"。化居:迁徙居集之货。化,通"货"。⑫粒:通"立",定。⑬乂:治。

[译文]

帝舜对禹说："来,禹。你也讲讲你的意见。"禹拜谢说道："啊,我有什么好说的呢?我只考虑每天努力不懈地工作。"皋陶插话说："怎么样努力不懈呢?"禹说："滔天的洪水,浩浩荡荡地包围了山脉,淹没了丘陵,老百姓都要被淹死了,我使用四种交通工具,循行山林,斩木通道,以便治水。和益一起给老百姓生鲜食物。我将九州河流疏通贯入大海,把河渠疏通使入大河。又和稷一道为老百姓播种百谷。缺粮少食的地方,我就从粮食充足的地方来调配,老百姓才安定下来,国家最终得以治理。"皋陶说:"好啊!应该学习、借鉴你的良言。"

禹曰:"都!帝慎在位。"帝曰:"俞。"禹曰:"安汝止①,惟几惟康②;其弼直③,惟动丕应④。徯志以昭受上帝⑤,天其申命用休⑥。"帝曰:"吁!臣哉邻哉⑦!邻哉臣哉!"禹曰:"俞。"

[注释]

①止:职责。②惟:思。几:通"机",机微,端倪,这里偏指危险事态。康:安。③弼:辅。直:正直之人。④丕:大。⑤徯(xī):待。昭:明。⑥申:重。用:以。休:美。⑦邻:近。

[译文]

禹对舜说:"啊,陛下在帝位上要特别谨慎小心呀!"帝舜说:"是啊!"禹说:"让您的行为安定稳重,注意事态的端倪才可不致酿成大害,而能得到平安。还要有正直之人作你的辅佐,君主令出则天下大应。等待有德之人,来承接上帝的命令,上天就会加赐您美好的福命。"帝舜说:"大臣是至亲至近的啊!至亲至近的是大臣啊!"禹说:"是啊!"

帝曰:"臣作朕股肱耳目①。予欲左右有民②,汝翼③。予欲宣力四方,汝为。予欲观古人之象④:日、月、星辰、山、龙、华虫作会⑤,宗彝、藻、火、粉米、黼、黻絺绣⑥,以五采彰施于五色作服⑦,汝明。予欲闻六律、五声、八音⑧,在治忽⑨,以出纳五言⑩,汝听。予违⑪,汝弼⑫。汝无面从,退有后言。钦四邻⑬,庶顽谗说⑭,若不在时⑮,侯以明之⑯,挞以记之⑰,书用识哉⑱,欲并生哉⑲,工以纳言⑳,时而飏之㉑,格则承之、庸之②,否则威之㉓。"

[注释]

①股肱:手足。②左右:助。③翼:辅翼。④象:衣服的法象。⑤华虫:一种美丽的野鸟。会:同"绘"。⑥宗彝:绘有虎、蜼(wěi,长尾猿)的宗庙彝器。藻:水草。火:"火"字。粉米:白米。黼(fǔ):斧形。黻(fú):两弓相背的几何图形。絺(chī)绣:缝制、刺绣。⑦以五采彰施于五色:郑玄云:"未用谓之采,已用谓之色。"王国维说"采"当作"介",谓五者相介(间)以发其色。可备一说。⑧六律:指十二律吕。五声:宫、商、角、徵、羽。八音:金、石、丝、竹、匏、土、革、木八种材料的乐器所奏出的音乐。⑨在:察。忽:荒殆。⑩出纳:听取。五言:各方面意见。⑪违:犯错误。⑫弼:匡正。⑬钦:敬。四邻:泛指左右大臣。⑭庶:众。顽:愚。谗说:诌媚之人。⑮在:察。时:是。⑯侯:射靶,指射礼。⑰挞:鞭挞、谴责。记:通"慝",诫。⑱书:著之刑书。用:以。⑲生:上进。⑳工:官。纳:采纳。㉑时:是。飏(yáng):举。㉒格:改过。承:进。庸:用。㉓威:使畏惧。

[译文]

帝舜说:"大臣们做我的左膀右臂和心腹耳目。我佑助人民,你们要辅助我。我要宣力于四方,你们要尽力而为。我要观察古人昭分品秩等级的服色采象,在上身衣服上彩绘日、月、星辰、山、龙、华虫等图案,在下身衣裳上缝织、绣制虎猿之形、水藻、火焰形、白米、黑白相间的斧形、青黑相间的亚形等图案,用五种色彩的颜料鲜明地绣制各种色彩的章服,你们要一一考订明确。我要谛听六律、五声、八音,从声音来考察治乱,听取各方的意见,你们要为我听清楚。如果我有过失,你们要匡正我。不要当着我的面时唯唯诺诺,暗地又批评我。我尊敬的辅佐大臣们!那些愚顽进逸言的人不守政教,你们要用射侯之礼分辨出来,过分的,就鞭挞处罚给予告诫。那些过失小的就把他们的罪记在刑书上,让他们羞愧悔过。做官的要采纳下面的意见,有善行的就表扬、举荐,改过向善

益稷 51

的也升进录用,否则用刑罚威慑让他恐惧。"

禹曰:"俞哉!帝光天之下,至于海隅苍生①,万邦黎献②,共惟帝臣③。惟帝时举④,敷纳以言,明庶以功,车服以庸⑤。谁敢不让⑥,敢不敬应⑦?帝不时⑧,敷同日奏⑨,罔功⑩。"

[注释]

①苍生:老百姓。②黎献:老百姓和贵族。③共:同。惟:为。④时:及时。⑤敷纳以言,明庶以功,车服以庸:《尧典》有"敷奏以言,明试以功,车服以庸"之句,义近。纳,采纳。庶,考察。⑥让:让功服善。⑦应:承。⑧时:通"是",这么做。⑨敷同:(对贤愚善恶)不加区别地对待。敷,布,普。奏:进。⑩罔:无。

[译文]

禹说:"啊呀!天下苍生百姓,万邦贵贱之人,都是陛下的臣子,全在于陛下及时举用,广泛地吸纳他们的意见,明确地考察他们的功绩,公正地以车马服饰赏赐他们的功勋。这样,谁敢不让功服善,谁敢不敬承天命。如果陛下不这样,而使贤愚善恶同时在位,就不会取得政绩。"

帝曰:"无若丹朱傲①,惟慢游是好②,敖虐是作③,罔昼夜頟頟④,罔水行舟⑤。朋淫于家⑥,用殄厥世⑦,予创若时⑧。"

[注释]

①无:通"毋"。傲:同"敖",戏谑。②慢游:逸游无度。③敖虐:戏谑。④罔昼夜:没有白天黑夜。頟(é)頟:没有休息的样子。⑤罔水行舟:水浅不足行船也要强迫(使人推着)走。⑥朋:群。⑦用:以。殄:绝。厥:其。世:世系。⑧创:惩。若时:于是。

[译文]

帝舜说:"不要像丹朱那样沉溺于游玩嬉戏,贪乐戏荡,没日没夜无停息。河中水浅也强迫非要行船。在家中也肆行淫乱,终使他的世系断绝了。我们可不能像他这样。"

"娶于涂山①,辛壬癸甲②,启呱呱而泣③,予弗子④,惟荒度土功⑤,弼成五服⑥,至于五千⑦,州十有二师⑧。外薄四海⑨,咸建五长⑩。各迪有功⑪,苗顽弗即功⑫,帝其念哉⑬。"

[注释]

①涂山:涂山氏。其地望或说在会稽,或说在九江当涂,今不详。②辛壬癸甲:古代以干支纪日,辛壬癸甲共计四天。③呱(gū)呱:婴儿哭声。④子:作动词用,抚育儿子。⑤荒:大。度:就。⑥弼:辅。五服:《禹贡》有甸服、侯服、绥服、要服、荒服五服之制,其实是虚拟。⑦五千:《禹贡》记每服五百里,五服则二千五百里,两面计之方五千里。也是虚构。⑧州十有二师:《尧典》有十二州,指地方行政制度的设立。师作为地方长官,即十二州牧。⑨薄:迫,至。四海:四方,普天之下。⑩五长:各地的诸侯。⑪迪:道,蹈。⑫即功:归顺舜帝功业。⑬念:思。

[译文]

禹说:"我娶涂山氏的女儿,结婚是辛日,到甲日就离开家忙着去治水。我的儿子启出生,在家哭着,我也没有尽过抚育儿子的责任,只是全力完成了平治水土之功。终于辅助陛下完成划天下为五服的大业,使疆域每方达到五千里,又制定了十二州师的地方行政区划,外则疆域远至四海,五方之地各建诸侯;他们都能建立功勋。只有苗族愚顽不服帝功,陛下要时刻留意。"

帝曰:"迪朕德,时乃功①,惟叙②。皋陶方祗厥叙③,方施象刑惟明④。"

[注释]

①时:依时。②惟:宜。叙:顺。③祗:敬。④象刑:把刑杀的图像刻画在器物上,以示警戒。

[译文]

帝舜说:"用我们的德教去开导他们,见机行事,三苗应该会顺从。现在皋陶敬重那些归顺的,对愚顽不服的人开始明确地用刑罚威慑。"

夔曰:"戛击鸣球①,搏拊琴瑟以咏②。祖考来格③。虞宾在位④,群后德让⑤。下管鼗鼓⑥,合止柷、敔⑦,笙镛以间⑧。鸟兽跄跄⑨。箫韶九成⑩,凤皇来仪⑪。"夔曰:"於⑫!予击石拊石⑬,百兽率舞,庶尹允谐⑭。"

[注释]

①戛(jiá):轻击。鸣球:玉磬。球,玉。②搏:手击。拊(fǔ):轻击。咏:合咏歌之声。③祖:父之考,即祖父。考:父。格:至,常用于祭祀时神祇来飨之意。④虞宾在位:不详,有人说舜以丹朱为宾,乃受汉代三统说影响,不是先秦的实际情况。⑤群后德让:诸侯助祭者各以德相让。⑥下管:堂下之乐以竹乐器为主,故称下管。鼗(táo):长柄小鼓,两旁有耳,摇动可自击。⑦合止柷(zhù)、敔(yǔ):即"合之柷敔"。止,通"之"。柷、敔,皆古乐器,形制不详。⑧笙:管状乐器。镛:大钟。间:与上"咏"相对,与咏歌迭奏。⑨鸟兽跄跄:人扮为鸟兽起舞的样子。⑩箫韶:舜所制乐曲之名。九成:演奏九遍。⑪凤皇来仪:扮演凤凰的舞队错落相间,仪态万方。⑫於:叹词。⑬石:磬。⑭庶尹:百官。允:信,确实。

[译文]

夔说:"(堂上乐工)敲击玉磬,抚击琴瑟,来配合歌咏。祖先神灵各来飨祀。此时前代帝王的后裔作为虞宾已就祭位,前来助祭的诸侯也都互相礼让。(堂下)管乐和鼗鼓并奏,与柷、敔、笙、钟之音相合,与堂上咏歌之声迭相起奏。乐声悠扬,人扮演着鸟兽竞相起舞。《箫韶》之乐演奏九遍,扮演凤凰的舞队错落相间,仪态万方。"夔还说:"啊,我敲击石磬,'百兽'纷纷起舞,百官更是和谐融洽。"

帝庸作歌①，曰："敕天之命②，惟时惟几③。"乃歌曰："股肱喜哉④，元首起哉⑤，百工熙哉⑥！"皋陶拜手稽首飏言曰⑦："念哉⑧！率作兴事⑨，慎乃宪⑩，钦哉！屡省乃成⑪，钦哉！"乃赓载歌曰⑫："元首明哉！股肱良哉！庶事康哉！"又歌曰："元首丛脞哉⑬！股肱惰哉⑭！万事堕哉⑮！"帝拜曰："俞！往钦哉！"

[注释]

①庸：因此。②敕：勤劳。③惟时惟几：何时何事都要慎重警戒。时，通"是"。④股肱：左右大臣。⑤元首：君主。起：兴起。⑥百工：百事。熙：兴。⑦拜手稽首：跪拜叩头。飏：同"扬"，接着，继续。⑧念：思考，记住。⑨率：率领。兴：起。⑩宪：法令。⑪屡省：反复仔细地考虑。⑫赓（gēng）：继续。载：为。⑬丛脞（cuǒ）：繁碎没有大略。⑭惰：懈怠。⑮堕：毁坏。

[译文]

帝舜因此唱起歌来："要勤劳于天命啊，任何时候、任何事情都要警戒谨慎啊。"接着又唱道："大臣百官乐于治事啊！君王我就奋起了啊！国家万事就都兴旺了啊！"皋陶跪拜叩头，接着说："记住这些话啊！天子总率群臣振兴事功，大家要慎重对待公共法令，千万要恭敬啊！凡事要反复思考才会成功，要恭敬啊！"皋陶又接着唱道："天子英明啊！大臣贤良啊！万事康宁啊！"又歌唱道："天子治事琐细没有大略啊！大臣们就会懈怠了啊！万事也就荒废了啊！"帝舜听了，拜谢道："对啊！去吧！大家好好努力各司其职吧！"

禹 贡①

禹敷土②，随山刊木③，奠高山大川④。

[注释]

①禹贡：本篇是中国最早的地理著作，讲述大禹治水、划分九州，并记载了"九州"山川、土壤、物产、贡赋等。本篇的主体内容反映了春秋时期的地理状况，但也经过了战国人的增益加工。贡，进献。②敷土：划分土地（为九州）。敷，分。③刊：砍削。④奠：定。

[译文]

禹划分九州疆界，随着山势斩木通道，确定各州高山大河。

冀州①。既载壶口②，治梁及岐③。既修太原④，至于岳阳⑤。覃怀厎绩⑥，至于衡漳⑦。厥土惟白壤⑧，厥赋惟上上⑨，错⑩，厥田惟中中⑪。恒卫既从⑫，大陆既作⑬。岛夷皮服⑭。夹右碣石入于河⑮。

[注释]

①冀州：禹划九州之一，是天子直接管理的王畿。在今山西和河北西部。②既：已。载：成。壶口：山名，在今山西省吉县。③治：治理。梁：山名，在今陕西韩城县东北。岐：山名，在今永济县北。④既：已。修：治理。太原：在今山西太原一带。⑤岳阳：太岳山以南的区域。岳，太岳山，在今山西霍县东。⑥覃（tán）怀：在今河南武陟、沁阳一带。厎：致。绩：功。⑦衡漳：漳水横流入黄河，故称。衡，通"横"，漳水自山西高原西南东流，与黄河交汇流于河北、河南两省间的平原，水害严重。⑧惟：是。白壤：一种沙质含盐的土壤，因洪水流过，又经蒸发所致。这种盐碱地农作物产量很低。⑨赋：贡赋。上上：第一等，《禹贡》将九州田、赋分作九等，即上上、上中、上下、中上、中中、中下、下上、下中、下下。⑩错：杂。这里指杂出第二等赋税。⑪中中：第五等。《禹贡》九州土地分等，大体根据当地农业发展水平高低，而不是根据地形、地质等。⑫恒卫既从：意谓恒、卫二水已治好，顺利流泻了。恒水出今河北曲阳县，卫水出今河北灵寿县，两水下游在战国黄河大改道前都是黄河下游河道的一部分。⑬大陆：大陆泽，在今河北巨鹿县西北，是古代内陆湖泊，后大都淤成平地。作：耕作。⑭岛夷：古代居住在东海

岛上的民族。皮服：禽兽皮毛。⑮夹：《东坡书传》云："夹，挟也，自海入河，逆流而西，右顾碣石，如在挟腋也。"碣(jié)石：河北乐亭县南的海边石山。

[译文]

冀州。壶口治理好了，接着治理梁山和岐山。太原修治妥当，又整治岳阳地区。覃怀地区成效显著，又到了横漳水一带。这一州的土壤是含盐的白壤，赋税是第一等，但根据收成有时杂出第二等，耕地列在第五等。恒水、卫水都疏浚通畅了，大陆泽周围土地也可以耕种了。岛夷的人进贡珍奇的鸟兽皮毛，他们循海道入贡，沿着辽东湾西岸向南航行，循着拐角处的碣石，据以右转，再向西驶入黄河。

济、河惟兖州①。九河既道②，雷夏既泽③，灉、沮会同④。桑土既蚕⑤，是降丘宅土⑥。厥土黑坟⑦，厥草惟繇⑧，厥木惟条⑨。厥田惟中下。厥赋贞⑩。作十有三载⑪，乃同⑫。厥贡漆、丝，厥篚织文⑬。浮于济、漯⑭，达于河⑮。

[注释]

①济：古代四渎之一，源出河南济源市，汉代经河南武陟县流入黄河，又向南流入山东。惟：是。兖(yǎn)州：在今河南、河北、山东境内。②九河：泛指古兖州境内黄河下游的诸多河道。道：通。③雷夏：大泽名，在今山东菏泽东北。泽：孔疏云："洪水之时，高原为水，泽不为泽。雷夏既泽，高地水尽，此复为泽也。"④灉、沮：二水名，都是黄河支流，源出今山东省鄄城、菏泽二县之间，现已干涸。⑤桑土：适宜种植桑树的土地。⑥丘：人工堆建用于抵抗洪水的土坡。⑦黑坟：一种含有黑色植物腐质肥料的灰棕壤。坟，肥土。⑧繇：抽，植物生长抽条。⑨条：生长。⑩贞：金履祥《尚书表注》说"贞"为篆文"下下"之讹，可从。下下，即第九。⑪作：耕作。⑫同：同于他州。⑬篚(fěi)：圆形的竹筐。织文：有图纹的丝织品。⑭浮：以船行水。漯(tà)：水名，古代黄河的支流，其故道从河南浚县东北流至山东，经

滨县、利津一带入海。古代济水、漯水相通。⑮达：通。

[译文]

济水和黄河之间一带是兖州。黄河下游众多河道已经疏浚畅通，雷夏洼地已汇成湖泽，灉水、沮水在此会合。土地已能够种植桑树，饲养家蚕，人们从躲避洪水所筑的高坡上搬下平地居住了。这一州土壤肥沃的黑土，长着茂盛的草木。这里的耕地列在第六等，赋税为第九等。该州经过十三年的农作耕耘，赋税才赶上其他州。该州的贡物是漆和丝，还有装在圆竹筐里的染有各种美丽图纹的丝织品。进贡物品由船运经济水、漯水，直通黄河。

海岱惟青州①。嵎夷既略②，潍、淄其道③。厥土白坟④，海滨广斥⑤。厥田惟上下。厥赋中上。厥贡盐、绨、海物惟错⑥，岱畎丝、枲、铅、松、怪石⑦。莱夷作牧⑧，厥篚檿丝⑨。浮于汶⑩，达于济。

[注释]

①海：渤海。岱：泰山。青州：今山东半岛，东北至辽宁东部。②嵎夷：泛指古代东方少数民族，这里指居住在辽东的一部分少数民族。略：划定疆界。③潍：潍河，源于今山东莒县北潍山。淄：淄河，源于山东益都县。道：治理，疏导。④白坟：浅色的肥沃土壤，指灰壤或浅色草甸土。⑤斥：盐渍土。⑥盐：海盐。绨（chī）：一种精细的葛织物。海物：鱼蟹一类可以食用的海产品。惟：与。错：治玉的磨砺石。⑦岱畎（quǎn）：泰山的沟谷。丝：蚕丝。枲（xǐ）：雄株麻。铅：青白色矿石，可以加工用于绘画和涂饰。怪石：形状怪异的玉石。⑧莱夷：活动在今山东半岛的夷人。作牧：（向中央王朝）贡献牲畜。⑨檿（yǎn）丝：柞蚕丝。檿，山桑，即柞树。⑩汶（wèn）：汶水，源出今山东莱芜县，《水经·汶水》篇说汶水故道，自莱芜历泰安、宁阳，至东平入济水。

[译文]

渤海和泰山之间一带是青州。已治理好东北方的嵎夷族，为其划定疆界，又疏导了潍水、淄水。这一州的土壤是白坟土，沿海地区是广大的盐碱地。耕地列在第三等，赋税则为第四等。该州的贡物是盐、细葛布、海产品以及磨玉的砺石，并有泰山山谷所产丝、麻、铅、松、玉石。莱夷族贡献的是畜产，还有装在竹筐子里的柞蚕丝。进贡的船只由汶水直达济水，再由此驶入黄河。

海、岱及淮惟徐州①。淮、沂其乂②，蒙、羽其艺③。大野既猪④，东原底平⑤。厥土赤埴坟⑥，草木渐包⑦。厥田惟上中。厥赋中中。厥贡惟土五色⑧，羽畎夏翟⑨，峄阳孤桐⑩，泗滨浮磬⑪，淮夷蠙珠暨鱼⑫。厥筐玄纤缟⑬。浮于淮、泗，达于菏⑭。

[注释]

①淮：淮河。徐州：今山东南部、江苏、安徽北部。②沂：沂水，源于山东沂水县北。乂：治。③蒙：蒙山，在山东蒙阴县西南。羽：羽山，在今江苏赣榆县西南。非相传舜殛鲧之处。艺：种植。④大野：巨野泽，在今山东巨野县境。猪：同"潴"，水停止、聚集。⑤东原：在今山东泰安至东平一带。底：致，成功。⑥赤埴（zhí）坟：棕色的黏性肥土。埴，黏土。⑦渐：逐渐生长。包：繁茂丛生。⑧土五色：指青、红、白、黑、黄五种不同颜色的土，产于今江苏铜山、山东诸城一带。⑨羽畎：羽山的山沟。夏翟（dí）：山雉，即长尾野鸡，羽毛可作装饰。⑩峄（yì）：山名，在今江苏省邳县。孤桐：特生的桐木。⑪泗：水名，源出今山东泗水县。浮磬：一种石头。⑫淮夷：淮北之夷，在徐州之域。蠙（pín）珠：蚌珠。⑬玄：红黑色丝织物。纤：细。缟：白色丝织物。⑭菏：水名，出定陶西南。

[译文]

东边沿海，北边至泰山，南边至淮河之间的地域是徐州。淮水、沂水治理好了，蒙山、羽山地方也都可以耕种了。巨野泽汇积四方流水，东原地区的水患解除了。这一州的土壤是棕色的黏土，草木繁茂丛生。耕地列第二等，赋税则为第五等。该州贡物有五色土、羽山谷中产的长尾野鸡、峄山南面的特产制琴良桐、泗水河畔的浮磬石和淮夷族所献的珍珠及鱼产，还有用筐装着的赤黑色细缯和白色绸帛。进贡的船只从淮水经泗水，通于菏水，再由菏入济以达黄河。

淮、海惟扬州①。彭蠡既猪②，阳鸟攸居③。三江既入④，震泽厎定⑤。篠簜既敷⑥，厥草惟夭⑦，厥木惟乔⑧。厥土惟涂泥⑨。厥田惟下下，厥赋下上上错。厥贡惟金三品⑩，瑶、琨、篠簜⑪，齿、革、羽、毛惟木⑫。岛夷卉服⑬，厥篚织贝⑭，厥包橘柚锡贡⑮。沿于江、海，达于淮、泗。

[注释]

①扬州：今淮水以南的江苏、安徽两省境，江西、福建、浙江三省全境，及广东北部等。②彭蠡（lǐ）：长江北岸一个大湖泊或湖泊群，非今鄱阳湖。猪：同"潴"。③阳鸟：鸿雁之类。攸居：安居。④三江：指彭蠡泽以东长江及其支流诸水。⑤震泽：太湖。厎：致。⑥篠（xiǎo）：箭竹。簜（dàng）：大竹。敷：布，这里指生长。⑦夭：草木生长茂盛的样子。⑧乔：高。⑨涂泥：黏质湿土。⑩金三品：古代称铜为金，金三品即青铜、白铜、赤铜。⑪瑶：美玉。琨：美石。⑫齿：象牙。革：兽皮。羽：珍禽之羽。毛：同"旄"，旄牛尾。羽、毛皆指舞具。惟：与。⑬岛夷：指东海、南海大小岛屿上的少数民族。卉服：草制的衣帽鞋类。卉，草的总名。⑭织贝：织有贝纹的丝织品。⑮包：包装。橘：橘子。柚：柚子。锡：同"赐"。

[译文]

北起淮河，东南到海之间是扬州。彭蠡泽已汇聚了许多河流，作为每年雁阵南飞过冬的居住地。彭蠡以东诸江之水已入于海，太湖水域也治理安定了。遍地生长着大小竹子，芳草美盛，乔木葱翠。这一州的土质属潮湿泥地，耕地列第九等，赋税则为第七等，有时杂出第六等。该州的贡物有青铜、白铜、赤铜，以及瑶琨美玉、大小竹材、象牙、皮革、鸟羽、旄牛尾以及木材，和岛夷族所献草织的衣帽鞋子、用筐子装着的绚丽的丝织贝锦，还有妥善包装的橘子、柚子。进贡船只沿着长江、黄海直达淮水和泗水,然后再沿徐州贡道入于河。

荆及衡阳惟荆州①。江、汉朝宗于海②,九江孔殷③,沱、潜既道④,云梦土作乂⑤。厥土惟涂泥,厥田惟下中,厥赋上下,厥贡羽、毛、齿、革,惟金三品,杶干栝柏⑥,砺砥砮丹⑦,惟箘簵楛⑧。三邦厎贡厥名⑨,包匦菁茅⑩,厥篚玄纁玑组⑪。九江纳锡大龟⑫。浮于江、沱、潜、汉⑬,逾于洛⑭,至于南河⑮。

[注释]

①荆:荆山,在今湖北省南漳县西。衡阳:衡山之南。荆州:包括今湖北、湖南省境中部,及四川和贵州的一部分。②江:长江。汉:汉水,发源于《禹贡》所称之嶓冢山。朝宗于海:顾颉刚《中国古代地理名著选读》第一辑说:"从前诸侯见天子春见称朝,夏见称宗。这里是把海比作天子,江、汉比作诸侯,说江、汉合流以后归于大海。"③九江:在今湖北省黄冈地区广济一带,九为虚数,非必是九条水。孔:甚,很。殷:众。④沱:长江支流。潜:汉水支流。道:疏浚通畅。⑤云梦:即云梦泽。孙诒让《周礼正义·职方氏》云:"云梦一泽,水则潴为洞庭,郭景纯云巴丘湖是也。至于全薮陆地,则直跨今湖北汉阳、黄州、安陆、德安、荆州五府境。"今从之。作乂:获得治理。⑥杶(chūn):椿树。干:柘木,可做弓。栝(guā):桧树。柏:柏树。⑦砺:粗磨刀石。砥:细磨刀石。砮(nǔ):可以做箭镞的石头。丹:朱砂。⑧箘(jùn)簵(lù):竹名,可做箭杆。楛:木名,可做箭杆。⑨厥名:有名的特产。⑩包:包裹起来。匦(guǐ):捆扎缠结。菁茅:有毛刺的茅草,宗庙祭祀时撒酒其上,以供神饮,称缩酒。⑪玄:赤黑色的丝织物。纁(xūn):黄赤色的丝织物。玑组:古人佩玉所系的带子。玑,珍珠类。组,丝带。⑫纳:入。锡:同"赐"。⑬浮:船行水路。⑭逾:越过,指水路不通须越过陆地才能到达。洛:《史记》作"雒",水名,源出陕西洛南县,东至河南巩义入河,与陕西境内入渭的洛水非一。⑮南河:河南洛阳、巩义一带的河。

[译文]

荆山到衡山南面的广阔地域是荆州。长江、汉水在此合流奔腾入海，至九江地区水势很盛。长江的支流沱江、汉水的支流潜江都已疏浚通畅，云梦泽水域也已获得治理可以耕作。这一州的土壤也是潮湿的泥地，田地列第八等，赋税则为第三等。这一州的贡物有鸟羽、旄牛尾、象牙、兽皮、黄铜、青铜、红铜、杶木、柘木、桧木、柏木、精粗两种磨刀石、砮镞石、朱砂、箘竹、簵竹、楛木。州内诸地也献上当地名产，有捆扎起来专供宗庙祭祀缩酒之用的菁茅、装在筐子里的赤黑色与黄赤色的丝织物，还有用来佩玉的绶带，更有九江所献祭祀用的神龟。进贡道路是先用船运经由江水及各支津沱水、潜水等以通汉水，然后登岸由陆路运达洛水，再进入黄河。

荆、河惟豫州①。伊、洛、瀍、涧既入于河②，荥波既猪③，导菏泽④，被孟猪⑤。厥土惟壤⑥，下土坟垆⑦。厥田惟中上，厥赋错上中。厥贡漆、枲、绤、纻⑧，厥筐纤纩⑨。锡贡磬错⑩。浮于洛，达于河。

[注释]

①豫州：在《禹贡》九州的中央，与青州之外其他七州相邻，又称"中州"。包括今河南省黄河以南，湖北省北部等地。②伊：伊水，源出今河南卢氏县。洛：《史记》作"雒"，源出陕西洛南县。瀍：瀍水，源出今河南省孟津县西北谷城山，东入洛水。涧：涧水，源出今河南省渑池县东北白石山，东流入洛水。③荥波：又叫荥播，即荥泽，在今河南荥阳县境。猪：同"潴"，水停留、聚集。④菏泽：在今山东定陶，属古兖州，叙在此州，是因其水入于孟诸泽。⑤被：覆被、溢漫。孟猪：即"孟诸"，在今河南商丘东北。⑥壤：无块柔土。⑦下土坟垆（lú）：辛树帜《禹贡新解》说："分布于豫州，与前述之坟皆为壤之下土即底层。许慎著《说文》释垆为黑刚土，土坚刚而色黑，或指分布于河南低坡地石灰性冲积土底层之深灰黏土与石灰结核；结核多者连接成层。今河南、山西、山东人民尚有称之为垆者，亦称沙姜，继为丘陵土与次生黄土所掩盖。无论就地区所在言或就土层排列言，皆属符合。"⑧枲：麻。

绨：精细的葛织物。纻（zhù）：纻麻。⑨纤纩（kuàng）：细丝绵。⑩锡贡：纳贡、进贡。锡，同"赐"。错：治玉之石。

[译文]

荆山到黄河之间是豫州。伊水、洛水、瀍水、涧水都已疏浚流入黄河。荥泽地域横溢之水也已汇集成湖，水大时，可疏通菏泽之水向南泻入孟诸泽。这一州的土壤是无块柔土，低下之处是黑色硬土。耕地列第四等，赋税是第二等，杂出第一等。该州的贡物有漆、麻、精细葛布、纻麻，还有装在筐子里的细丝绵，和磨磬的砺石。贡道是由洛水船运至黄河。

华阳、黑水惟梁州①。岷嶓既艺②，沱潜既道，蔡蒙旅平③，和夷厎绩④。厥土青黎⑤，厥田惟下上，厥赋下中三错。厥贡璆、铁、银、镂、砮、磬⑥，熊、罴、狐、狸⑦。织皮、西倾因桓是来⑧，浮于潜⑨，逾于沔，入于渭⑩，乱于河⑪。

[注释]

①华阳：华山的南面。黑水：顾颉刚说："今陕西城固县北有黑水，即《禹贡》梁州的黑水。《禹贡》是说自华山南西迄黑水，其南则为梁州，后人不明此义，依附孔传或者非驳孔传，都不可靠。"(《中国历史地理名著选读》第一辑）梁州：今四川东部和陕西、甘肃南部，大概因为境内山势高、多山梁而得名。②岷：岷山，在四川省松潘县境，岷江所出。嶓（bō）：嶓冢山，在今陕西宁强县东北。艺：种植。③蔡：山名，叶梦得《尚书传》认为是四川雅安东南的蔡家山，胡渭《禹贡锥指》以为是峨眉山，未知孰是，总之是四川境内一山。蒙：山名，在四川雅县北。旅：道。平：平治。④和夷：少数民族名。和，水名。⑤青黎：指四川青泥田、紫泥田及紫色土等土壤。⑥璆（qiú）：黄金，梁州特产。镂：质地坚硬可用于刻镂的铁。⑦罴：一种熊。狐：似犬而长尾。狸：山猫。⑧织皮：王鸣盛《尚书后案》说："谓西戎之国，即昆仑等是也。"西倾：山名，在甘肃、青海交界处。桓：桓水，即今嘉陵江上游白龙江。⑨潜：潜水，汉水支津。⑩逾于沔（miǎn），入于渭：金履祥《尚

书表注》谓经文有误,当作"入于沔,逾于渭",极是。逾,两水不通而须经过陆路。沔,沔水,汉水的上游。渭,渭水,源出今甘肃渭源县,为黄河最大支流。⑪乱:正面横渡。

[译文]

华山南面和黑水之间一带是梁州。岷山和嶓冢山治理后已可种植庄稼,江、汉两水的支津沱水、潜水都已疏浚,蔡山和蒙山的河道也都平治,和夷族等西南夷民也已治理安定。这一州的土壤是青黎土,耕地列第七等,赋税为第八等,夹杂着七、九二等。该州贡物有黄金、铁、银、镂钢、砮磬石、磬石,以及熊、罴、狐狸、山猫。织皮和西倾山的贡物也沿着桓水而来。贡道是先用船运经由潜水进入沔水,再登岸由陆路运至渭水,再横渡渭水横渡黄河。

黑水、西河惟雍州①。弱水既西②,泾属渭汭③,漆沮既从④,沣水攸同⑤。荆岐既旅⑥,终南惇物⑦,至于鸟鼠⑧,原隰底绩⑨,至于猪野⑩。三危既宅⑪,三苗丕叙⑫。厥土惟黄壤⑬,厥田惟上上,厥赋中下。厥贡惟球琳琅玕⑭。浮于积石⑮,至于龙门、西河⑯,会于渭汭⑰。织皮、昆仑、析支、渠搜⑱,西戎即叙⑲。

[注释]

①西河:山西和陕西分界处的黄河,因在冀州之西,故名。雍州:今陕西中部、北部和甘肃大部。②弱水:即今甘肃张掖河,源于今甘肃山丹县,西流入居延海。③泾:泾水,源出宁夏泾源县。属:入也。渭汭(ruì):泾水流入渭水相交弯曲之处。④漆:漆水,源出今陕西铜川东北境,南流至耀县与沮水相合,名石川河。沮:沮水,源出陕西黄陵县,东南流黄陵南,又东流会漆水名石川河,又东至富平东南入渭水。漆沮分流时为二水名,合流后成一水名。既从:指漆合于沮,沮合于渭。⑤沣:发源于陕西户县终南山,北流入渭。攸:所。同:指沣与漆、沮同样入渭水。⑥荆:荆山,在今陕西朝邑县西南。岐:岐山,在今陕西岐山县东北。旅:道,治理。⑦终南:终南山,今西

安市南五十里。惇物：太乙山的北峰武功山。⑧鸟鼠：山名，全称鸟鼠同穴山，在今甘肃渭源县西南。《孔传》说："鸟鼠共为雄雌，同穴处此山，遂名山曰鸟鼠。渭水出焉。"⑨原隰：本义是低下的湿地，郑玄说是地名，在今陕西旬邑、彬县一带。皆可通。⑩猪野：又作"都野"，泛指雍州的湖泽、沃壤。⑪三危：山名。宅：安定。⑫丕：大。叙：顺。⑬黄壤：其地本为黄土高原，故泛称黄壤。⑭球：玉磬。琳：青碧色的玉。琅玕：山中所产的美石。⑮积石：山名，今青海省同仁、同德两县西南的阿尼玛卿山。⑯龙门：山名，在今陕西韩城县东北。西河：自壶口、龙门以南至风陵渡今晋西南的黄河河段。⑰渭汭：渭水入黄河处。⑱昆仑：族名，在今青海境内。析支：西戎族名。渠搜：地名，在今内蒙古鄂托克旗南故朔方城。⑲西戎：居住在西方的少数民族。即：就。叙：秩序，安定。

[译文]

黑水到山陕界黄河之间是雍州地区。弱水疏通后向西流去，泾水疏通后流入渭水，漆水和沮水疏通汇合后也流入渭水，沣水北流，同样入于渭水。荆山、岐山一带平治完毕，终南山、惇物山直到更西北的鸟鼠同穴山，无论平原还是湿地，都已得到治理，直至猪野。三危山人民安居乐业，被逐迁移至此的三苗也顺从了。这一州的土壤是黄壤，田地列第一等，赋税第六等。该州贡物有玉磬、玉碧、琅玕。贡道是从积石山附近的黄河到达龙门山下的西河，南和渭水航道会于渭水入黄河之处。织皮、昆仑、析支、渠搜等西戎族人民也都安定和顺。

导岍及岐①，至于荆山②；逾于河③，壶口、雷首④，至于太岳⑤；厎柱、析城⑥，至于王屋⑦；太行、恒山⑧，至于碣石⑨，入于海⑩。西倾、朱圉、鸟鼠⑪，至于太华⑫；熊耳、外方、桐柏⑬，至于陪尾⑭。导嶓冢⑮，至于荆山⑯；内方⑰，至于大别⑱。岷山之阳⑲，至衡山⑳；过九江㉑，至于敷浅原㉒。

[注释]

①导：循行。岍（qiān）：山名，在今陕西陇县。岐：岐山，在陕西岐山县。②荆山：非荆州之荆山，乃为北荆山，在大荔东南朝邑西境。③逾于河：屈万里《尚书集释》说："荆山东接黄河，一若山越河而过者，故云逾于河。"④壶口：山名，在今山西省吉县。雷首：山名，在今山西省永济市。⑤太岳：山名，在今山西霍县东。⑥厎柱：即三门山，在今山西平陆县。析城：山名，在今山西阳城县。⑦王屋：山名，在今河南省济源市西北，绵延至山西、河北。⑧太行：山名，在今山西、河北、河南三省交界处。恒山：五岳中的古北岳，在今河北省曲阳县境。⑨碣石：渤海北岸的山石，在今河北乐亭县南的海岸。⑩入于海：山势尽于海。⑪西倾：山名，在今甘肃、青海交界处。朱圉：山名，在今甘肃甘谷县。⑫太华：即华山，在今陕西华阴县南。⑬熊耳：山名，在今河南卢氏县。外方：山名，即今河南登封县内的嵩山，五岳的中岳。桐柏：山名，在今河南省桐柏县。⑭陪尾：山名，即今湖北安陆市的横山。⑮嶓冢：山名，在今陕西省宁强县。⑯荆山：即南荆山，在湖北南漳县南。⑰内方：山名，在湖北钟祥县西南。⑱大别：山名，即今鄂皖边界的大别山。⑲岷山：在四川省松潘县境。⑳衡山：荆州境内长江以南的一座大山。旧注多指为南岳衡山，胡渭《禹贡锥指》已驳之。㉑九江：湖北省广济一带的大江与有关之水。㉒敷浅原：即今江西庐山。

[译文]

（循行九州各山，）首先沿着渭水北岸，从岍山、岐山，直至黄河西岸的北荆山；越过大河，从壶口山，经雷首山，直至太岳山；南循厎柱山，东过析城山，直至王屋山；东北自太行山、恒山，直至碣石山，山势入于海中。又沿渭水南岸，从西倾山，经朱圉山、鸟鼠山，直至太华山；接着沿大河之南，循熊耳山、外方山、桐柏山，直至陪尾山。再沿汉水，从嶓冢山，直到南荆山；接着从内方山，直至大别山。又再次沿江水，从岷山之南蜿蜒以达衡山；接着过九江，直至敷浅原。

导弱水①，至于合黎②，余波入于流沙③。

[注释]

①导：按水系记录各水。弱水：即今甘肃张掖河，源于今甘肃山丹县，西流入居延海。②合黎：山名，斜亘于今甘肃张掖、高台至天城镇一线的东北方绵延三百余里，俗称要涂之山。③余波：河的下游。流沙：泛指西北广大沙漠地区。

[译文]

循行九州各水：弱水，西流到合黎山下，它的下游北流没入沙漠中。

导黑水，至于三危，入于南海①。

[注释]

①南海：相当于今青海。

[译文]

黑水，流至三危山，最后流入南海。

导河积石，至于龙门，南至于华阴①，东至于厎柱，又东至于孟津②，东过洛汭③，至于大伾④，北过降水⑤，至于大陆⑥，又北，播为九河⑦，同为逆河⑧，入于海。

[注释]

①华阴：华山的北面。②孟津：古代黄河渡口，在今河南孟津附近。③洛汭：洛水入黄河处，在河南巩义市东北。④大伾（pī）：大伾山，在今河南浚县。⑤降水：亦作"洚水"，源出今山西屯留县方山。⑥大陆：湖泽名，又称巨鹿泽。⑦播：分散，分布。九河：古兖州境内黄河下游的诸多河道。⑧逆河：海水涨潮时倒灌入河。逆，迎受。

[译文]

河水，流至积石山，通达龙门，向南流至华山北面，东过厎柱山，至于孟津，东过洛水入河处，再往前流到大伾山，折而北流，经过降水入河处，再前流注入大陆泽，又自泽的东北流出，分布为诸多河道，这些支流河道共同承受着河水，最后都入渤海。

嶓冢导漾①，东流为汉，又东为沧浪之水②，过三澨③，至于大别，南入于江④，东汇泽为彭蠡，东为北江⑤，入于海。

[注释]

①嶓冢：山名，是漾（汉）水的源头。漾：漾水，汉水上游。②沧浪之水：原是楚国境内汉水的名称。《楚辞·渔父》歌曰："沧浪之水清兮，可以濯我缨。"这里指出自湖北丹江口市至三澨所在地襄樊之间的汉水。③三澨(shì)：胡渭《禹贡锥指》说："三澨当在淯水入汉处。一在襄城北，即大堤。一在樊城南，一在三洲口东，皆襄阳县地。"④南入于江：汉水过了湖北襄樊后，向东南流，过大别山西南麓后，向南注入长江。⑤北江：长江下游，在彭蠡以东的一段，非指汉水。

[译文]

漾水，导源自嶓冢山，东流后称汉水。又东流称沧浪之水，再向前南流经过三澨，流入大别山，再南流入长江，又东流汇为彭蠡泽，东出为北江，流入东海。

岷山导江①，东别为沱②，又东至于澧③，过九江④，至于东陵⑤，东迤北会于汇⑥，东为中江⑦，入于海。

[注释]

①岷山：在四川省松潘县境。②沱：长江支流皆称沱，这里指四川境内岷江东之水。③澧：今川东诸水以下，湖北九江以上的长江河道所经过的一处湖沼。④九江：湖北广济一带容纳了长江的多条支流。⑤东陵：地名，九江以东，今安徽安庆、枞阳、彭蠡以西地区。⑥迤（yǐ）：斜行。汇：水众多，回旋停蓄而成泽。⑦中江：长江下游分道入海的三条支流之一。

[译文]

长江导源自岷山，又东边分出支津沱水，江水的主河道径自折而东流，直至澧水地带，然后流过九江，到达东陵；再自东陵东去，逶迤北流，会于彭蠡泽，然后自泽中再东出称为中江，最后入于海。

导沇水①，东流为济②，入于河③，溢为荥④，东出于陶丘北⑤，又东至于菏⑥，又东北会于汶⑦，又北，东入于海⑧。

[注释]

①沇（yǎn）水：发源于王屋山，至河南武陟县入黄河。②东流为济：《孔传》说："泉源为沇，流去为济。"③入于河：出于王屋山的济水南入大河。④溢：指黄河漫溢，形成荥泽。荥：荥泽，在今河南荥阳，汉代已淤平。⑤陶丘：在山东定陶县。⑥菏：即菏泽，在今山东菏泽市一带。⑦汶：汶水，在今山东东平县安山入济水。⑧东入于海：《孔传》说："北折而东。"

[译文]

沇水，向东流称为济水，流入黄河，接着向南溢出为荥泽，再东流过陶丘的北面，又向东会于菏泽，继向东北流与汶水相合，又向北流，最后折向东流入大海。

导淮自桐柏①，东会于泗、沂，东入于海。

[注释]

①淮：淮河。桐柏：桐柏山。

[译文]

淮河，自桐柏开始，东流会合泗水和沂水，向东流入大海。

导渭自鸟鼠同穴，东会于沣，又东会于泾，又东过漆沮①，入于河。

[注释]

①漆沮：二水名，与上沣、泾二水都注入渭水下游。

[译文]

渭水,导源自鸟鼠同穴山,向东流与沣水会合,再东流至泾水入渭处,又东流经过漆沮水入渭处,注入大河。

导洛自熊耳①,东北会于涧、瀍,又东会于伊②,又东北入于河③。

[注释]

①洛:《史记》作"雒",源出今陕西洛南县。熊耳:山名,在今陕西洛南县西南。②东北会于涧、瀍,又东会于伊:即上文"豫州"节的"伊、洛、瀍、涧既入于河"。③东北入于河:洛水东会伊水后,又东经河南巩义南,又东北流至洛口入黄河。

[译文]

洛水,导源自熊耳山,向东北流,与涧水、瀍水汇合后,又向东流会合伊水,再东北流入黄河。

九州攸同①,四隩既宅②,九山刊旅③,九川涤源④,九泽既陂⑤,四海会同⑥。六府孔修⑦,庶土交征⑧,厎慎财赋⑨,咸则三壤⑩,成赋中邦⑪。锡土姓⑫。祗台德先⑬,不距朕行⑭。

[注释]

①九州:即上文的冀、兖、青、徐、扬、荆、豫、梁、雍九州。攸:所。同:同样(得到平治)。②四隩(ào):即"四奥",四方地境。宅:居。③九山:与下文九川、九泽均泛指九州的山川林泽。刊:辟除。旅:道。④涤:同"条",疏通到达。⑤陂:堤坝。⑥四海会同:天下统一。⑦六府:掌管贡赋税收的六个府库。孔:甚,很。修:治。⑧庶土:泛言九州众多的土地。交征:勘定各州土地质量以供征税。⑨厎慎财赋:《孔传》云:"致所慎者,财货贡赋,言取之有节,不过度。"厎,致,获得。慎,谨。⑩咸:皆。则:法。三壤:土壤分为上中下的三品九等。⑪成赋:交纳赋税。中邦:指九州。蔡沈《书集传》说:"盖土赋或及于四夷,而田赋则止于中国而已,故曰成赋中

邦。"即赋税仅限于九州。⑫锡土姓：分土赐姓，建立各方国。锡，同"赐"。《左传·隐公八年》："天子建德，因生以赐姓，胙定土而命之氏。"⑬祇：敬。台（yí）：以。⑭距：违抗。朕：我。

[译文]

九州疏导工程都顺利完工，四方境内都可以安居了。九州的山大都斩木通道了，九州的大河也都已疏通了，九州湖泽地区也大都修筑堤防了，四海之内统一了。掌收贡赋的六府运转良好，九州的土地都可征收赋税了，但必须谨慎有节，依据上中下三种土地肥瘠为准则来定税额。然后封土赐姓，建立方国。强调要敬修德业，不违背我所定的原则。

五百里甸服①：百里赋纳总②，二百里纳铚③，三百里纳秸服④，四百里粟，五百里米。五百里侯服⑤：百里采⑥，二百里男邦⑦，三百里诸侯⑧。五百里绥服⑨：三百里揆文教⑩，二百里奋武卫⑪。五百里要服⑫：三百里夷⑬，二百里蔡⑭。五百里荒服⑮：三百里蛮⑯，二百里流⑰。

[注释]

①甸服：在天子领地上服各种劳役。甸，指王田，天子的领地。本文将大禹时代国都以外划分为五等，每一等四方各距离五百里，国都以外第一等为甸服。《国语·周语上》："夫先王之制，邦内甸服，邦外侯服，侯卫宾服，夷蛮要服，戎狄荒服。"②百里赋纳总：把庄稼连根拔起连带壳穗和禾茎成捆交给官府。总，把禾束成一捆。③纳铚（zhì）：入贡禾穗。铚，农具，短镰。割下的庄稼要用短镰削下穗头，故以镰代称穗。④秸（jiē）服："服"疑衍文。《经典释文》引马融说："秸，去其颖。"颖即禾茎的尖端芒毛，去掉颖即为谷实。⑤侯服：在甸服之外五百里范围，为五服第二等，距王都一千里。江声《尚书集注音疏》说："侯之言候，候顺逆，兼司候王命。"⑥采：有官、事诸义，这里指卿大夫邑地。马融说："各受王事也。"⑦男邦：蔡沈《书集传》说："男邦，男爵小国也。"比卿大夫等级稍高。⑧诸侯：蔡沈说："诸侯之爵

禹贡　71

大国。"是比男更大的封国。⑨绥服：侯服之外五百里，距王都一千五百里，取绥靖安抚之意。绥，安。⑩揆文教：掌管文教事务的官员。揆，官，这里用作动词，管理。⑪奋武卫：振兴武力，保卫王家。⑫要服：绥服之外五百里，距王都两千里。要，蔡沈《书集传》说："要者取要约之义，特羁縻之而已。"⑬夷：易，指移风易俗。⑭蔡：散，指自由迁徙。⑮荒服：要服以外五百里，距王都二千五百里，是最远的一服。取其地荒远、政教荒忽之义。⑯蛮：与上"夷"对文，按照蛮夷之习对待。⑰流：与上"蔡"对文，流放、散乱之义，即放任之意。

[译文]

规定天子国都以外五百里的地域称作甸服。距离国都一百里范围的，要缴纳连着秸穗的整捆的禾，二百里内的要缴纳禾穗，三百里内的要缴纳去掉了秸芒的穗，四百里内的要缴纳谷粒，五百里内的要缴纳细米。甸服以外五百里范围称侯服。近百里以内为采地，二百里以内为男爵地，其余三百里地封诸侯。侯服以外五百里范围称绥服。其中内三百里地区着力发扬文教，外二百里地区奋力发展国防。绥服以外五百里范围称为要服。其中内三百里地区要逐步改变风俗，外二百里地区则任其自由迁徙。要服以外五百里范围称荒服，其中内三百里地区要因俗治理，减省礼节，外二百里地区则放任自流。

东渐于海①，西被于流沙②，朔南暨③，声教讫于四海。禹锡玄圭④，告厥成功。

[注释]

①渐：浸入。②被：及。流沙：古人心中西边最遥远之地。③朔：北。暨：及也。④玄圭：黑色的瑞玉。

[译文]

东面到大海，西面达沙漠，南北及于极远之地，华夏的声威教化遍及四海九州。于是舜帝赏赐给禹玄色的美玉，用以向普天之下宣布治水成功，天下大治。

甘 誓[①]

大战于甘，乃召六卿[②]。

[注释]

①甘誓：夏王启与有扈氏在甘地作战前的誓师词，经后世史官记录而成此篇。甘地在今河南洛阳。誓，军事行动前告诫所有人员的戒辞。至于作战原因，孔颖达说起源于有扈氏不满"尧舜受禅，启独继父"，有一定道理。②六卿：郑玄说："六卿者，六军之将。"六卿为六军的领军，一卿统领一军。

[译文]

在甘地将要大战，夏王启召集左右几位卿相大臣。

王曰[①]："嗟[②]！六事之人[③]，予誓告汝。有扈氏威侮五行[④]，怠弃三正[⑤]，天用剿绝其命[⑥]。今予惟共行天之罚[⑦]。左不攻于左[⑧]，汝不共命[⑨]；右不攻于右[⑩]，汝不共命；御非其马之正[⑪]，汝不共命。用命[⑫]，赏于祖[⑬]；不用命，戮于社[⑭]。予则孥戮汝[⑮]。"

[注释]

①王：夏王启。②嗟：叹词。③六事之人：六卿及下属军官和士兵。④有扈氏：即东夷部落的"九扈"，其地当在今郑州以北黄河北岸原阳、武陟一带。威侮：轻慢。五行：天上五星的运行，代表天象、天命。⑤怠弃：厌弃。三正：王朝大臣长官。正，官长。⑥用：因此。剿：灭绝。⑦惟：发语词。共：同"恭"，恭奉。⑧左：郑玄说："左，车左。右，车右。"战国时代一辆战车上有兵士三人，左方主射，右方击刺，中间为驾车之人。攻：善、治。⑨共命：即恭命。⑩右：车右，主击刺的勇士。⑪御：驾战车的士兵。正：治，技术。⑫用：执行。⑬祖：祖庙。⑭戮：杀。社：神坛，神庙。⑮予

则孥戮汝：此五字顾颉刚、刘起釪《尚书校释译论·禹贡》认为是从《汤誓》抄入，应该删去，其说可从。孥戮，受刑辱。孥，同"奴"，奴隶。戮，惩罚。

[译文]

王说："啊！诸位将士，我发布誓词告诉你们，有扈氏上不敬天象，下不敬朝臣，上天因此要灭绝他的享国大命。现在我奉行上天的这种惩罚。所有战车左边的战士，要是不好好完成左边的战斗任务，就是不奉行命令；战车右边的战士，要是不好好完成右边的战斗任务，也是不奉行命令；驾驭战车的战士，要是不能掌握驭车技术，也是不奉行命令。奉行命令的，胜利后在祖庙里给予嘉奖；不奉行命令的，就把你们降成奴隶，或者在社坛里杀掉！"

五子之歌①

太康尸位②，以逸豫灭厥德③，黎民咸贰④。乃盘游无度⑤，畋于有洛之表⑥，十旬弗反⑦。有穷后羿因民弗忍⑧，距于河⑨。厥弟五人御其母以从⑩，徯于洛之汭⑪。五子咸怨，述大禹之戒以作歌⑫。

[注释]

①五子之歌：《史记·夏本纪》说："帝太康失国，昆弟五人，须于洛汭，作《五子之歌》。"相传夏朝开国君王夏启除子太康外，还有五个儿子，都是太康的兄弟。太康沉湎游乐，去洛南打猎时，被有穷国君羿阻挡在黄河北岸，不能回国。太康的五个兄弟苦等百日，不见太康，于是作《五子之歌》，表达了对太康不修德行而丧失帝位的指责和怨恨。本篇属梅赜《古文尚书》。②太康：夏王启的儿子。尸位：蔡沈说："谓居其位而不为其事。"尸，主。古代祭祀时，处在鬼神位置的叫尸。③豫：乐。④黎民：民众。咸：都。贰：有二心。⑤盘：享乐。⑥洛之表：洛水的南面。⑦旬：十天为一旬。反：同

"返",返回。⑧有穷:古代国名,位于东方。后:君。羿(yì):有穷国的君主。因为善射,所以用帝喾时代神箭手羿的名字。⑨距:抵御。⑩御:侍奉。⑪傒(xī):等待。汭(ruì):河流汇合或弯曲的地方。⑫述:遵循。

[译文]

夏王太康身处尊位而荒废政事,放纵享乐而丧失了国君的德行,老百姓都怀有二心。太康游玩寻乐,没有一点节制,到洛水的南岸去田猎,连着一百天都不回国。有穷国的君王羿趁着夏朝民众不堪忍受太康的时机,据守在黄河岸边阻挡太康返回。太康的五个兄弟侍奉他们的母亲跟随打猎,在洛河转弯流进黄河的地方等候太康。五个兄弟都怨恨太康,于是遵循大禹的训诫而作诗歌。

其一曰:"皇祖有训①:民可近②,不可下③。民惟邦本,本固邦宁。予视天下④,愚夫愚妇一能胜予⑤。一人三失⑥,怨岂在明⑦?不见是图⑧。予临兆民⑨,懔乎若朽索之驭六马。为人上者,奈何不敬!"

[注释]

①皇祖:指夏王朝的建立者大禹,是太康及五子的祖父,启的父亲。皇,大。训:训诫。②近:亲近。③下:轻视,疏远。④予:大禹自称。⑤一:都。⑥三失:多次犯错。三是虚数,言其多。⑦明:彰显。⑧见:显现。图:考虑。⑨兆民:天下民众。《孔传》说:"十万曰亿,十亿曰兆,言多。"

[译文]

第一首歌说道:"伟大的祖先大禹有过训示:百姓只可以亲近,不可以疏远。百姓是国家的根本,根本坚固了国家才能安定。我观察天下,普通百姓都有超过我的。一个人犯下很多过错,难道非得等到明显的时候才去考虑民众的怨恨吗?应该在没显现时就多加考虑。面对亿万民众,好比用腐烂的绳子驾驭着六匹马一样,令人戒惧。地位在老百姓之上的君王,为什么不谨慎呢?"

其二曰:"训有之:内作色荒①,外作禽荒②,甘酒嗜音③,峻宇雕墙④。有一于此,未或不亡⑤。"

[注释]

①作:兴。色:女色。荒:迷惑。②禽荒:指沉湎于游玩田猎。③甘:爱好。嗜:爱好,不满足。④雕:绘饰。⑤或:有。

[译文]

第二首歌说道:"大禹的训诫中有这样的话:在内大兴迷恋女色之风,在外沉湎于游猎,纵情美酒和音乐,住在高屋大殿里,还要绘饰宫墙。这几种情况只要沾染上一种,没有不亡国的。"

其三曰:"惟彼陶唐①,有此冀方②。今失厥道③,乱其纪纲④,乃厎灭亡⑤。"

[注释]

①惟:发语词。陶唐:指帝尧。蔡沈《书集传》说:"尧初为唐侯,后为天下,都陶,故曰陶唐。"②冀方:指古代冀州。相传尧建都平阳,舜建都蒲坂,禹建都安邑,都在古冀州范围之内。③道:治道。④纪纲:法纪纲常。⑤厎:致。

[译文]

第三首歌说道:"那个帝尧,占有冀州一带。而今太康丧失了尧的治道,扰乱了尧的法纪,最终要导致灭亡。"

其四曰:"明明我祖①,万邦之君②。有典有则③,贻厥子孙④。关石和钧⑤,王府则有。荒坠厥绪⑥,覆宗绝祀。"

[注释]

①明明:明而又明,无比英明。我祖:指大禹。②万邦:泛指天下诸侯方国。③典:典章。则:法则。④贻:遗留。⑤关:门关之征。石:古代一百二十斤为一石,这里指赋税。和钧:平均调匀。⑥荒:荒废。坠:失落。绪:前人的功业。

[译文]

第四首歌说道:"我们万分英明的祖先大禹,是四方诸侯共同的君王。有治国的典章和制度,留给他的子孙后代。关征赋税,平均调匀,百姓物资不缺,朝廷府库也很充实。现在太康荒废丧失了祖先留下的功业,覆灭了宗庙,断绝了祭祀。"

其五曰:"呜呼曷归①?予怀之悲。万姓仇予②,予将畴依③?郁陶乎予心④,颜厚有忸怩⑤。弗慎厥德,虽悔可追⑥?"

[注释]

①曷:何。②万姓:天下百姓。仇:怨恨。③畴:谁。④郁陶:忧愁悲伤。《孔疏》说:"郁陶,精神愤结积聚之意,故为哀思也。"⑤颜厚:羞愧于色。忸怩:内心惭愧。《孔疏》说:"忸怩,羞不能言,心惭之状。"⑥追:补救。

[译文]

第五首歌说道:"哎呀,我们到底能归向何方呢?我们怀念家乡,感到悲伤。天下民众都怨恨我们,我们能依靠谁呢?我内心忧愁,羞愧于色,后悔而内疚。平时不注重德行,现在虽然后悔,哪里还有法子补救啊!"

胤 征①

惟仲康肇位四海②,胤侯命掌六师③。羲和废厥职④,酒荒于厥邑⑤,胤后承王命徂征⑥。

[注释]

①胤(yìn)征:《史记》云:"帝中康时,羲、和湎淫,废时乱日。胤往征之,作《胤征》。"胤是夏方国名,胤侯作为夏王仲康的大臣,担任司马

之职。当时掌管天文历法的羲氏、和氏酗酒失职,胤侯就奉夏王之命前去征伐。本篇记载了胤侯征战前聚众誓师之词。《胤征》属梅赜《古文尚书》。②仲康:夏启之子,太康之弟,太康死后继位。肇:开始。位:通"莅",视察,治理。③六师:西周有宗周六师,成周八师的军事编制。六师为大司马所掌。④羲和:羲氏、和氏是部落联盟中擅长天文历法的首领的名字,尧以前就掌管天文历法事务。⑤酒荒:酗酒荒乱。⑥胤后:胤君,胤侯。徂:往。

[译文]

仲康开始治理天下的时候,命令胤侯掌管六军。羲氏、和氏废弃职守,在封地内酗酒荒乱。胤侯奉夏王仲康的命令,前往征伐。

告于众曰:"嗟!予有众。圣有谟训①,明征定保②。先王克谨天戒③,臣人克有常宪④。百官修辅⑤,厥后惟明明⑥。每岁孟春⑦,遒人以木铎徇于路⑧。官师相规⑨,工执艺事以谏⑩。其或不恭⑪,邦有常刑。

[注释]

①谟:谋略。训:训诫。②征:验证。保:安。③谨:恭敬。天戒:老天的训诫,古人以为日食陨星等天象是上天的训诫。④常宪:常法。⑤修:勤于职守。辅:辅佐君王。⑥明明:非常贤明。⑦孟春:春季的第一个月。⑧遒(qiú)人:古代的宣令之官。木铎:一种铃,铃身是金属的,铃舌是木的。古代宣布教令时,宣令官会沿途摇动木铎,引起人们的注意。徇:通"巡",巡行。⑨官师:各位官员。师,众。规:规谏。⑩工:工匠。⑪或:有。恭:规谏。

[译文]

胤侯向众将士宣誓说:"啊!我的众位将士。圣人有谋略,有训诫,都是经过明白验证可以安邦定国的。先王能恭敬于上帝的告诫,臣下能够遵守法制。百官勤劳职守,辅佐君王。这样,他们的君王才会十分贤明。每年孟春之月,遒人之官沿途摇铃巡行,宣布教令,官员们相互规劝,手工匠们也根据技术中包含的道理来劝谏。如果官员工匠们对君王的过错不能劝谏，国家将对他们施加刑罚。

"惟时羲和颠覆厥德，沉乱于酒①，畔官离次②，俶扰天纪③，遐弃厥司④。乃季秋月朔⑤，辰弗集于房⑥。瞽奏鼓⑦，啬夫驰⑧，庶人走⑨。羲和尸厥官⑩，罔闻知。昏迷于天象，以干先王之诛⑪。政典曰⑫：'先时者杀无赦⑬，不及时者杀无赦⑭。'

[注释]

①沉：沉湎。乱：迷乱。②畔：通"叛"，违背。官：官守。次：职位。③俶（chù）：始。扰：乱。天纪：岁月日星辰历数等天象规律。④遐：远。⑤乃：始。季秋月朔：季秋之月的初一日。⑥辰弗集于房：指日月相会的位置发生异常，发生日食。辰，日月相会。房，房宿，指日月相会的星宿位置。⑦瞽：盲人，这里指乐官。⑧啬夫：小臣，掌管布币钱货。驰：奔走。⑨庶人：承担役事的人。蔡沈《书集传》说："古者日蚀，则伐鼓用币以救之。啬夫庶人，盖供救日之百役者。曰驰曰走者，以见日蚀之变，天子恐惧于上，啬夫庶人奔走于下，以助救日如此其急。"⑩尸：主管，主持。⑪干：触犯。诛：诛杀的刑律法典。⑫政典：指先王的政治典籍。⑬先时：早于正常时令节气。⑭不及时：没赶上正常时令节气。

[译文]

"羲氏、和氏败坏了自己的德行，沉湎迷乱于酒，混乱了政事，背离了职守。开始扰乱天时历法，背弃自己负责的职事。于是，九月初一这一天，太阳和月亮没有相会于房宿，太阳被掩蚀，发生了日食。乐官击鼓，啬夫驰驱，庶人奔走，急切地救助太阳。羲氏、和氏身居其位而不理政事，对此竟然毫无所知。他们使天象如此昏乱，触犯了先王制定的诛杀刑律。先王政典规定：'所定历法早于天时出现的，诛杀而不赦免；所定历法迟于天时出现的，诛杀而不赦免。'

"今予以尔有众①，奉将天罚②。尔众士同力王室，尚弼予钦承天子威命③！火炎昆冈④，玉石俱焚；天吏逸德⑤，烈于猛火。歼厥渠魁⑥，胁从罔治⑦；旧染污俗，咸与惟新⑧。

[注释]

①以：与。②奉：尊奉。将：行。天罚：上天的惩罚。③尚：庶几，表祈使语气。弼：辅佐。钦：敬。④昆：山名，出产美玉。冈：山脊。⑤天吏：掌管天文历法的官。逸德：恶行，过错。⑥歼：消绝。渠：大。魁：魁首，指羲、和。⑦胁从：被迫随从作恶之人。⑧与：许可。

[译文]

"现在我率领你们诸位将士，奉行上天的惩罚。你们要为夏王朝同心协力，希望能够辅助我敬奉天子的威罚命令！烈火燃烧玉石山冈，玉石俱焚；掌管天文历法官员的过失行径，危害比猛火还要大。要歼灭那首恶羲、和，对被迫随从作恶的人不进行惩罚；对于过去染上污秽旧俗的人，也都要赦免并允许他们重新做人。

"呜呼！威克厥爱①，允济②；爱克厥威，允罔功。其尔众士，懋戒哉③！"

[注释]

①威：威罚。克：胜。爱：这里指姑息，行私惠。②允：信。济：成功。③懋：勉力。戒：戒慎畏惧。蔡沈说："誓师之末，而复嗟叹以是警之，欲其勉力戒惧而用命也。"

[译文]

"哎呀！如果威罚战胜姑息，那就确信能够成功；如果姑息战胜威罚，那必定不能成功。诸位将士，努力啊，慎重啊！"

商 书

汤 誓[①]

王曰[②]:"格尔众庶[③],悉听朕言。非台小子敢行称乱[④],有夏多罪[⑤],天命殛之[⑥]!

[注释]

①汤誓:商代开国君王汤讨伐夏桀作战前的誓师词。《史记·殷本纪》载:"夏桀为虐政淫荒,而诸侯昆吾氏为乱,汤乃兴师率诸侯,伊尹从汤,汤自把钺以伐昆吾,遂伐桀。……以告令师,作《汤誓》。"本篇的成书最迟不晚于战国早期。②王:指商汤。③格:告。尔:你们。众庶:大家,诸位。④台(yí):我。小子:对自己的谦称。称:举,发动。⑤有夏:即"夏","有"是助词。⑥殛:诛杀。

[译文]

王说:"警告你们诸位,都要听我的话。不是我胆敢犯上作乱,实在因为夏王犯下的罪恶太重,上帝命令我去诛灭他。

"今尔有众,汝曰:'我后不恤我众[①],舍我穑事而割正夏②?'予惟闻汝众言③,夏氏有罪,予畏上帝,不敢不正。

[注释]

①后:君主,指汤。恤:体恤。②舍:废。穑(sè)事:代指农事。割:同"害",又通"何",为什么。正:同"政",征伐。③惟:同"虽"。

[译文]

"现在或许你们中有人会说:'我们的君王不体恤大众,为什么荒废了农事,而要去征伐夏朝呢?'我虽听了这些话,但夏王确实有罪,我畏惧天命,不敢不去征伐。

"今汝其曰①:'夏罪其如台②?'夏王率遏众力③,率割夏邑④,有众率怠弗协⑤。曰:'时日曷丧⑥?予及汝皆亡⑦!'夏德若兹⑧,今朕必往。

[注释]

①其:将。②如台(yí):奈何,如何。③率:通"聿",语首助词。遏:通"竭",竭尽。④割:祸害。邑:都邑。⑤有众:即"众",民众。怠:疲殆。协:和。⑥时:是,这,指示代词。日:古代帝王常自称天帝之子,故以日比君主,此处比喻夏王桀。曷:何时。丧:亡。⑦皆:一起。⑧兹:此。

[译文]

"现在你们大概会问:'夏王到底犯了什么罪啊?'夏王耗尽民力,为害于夏都,使广大百姓疲敝而不愿拥护。他们咒骂夏王说:'你这个太阳,什么时候消亡啊?让我们同归于尽吧!'夏王的德性坏成这样,现在我必须前往征伐。

"尔尚辅予一人①,致天之罚②,予其大赉汝③。尔无不信,朕不食言④。尔不从誓言,予则孥戮汝⑤,罔有攸赦。"

[注释]

①尚:庶几,表祈使语气。予一人:君主自称,甲骨文中习见。②致:

送,至。③其:则,就。赉(lài):赏赐。④食言:不履行诺言。⑤孥(nú)戮:受刑辱。孥,通"奴"。

[译文]

"希望你们辅助我,执行上天对夏朝的惩罚,我将大大赏赐你们。你们不要不信,我决不食言。如果你们不服从我的誓言,我将把你们变成奴隶,或者杀死,决不赦免一个!"

仲虺之诰[1]

成汤放桀于南巢[2],惟有惭德[3]。曰:"予恐来世以台为口实[4]。"仲虺乃作诰。

[注释]

①仲虺(huǐ)之诰:本篇记录了商汤灭夏之后,放逐夏桀到了南巢,自惭自己的行为不如古代圣王,而使用武力夺取政权。大臣仲虺为此作了诰词,以商汤所为合于天命来加以宽慰。诰,告。《仲虺之诰》属晚出梅赜《古文尚书》。②放:放逐。桀:夏桀。南巢:地名,大概在今安徽巢县一带。③惟:思。惭:惭愧。④来世:后世。口实:借口。

[译文]

成汤灭了夏,把夏桀放逐到了南巢,想想心里有些惭愧。说道:"我害怕后世把我的行为当做借口。"仲虺于是作了诰词。

曰:"呜呼!惟天生民有欲,无主乃乱;惟天生聪明时乂[1]。有夏昏德,民坠涂炭[2],天乃锡王勇智[3],表正万邦[4],缵禹旧服[5]。兹率厥典[6],奉若天命[7]。"

[注释]

①时:是。乂:治。②坠:陷落。涂:泥。炭:炭火。③锡:通"赐"。④表正:表率。⑤缵(zuǎn):继承、继续。服:行为。⑥率:遵循。典:常

法,法度。⑦奉:尊奉,依从。

[译文]

仲虺说:"啊!民众天生就有七情六欲。如果没有了君王,社会就会混乱起来,只有天生智慧明达之人才能治理民众。夏王桀乱德丧行,使民众陷入水深火热当中,上帝于是赐予大王您勇气和智慧,使您成为天下的表率和楷模,继承大禹过去的事业。您遵循着大禹的法典,就是承奉天命,没有什么可惭愧的。

"夏王有罪,矫诬上天①,以布命于下。帝用不臧②,式商受命③,用爽厥师④。简贤附势⑤,实繁有徒⑥。肇我邦于有夏⑦,若苗之有莠⑧,若粟之有秕⑨。小大战战⑩,罔不惧于非辜⑪;矧予之德⑫,言足听闻⑬?

[注释]

①矫:假托。诬:欺骗。②用:因此。臧:喜欢。③式:代替。④爽:丧失。师:众。⑤简:忽略,轻视。⑥繁:多。⑦肇:开始。⑧莠(yǒu):杂草。⑨秕(bǐ):不饱满或空壳的谷物。⑩战战:害怕得发抖。⑪非辜:无罪。⑫矧:何况。⑬足:能够。

[译文]

"夏王桀有罪,假托上帝旨意,发布命令欺骗民众。因此上帝不喜欢他,让商人代受天命,使他丧失了民众。轻慢贤人,依附权势,这样的人委实不少。从我们商人在夏朝建立方国开始,就被看成是禾苗中的杂草、粟米中的秕壳。我们从上到下都恐惧不安,无不害怕无辜受罚。更何况我们商人的德行,说出来足以打动别人呢?

"惟王不迩声色①,不殖货利②。德懋懋官③,功懋懋赏。用人惟己,改过不吝④。克宽克仁⑤,彰信兆民⑥。乃葛伯仇饷⑦,

初征自葛。东征西夷怨,南征北狄怨⑧,曰:'奚独后予⑨?'攸徂之民⑩,室家相庆⑪,曰:'徯予后⑫,后来其苏⑬。'民之戴商⑭,厥惟旧哉⑮!

[注释]

①迩:近。②殖:聚敛。③德懋懋官:德行深厚的就用官职来勉励。第一个懋指繁多,第二个懋指勉励。《孔疏》说:"于德能勉力行之者,王则劝勉之以官。"④吝:吝惜。⑤克:能够。⑥彰:昭明。⑦葛伯仇饷:葛国国君仇视给耕种的人送饭。《孟子·滕文公下》载:"汤居亳,与葛为邻,葛伯放而不祀。汤使人问之曰:'何为不祀?'曰:'无以供牺牲也。'汤使遗之牛羊。葛伯食之,又不以祀。汤又使人问之曰:'何为不祀?'曰:'无以供粢盛也。'汤使亳众往为之耕,老弱馈食。葛伯率其民,要其有酒食黍稻者夺之,不授者杀之。有童子以黍饷,杀而夺之。《书》曰:'葛伯仇饷。'此之谓也。……汤始征,自葛载,十一征而无敌于天下。"葛,夏朝的属国,其地在今河南省宁陵县北。成汤伐夏,是从征伐葛伯开始的。仇,仇视。饷,粮饷。⑧东征西夷怨,南征北狄怨:《孟子·滕文公下》云:"东面而征,西夷怨;南面而征,北狄怨,曰:'奚为后我?'民之望之,若大旱之望雨也。"⑨奚:何。⑩攸:所。徂:往。⑪室家:妻子儿女。⑫徯:等待。后:君王,指成汤。⑬苏:复苏。⑭戴:拥戴。⑮旧:久。

[译文]

"大王您不近音乐、女色,不聚敛财货。对于德厚的人用官职来鼓励,功高的人用赏赐来勉励。采用别人的意见,就像出于自己的心一样,改正错误毫不犹豫。能够宽容仁爱,向天下百姓昭示诚信。葛伯仇视我们为他耕种送食,征伐夏桀是从征讨葛伯开始的。您征伐东方,西方的戎族就埋怨,征伐南方,北方的狄族就埋怨,都说:'为什么最后征伐我们呢?'所征之处,百姓举家欢庆。都说:'等待我们的君王,他来了我们就好了。'民众拥戴商王,已经很久了啊。

"佑贤辅德①,显忠遂良②;兼弱攻昧③,取乱侮亡④。推亡固存,邦乃其昌⑤。

[注释]

①佑:帮助。②显:彰显。遂:进用。③兼:兼并。昧:昏乱。④侮:轻慢,怠慢。⑤推亡固存,邦乃其昌:《孔传》说:"有亡道则推而亡之,有存道则辅而固之,王者如此,国乃昌盛。"

[译文]

"帮助辅佐贤德的诸侯,显扬进用忠诚善良的诸侯;兼并弱小,攻伐无道,夺取动乱的国家,轻慢亡国的君主。应该灭亡的就加速他的灭亡,可以存在的就帮助他巩固,国家才会昌盛。

"德日新,万邦惟怀①;志自满,九族乃离②。王懋昭大德,建中于民,以义制事,以礼制心,垂裕后昆③。予闻曰:'能自得师者王,谓人莫己若者亡。'好问则裕,自用则小。

[注释]

①怀:怀柔,归顺。②九族:泛指各个氏族。③垂:传。裕:宽裕。后昆:后代。

[译文]

"德行日进,天下四方都会来归顺;心志自满,各个氏族就会背弃。大王努力彰显大德,在民众中建立中正之道,用理义来裁决事务,用礼法来约束心志,为后代留下光辉的业绩和声誉。我听说:'能够自己找到老师的人,就会成为君王;认为别人都不如自己的人,就会灭亡。'谦虚好问,得益就多;刚愎自用,所得甚少。

"呜呼!慎厥终,惟其始。殖有礼①,覆昏暴②。钦崇天道③,永保天命。"

[注释]

①殖:扶植,树立。②覆:覆灭。③钦:敬畏。崇:尊奉。

[译文]

"啊！只有从开始就谨慎，才能有好结果。上天从来都是扶植有礼法的君主，覆灭昏乱的暴君。要敬奉上天的旨意，才能永久保持福命。"

汤 诰①

王归自克夏，至于亳②，诞告万方③。

[注释]

①汤诰：本篇记载了商王成汤灭夏后返回亳都，对四方官员百姓发表的诰词。《汤诰》属梅赜《古文尚书》。②亳：汤的国都，故址在今河南商丘县北。③诞：大。

[译文]

商王成汤灭夏后返回，到达首都亳邑，大告天下四方。

王曰："嗟！尔万方有众，明听予一人诰①。惟皇上帝②，降衷于下民③。若有恒性④，克绥厥猷惟后⑤。夏王灭德作威⑥，以敷虐于尔万方百姓⑦，尔万方百姓罹其凶害⑧，弗忍荼毒⑨，并告无辜于上下神祇。天道福善祸淫⑩，降灾于夏，以彰厥罪⑪。肆台小子将天命明威⑫，不敢赦。敢用玄牡⑬，敢昭告于上天神后⑭，请罪有夏⑮。聿求元圣⑯，与之戮力⑰，以与尔有众请命⑱。

[注释]

①予一人：商王汤自称。②皇：大。③衷：善。④若：顺从。恒：常。⑤克：能。绥：安稳。厥：其。猷：法则。后：君王。⑥威：威罚，暴政。⑦敷：施行。虐：暴政。⑧罹：遭遇。⑨荼毒：指残害。《孔疏》说："《释草》云：'荼，苦菜。'此菜味苦，故假之以言人苦。毒谓螫人之虫，蛇虺之

类：实是人之所苦。故并言荼毒，以喻苦也。"⑩福：降福。祸：降下灾祸。淫：邪恶。⑪彰：显示。⑫肆：故。台（yí）小子：汤王谦称。将：奉行。明威：公开惩罚。⑬玄牡：用于祭祀的黑色公牛。玄，黑色。牡，公牛。⑭神后：土地神。⑮罪：降罪、惩罚。⑯聿（yù）：遂。元圣：大圣人，当时是对伊尹的尊称。⑰戮力：勉力。⑱请命：保全性命。《孔传》说："谓伊尹放桀，除民之秽。"

[译文]

汤王说："啊！你们四方将士们，要听清楚我的诰命。上帝降下福瑞给天下民众。顺从人的天性，能找到安定他们办法的只有君王。夏王桀丧道乱德，制作威刑，对你们民众实行暴政。你们四方民众遭受他的残害，不能忍受毒害，都向天地神灵申诉自己的无辜。老天的原则是赐福给善良的人，惩罚邪恶的人。因此，给夏朝降下灾祸，就是要揭露夏桀的罪过。现在我奉行天命，公开惩罚夏桀，不敢赦免。我敬用黑色公牛祭祀，斗胆向皇天后土祈祷，请求惩治夏桀的罪恶。于是，求得大圣贤伊尹，和他共同努力，来为你们众人请命除恶。

"上天孚佑下民①，罪人黜伏②。天命弗僭③，贲若草木④，兆民允殖⑤。俾予一人辑宁尔邦家⑥，兹朕未知获戾于上下⑦，栗栗危惧⑧，若将陨于深渊⑨。凡我造邦⑩，无从匪彝⑪，无即慆淫⑫，各守尔典⑬，以承天休⑭。尔有善，朕弗敢蔽；罪当朕躬，弗敢自赦，惟简在上帝之心⑮。其尔万方有罪，在予一人；予一人有罪，无以尔万方⑯。

[注释]

①孚：信。佑：保佑。②罪人：指夏桀。黜伏：逃窜屈服。③僭（jiàn）：差错。④贲（bì）：装饰华美的样子。⑤允：以此，因此。殖：滋生。⑥俾：使。辑：和睦。宁：安定。⑦兹：此。戾（lì）：罪。上下：天地。⑧栗

栗：畏惧的样子。⑨若：好像。陨：坠落。⑩造邦：蔡沈《书集传》："夏命已黜，汤命维新，侯邦虽旧，悉与更始，故曰造邦。"⑪无：通"毋"。匪：非。彝：法。⑫即：就，靠近。慆（tāo）：轻慢。淫：过度逸乐。⑬典：常法。⑭休：美。⑮简：考察。⑯以：用。

[译文]

"上帝的确真心护佑天下民众，将罪人夏桀废黜放逐了。天命是不会有差错的，从此，天下繁荣如草木，民众因此也安居乐业。上帝使我来安宁你们的家国，这次伐桀我不知道是否有得罪天地神灵之处，我非常恐惧，好像要坠入深渊一样。凡是归顺我商朝的诸侯方国，不能违背法度，不要放纵享乐，要各自遵守法典，以承受上天赐予的福命。如果你们有善行，我不会隐瞒掩盖；如果我自己有罪过，也不敢自我赦免，因为上帝都考察得很清楚。如果你们四方诸侯有罪过，都算成是我的罪过；如果我有罪过，也不会连累你们四方诸侯。

"呜呼！尚克时忱①，乃亦有终。"

[注释]

①尚：庶几，表希望语气。克：能。时：通"是"，此。忱：诚。

[译文]

"啊！但愿如此真诚信赖，就会取得最后的胜利。"

伊 训①

惟元祀十有二月乙丑②，伊尹祠于先王③，奉嗣王祗见厥祖④。侯甸群后咸在⑤，百官总己以听冢宰⑥。伊尹乃明言烈祖之成德⑦，以训于王⑧。

[注释]

①伊训：本篇是商之老臣伊尹以汤开国德业来训导刚继位的太甲的言辞。《伊训》属梅赜《古文尚书》。②元祀：元年。蔡沈《书集传》说："元祀者，太甲即位之元年。十二月者，商以建丑为正，故以十二月为正也。乙丑，日也。"③伊尹：名挚，亦称"阿衡"。商朝宰臣，原为商汤妃有莘氏之媵臣，受汤赏识，委以国政，助汤灭夏，建立了商朝。商汤死后，辅佐外丙、中壬。中壬卒，他立太甲为王。后来太甲暴虐乱法，伊尹放逐他到桐宫，自摄国政。三年后，太甲有悔过自责之意，伊尹乃迎接太甲复位。祠：祭祀。先王：商人一般称汤以前的王为先公，汤以后称先王，此处指商汤。④奉：侍奉。嗣王：王位继承人，指太甲。祗：敬。⑤侯甸群后：泛指天下四方诸侯。咸：都。在：《孔传》："在位次。"⑥总己：统领自己的属官。冢宰：又叫大宰，周代为百官之长，这里指伊尹。冢，大。宰，治。⑦烈祖：建立了功业的祖先。成德：盛德。⑧训：训导。

[译文]

太甲元年十二月乙丑这一天，伊尹祭祀先王成汤，侍奉继承人太甲恭祀祖先神位。四方诸侯各就其位，参加祭祀，百官率领各自属官，听从冢宰号令。伊尹于是阐明建立盖世功业的高祖成汤的盛德，以此来训导太甲。

曰："呜呼！古有夏先后①，方懋厥德②，罔有天灾。山川鬼神，亦莫不宁，暨鸟兽鱼鳖咸若③。于其子孙弗率④，皇天降灾，假手于我有命⑤，造攻自鸣条⑥，朕哉自亳⑦。惟我商王，布昭圣武⑧，代虐以宽，兆民允怀⑨。今王嗣厥德，罔不在初⑩。立爱惟亲⑪，立敬惟长，始于家邦，终于四海。

[注释]

①先后：先王，这里指夏禹。②方：大。懋：勉力。③暨：及、与。咸：皆。若：这样。④子孙：夏先王的子孙，指夏桀。率：遵循。⑤假：借。有命：有天命者，指成汤。⑥造：始。鸣条：地名，在今山西省夏县一带。

⑦戡:始。⑧布:宣扬。昭:昭著。⑨允:信。⑩在:考察。初:即位之初。⑪立:培植、树立。

[译文]

伊尹说:"啊!古代夏的先王禹,努力施行德政,所以没有天灾。山川、鬼神和鸟兽鱼鳖都是那样安宁。到了他的子孙桀,不遵循禹的德政,上帝降下了灾祸,借助我们商人,赐予天命,从鸣条开始发动讨伐,从亳邑开始实行德政。我商王成汤,展示出圣德,用宽容取代暴政,天下民众都归顺他。现在我王要继承成汤德政,要从开始就省察自己。树立友爱的风气要从亲近的人做起,树立恭敬的风气要从长者做起,始于家族,达于天下。

"呜呼!先王肇修人纪①,从谏弗咈②,先民时若③;居上克明,为下克忠;与人不求备④,检身若不及⑤,以至于有万邦,兹惟艰哉!

[注释]

①肇:开始。人纪:《孔传》说:"言汤始修为人纲纪。"②咈(fú):违背,乖戾。③先民:前贤。时:通"是"。若:顺从。④与人:对待他人。备:完备。⑤检身:约束自己。

[译文]

"啊!先王成汤开始建立为人的纲纪,从谏如流,顺从前贤遗训;居君位而能明察,臣下们能够忠诚;对待他人不求全责备,约束自己又唯恐不及别人,因此才拥有了天下,这是非常不容易的事啊!

"敷求哲人①,俾辅于尔后嗣②,制官刑③,儆于有位④。曰:'敢有恒舞于宫、酣歌于室⑤,时谓巫风⑥。敢有殉于货色、恒于游畋⑦,时谓淫风⑧。敢有侮圣言、逆忠直、远耆德、比顽童⑨,

时谓乱风。惟兹三风十愆⑩，卿士有一于身，家必丧；邦君有一于身，国必亡。臣下不匡⑪，其刑墨⑫。具训于蒙士⑬。'

[注释]

①敷：广泛。哲人：贤德高才之人。②俾：使。③官刑：处理官吏的刑法。④儆：警告，告诫。有位：在位之人。⑤恒：常。酣：半醒半醉的样子。⑥时：通"是"。巫风：蔡沈《书集传》说："巫风者，常歌常舞，若巫觋然也。"⑦殉：贪求。货：财物。色：女色。畋：田猎。⑧淫：贪求，过度。⑨逆：拒。远：疏远。耆（qí）德：老年有德之人。比：亲昵。顽：愚。⑩三风十愆（qiān）：《孔疏》云："谓巫风二：舞也、歌也；淫风四：货也、色也、游也、畋也；与乱风四，为十愆也。"愆，过错。⑪匡：匡正。⑫墨：墨刑，在脸上刺字后涂上墨，为古代五刑之一。⑬具：详悉。蒙士：下士。

[译文]

"汤王广泛选择德才兼备之人，使他们辅佐你们这些后代，制定管理官吏的刑法，以警告百官。他说：'胆敢在宫中沉迷喝酒、观赏歌舞的，叫做巫风；胆敢贪求财货女色，沉溺游乐田猎的，叫做淫风；胆敢轻慢圣人之言，拒绝忠直劝谏，疏远年老有德之人，亲昵愚顽幼稚之人，这叫做乱风。这三种风气、十种过错，卿、大夫、士如果沾上一种，家室必然会丧失掉；诸侯国君如果沾上一种，国家必然要灭亡。臣下如果不能匡正国君的过失，就处以墨刑。这些内容还要仔细教导下士。'

"呜呼！嗣王祗厥身①，念哉②！圣谟洋洋③，嘉言孔彰④。惟上帝不常⑤，作善，降之百祥；作不善，降之百殃。尔惟德罔小，万邦惟庆；尔惟不德罔大，坠厥宗⑥。"

[注释]

①祗：敬。②念：记住。③谟：谋。洋洋：美善的样子。④嘉言：美言。孔：很。彰：彰明。⑤不常：没有一定。⑥坠：失。宗：宗庙，代指社稷国家。

[译文]

"啊!继位之君要恭敬,记住这些教训啊!圣人的谋略完美无缺,传下来的美言也十分明白。上帝赐予福命并没有一成不变的常规,对于行善的,便赐给各种吉祥;对于作恶的,便降下各种灾祸。你的德行无论多小,天下都会感到庆幸;你的恶行即使不大,也可能导致亡国。"

太甲上①

惟嗣王不惠于阿衡②,伊尹作书曰:"先王顾諟天之明命③,以承上下神祇、社稷宗庙罔不祇肃④。天监厥德⑤,用集大命⑥,抚绥万方⑦。惟尹躬克左右厥辟⑧,宅师⑨。肆嗣王丕承基绪⑩。惟尹躬先见于西邑夏⑪,自周有终⑫,相亦惟终⑬;其后嗣王罔克有终,相亦罔终。嗣王戒哉!祇尔厥辟⑭,辟不辟⑮,忝厥祖⑯。"

[注释]

①太甲:太甲是商代第五代王,成汤之孙。《史记·殷本纪》记载帝太甲即位三年,纵欲乱德,被伊尹放逐到了桐宫;后来悔过自新,被伊尹迎回国都,终于成为一代贤君。此三篇记录了伊尹流放太甲的经过以及伊尹对太甲的训导之词。《太甲》三篇属梅赜《古文尚书》。②嗣王:继位之君,指商王太甲。惠:顺。阿衡:商代官名,指伊尹。《毛诗·商颂·长发》云:"实维阿衡,实左右商王。"蔡沈《书集传》说:"阿,倚;衡,平也。阿衡,商之官名,言天下之所倚平也,亦曰保衡。或曰伊尹之号。"③先王:指成汤。顾:顾念。諟(shì):同"是"。明命:天命。④祇肃:恭敬严肃。⑤监:视,看到。⑥用:以。集:降下。⑦绥:安抚。⑧尹:伊尹。躬:亲自。克:能。左右:辅佐。厥:其。辟:君,指成汤。⑨宅:安居。师:众,民众。⑩肆:故,因此。丕:乃。基绪:基业。⑪西邑夏:夏人主要活动在今山西南部、河

南西部，处于商人活动中心的西面，故商人称夏为西邑夏。⑫自：用。周：忠信。有终：善终。⑬相：辅政大臣。⑭祗：敬。⑮辟不辟：君王不像君王的样子。⑯忝：侮辱。

[译文]

继位的商王太甲不顺从伊尹，伊尹作书说："先王成汤重视上帝赐予的天命，因此承顺天地神灵，社稷宗庙，无不恭敬严肃。上帝看到成汤的德政，才降下大命，安抚好天下四方。我伊尹能够亲身辅佐自己的君王，使民众安居乐业。因此，后继的君王你才继承了先王的基业。我伊尹亲眼看到我们西方的夏王，自始至终坚守忠信而得善终，辅佐他的人也有善终；夏朝的后继君王桀却没有善终，辅佐之人也没有善终。我们后继之王要以此警戒啊！要恭敬于自己的君位，如果君王没有君王的样子，就会辱没自己的祖先。"

王惟庸罔念闻①，伊尹乃言曰："先王昧爽丕显②，坐以待旦。旁求俊彦③，启迪后人，无越厥命以自覆④。慎乃俭德，惟怀永图⑤。若虞机张⑥，往省括于度⑦，则释⑧。钦厥止⑨，率乃祖攸行⑩。惟朕以怿⑪，万世有辞⑫。"

[注释]

①王：指太甲。庸：常。念：顾念。闻：听。②昧爽：天将明未明之时。昧，昏暗。爽，明。丕：乃。显：通"宪"，思。③旁：广。俊彦：才智特别出众的人。④无：通"毋"。越：丢弃。命：天命。覆：覆亡。⑤怀：思考。永：长久。图：图谋。⑥虞机：《孔疏》说："虞训度也。度机者，机有法度，以准望所射之物。"虞，虞人，古代掌管山林薮泽苑囿的官。机，《孔传》说："弩牙也。"⑦省（xǐng）：察看。括：箭末端扣弦的地方。度：适度。⑧释：放。⑨钦：恭敬。止：意向，目的。⑩率：循。乃：你的。攸：所。⑪朕：我。怿（yì）：喜悦。⑫辞：赞誉。

[译文]

商王太甲依然故我,对伊尹的劝诫好像没听见一样,伊尹于是说:"先王成汤天不亮就起来考虑问题,一直坐到天亮。他还广泛寻求才智出众的人,去开导后人,避免丧失自己的天命而覆亡。你要谨慎地恪行勤俭,思考长久之计。就像虞人射箭,弩机已张开,还要察准箭尾放在弓弦合适之处,然后再发射。做君王的要重视自己的志向,遵循你祖先的旧法行事!这样我就欢喜欣慰,你也将流芳百世。"

王未克变①。伊尹曰:"兹乃不义②,习与性成③。予弗狎于弗顺④。营于桐宫⑤,密迩先王其训⑥,无俾世迷⑦。"

[注释]

①克:能。②兹:此。乃:你的。③习与性成:《孔传》说:"言习行不义,将成其性。"④狎(xiá):轻视。弗顺:不顺从义理的行为。⑤营:营造。桐宫:传说是商汤墓地所在,在今河南偃师。⑥密:亲密。迩:近。⑦俾:使。世:终生。

[译文]

商王太甲不能改变旧习。伊尹说:"这就是你的不义了,习惯渐成本性。我不能忽视这种不讲理的行为。我要在汤王的墓地上营造行宫,好让你亲近先王的教训,不要使自己终生执迷不悟。"

王徂桐宫①,居忧②,克终允德③。

[注释]

①徂:往。②居忧:《孔疏》说:"居忧位谓服治丧礼也。"③克:能。终:成。允:诚信。

[译文]

商王太甲前往桐宫,居忧服丧以反省自己,希望能成就诚信的美德。

太甲中

惟三祀十有二月朔①,伊尹以冕服奉嗣王归于亳②,作书曰:"民非后,罔克胥匡以生③;后非民,罔以辟四方。皇天眷佑有商,俾嗣王克终厥德,实万世无疆之休④!"

[注释]

①三祀:三年。有:又。朔:阴历的每月初一。②冕服:君主的礼帽礼服。奉:迎。嗣王:指太甲。③胥(xū):相互。匡:正。④休:美。

[译文]

太甲放逐桐宫的第三年十二月初一,伊尹以君王的礼服礼帽,奉迎太甲返回亳都,作书说:"民众如果没有了君王,就不能相互救助而生存下去;君王如果没有了民众,也不能统治天下。上天佑护我们殷商,使您能成就美德,这实在是千秋万代的大好事啊!"

王拜手稽首①,曰:"予小子不明于德②,自底不类③。欲败度④,纵败礼⑤,以速戾于厥躬⑥。天作孽,犹可违⑦;自作孽,不可逭⑧。既往背师保之训⑨,弗克于厥初⑩;尚赖匡救之德,图惟厥终。"

[注释]

①王:指太甲。拜手稽首:跪拜叩头。②予小子:太甲自己谦称。③底:致。不类:不善,不好。《孔传》说:"类,善也。"④败:败坏,破坏。度:法度。⑤纵:放纵。⑥速:招致。戾:罪过。躬:自身。⑦违:避免。⑧逭(huàn):逃避。⑨既往:以往。师保:官名,《周礼》有师氏和保氏。此指伊尹。⑩克:责怪。

[译文]

商王太甲跪拜叩头,说:"我不懂为君之德,自己导致不善。放纵欲望会败坏法度礼仪,很快给自身招来罪过。老天降下的灾祸,还可以避开;自己造成的灾祸,就不可逃脱了。以往违背您的教训,一开始就不能反躬自责;现在还有赖于您匡救的恩德,争取求个好的结局。"

伊尹拜手稽首,曰:"修厥身,允德协于下①,惟明后②。先王子惠困穷③,民服厥命,罔有不悦。并其有邦④,厥邻乃曰⑤:'徯我后⑥,后来无罚⑦。'王懋乃德⑧,视乃烈祖⑨,无时豫怠⑩。奉先思孝⑪,接下思恭,视远惟明⑫,听德惟聪。朕承王之休无斁⑬。"

[注释]

①允德:诚信之德。②明后:明君。③先王:指成汤。子惠:慈爱。子,通"慈"。惠,仁爱。④并:兼并。有邦:诸侯方国。⑤厥:其。⑥徯:等待。⑦罚:惩罚。⑧懋:勉。⑨烈祖:指成汤以前建立功业的先公。⑩无:通"毋"。时:时刻。豫:安乐。怠:懈怠。⑪奉:遵奉。先:先祖、先王。思:念。⑫惟:思。⑬朕:我。承:承顺。休:美。斁(yì):厌弃,厌倦。

[译文]

伊尹跪拜叩头,说:"注重修养自身,用诚信的美德和谐臣民,这才是英明的君王。先王成汤仁慈爱抚贫困民众,民众都乐于服从教令。兼并诸侯方国时,邻国的人这样说道:'等待我的君王成汤吧,他来了我们就不会遭罪了。'您也要勤勉德行,向您的列祖列宗看齐,不要有片刻安逸懈怠。尊奉先祖先王,要想着孝顺;接近臣下,常常想着谦卑。观察远方,要记住眼睛明亮;听从德言,要时刻耳朵敏锐。如果您能做到这些,我将承受大王的美德,永不厌倦。"

太甲下

伊尹申诰于王曰①:"呜呼!惟天无亲,克敬惟亲;民罔常怀②,怀于有仁;鬼神无常享,享于克诚。天位艰哉!

[注释]

①申:重复,再三。王:指太甲。②怀:归依。

[译文]

伊尹反复告诫太甲说:"啊!上帝不会固定只亲近某人,他只亲近恭敬他的人;民众不会永远归顺某个王,只归顺有仁德的君主;鬼神也不会一直佑护某个人,他只是保佑虔诚的人。天命赋予的君位不容易坐啊!

"德惟治,否德乱。与治同道①,罔不兴②;与乱同事③,罔不亡。终始慎厥与④,惟明明后⑤。

[注释]

①与治同道:指采用德治。②罔:无。③与乱同事:指不用德政。④与:行为。⑤明明后:非常英明的君主。

[译文]

"实行德政,天下就得到治理;不用德治,天下就会大乱。采取与治理天下相同办法的,没有不兴盛的;采取和导致天下大乱相同的事,没有不灭亡的。自始至终谨慎对待这些行为,就是非常英明的君王。

"先王惟时懋敬厥德①,克配上帝②。今王嗣有令绪③,尚监兹哉④!

[注释]

①先王：指成汤。时：通"是"。懋：勉。②克：能。配：相配。③王嗣：即"嗣王"，继位之君，指太甲。令：善，美好。绪：功业，基业。④尚：庶几，表希望语气。监：视。兹：此。

[译文]

"先王成汤就是这样努力修持德行，才能符合天意。您现在继续享有这美好基业，希望也能注意这一点啊！

"若升高，必自下；若陟遐①，必自迩②。无轻民事③，惟难④；无安厥位，惟危。慎终于始。

[注释]

①陟：升，这里是行走的意思。遐：远。②迩：近。③无：通"毋"。民事：民力征役之事。④惟：思。

[译文]

"就好像登高，必须从低处开始；去远方，必须从近处开始。不要轻视民众的力役，要考虑到民之艰难；不要安居君位，要考虑到它的危险。自始至终都要谨慎小心。

"有言逆于汝心①，必求诸道；有言逊于汝志②，必求诸非道。

[注释]

①逆：违背，不合。②逊：恭顺。

[译文]

"如果有些话违背了你的心愿，一定要从符合道义的角度仔细去考量；如果有些话迎合了你的心愿，一定要从未必符合道义上去寻求是非。

"呜呼！弗虑胡获①！弗为胡成！一人元良②，万邦以贞③。君罔以辩言乱旧政④，臣罔以宠利居成功⑤。邦其永孚于休⑥！"

[注释]

①虑：思考。胡：何。②一人：指君王。元：大。③贞：正。④辩言：诡辩之言。旧政：先王之成法。⑤宠：恩宠。利：利禄。蔡沈《书集传》说："成功非宠利之所可居者，至是太甲德已进，伊尹有退休之志矣，此《咸有一德》之所以继作也。"⑥孚：保，安。休：美。

[译文]

"啊！不思考哪里来收获！不干事哪来的成就！君王非常优秀，四方也会纯正。君王不可用巧言诡辩来扰乱先王旧政，臣下不可靠恩宠利禄成就功名。这样的话，国家将永远保持美好的局面。"

咸有一德①

伊尹既复政厥辟②，将告归③，乃陈戒于德④。

[注释]

①咸有一德：意思是君臣都有纯一之德。本篇讲的是太甲返回亳地后，伊尹把政权返还给他。伊尹因为已经年老，就请求退休，但又不太放心太甲，于是讲了一番劝勉的话。《咸有一德》属梅赜《古文尚书》。②既：已。复：归还。辟：君。③告：请求。归：回家，返回采邑。④戒：告诫。于：以。

[译文]

伊尹把政权归还给君王太甲后，将要告老还邑，于是以德义告诫太甲。

曰："呜呼！天难谌①，命靡常②。常厥德，保厥位；厥德匪常，九有以亡③。夏王弗克庸德④，慢神虐民⑤，皇天弗保，监于万方⑥，启迪有命⑦，眷求一德⑧，俾作神主⑨。惟尹躬暨汤咸有一德⑩，克享天心⑪，受天明命，以有九有之师⑫，爰革夏正⑬。非天私我有商，惟天佑于一德；非商求于下民，惟民归于一德。德惟一，动罔不吉⑭；德二三⑮，动罔不凶。惟吉凶不僭⑯，在人；惟天降灾祥，在德。

[注释]

①谌（chén）：信。②命：天命。靡：无，不。③九有：九州。④夏王：夏桀。克：能。庸：用。⑤慢：侮慢，轻慢。虐：残害。⑥监：视。万方：天下四方。⑦启迪：开导。有命：能享有天命之人。⑧眷：关心。一德：纯一之德。⑨俾：使。神主：主持天地神祇祭祀的人。⑩躬：自身。暨：与。⑪克：能。享：顺合。⑫师：众。⑬爰：于是。革：更改。正：通"政"。⑭罔：无。⑮二三：反复不专一，驳杂。⑯僭：差。

[译文]

伊尹说："唉！老天难以相信，天命无常。要常行德政，才能保住君位；如果不能做到，天下就会因此覆亡。夏桀不能施行德政，轻慢神灵，残害民众。皇天不佑，照临天下，开导能享天命之人，寻求具备纯一之德的人，使他成为天地神祇的主祭者。只有我伊尹和汤王都具有纯一之德，能承顺上帝意旨，承受天命，因而能够拥有天下民众，取代了夏朝的统治。不是上帝偏爱我们商朝，只是上帝佑护纯德之人；不是商朝请求天下民众归顺，而是民众归顺了纯一之德。德行如果纯粹专一，办事就没有不吉利的；德行如果驳杂不专，办起事来无不凶险。吉凶不会有差错，问题在于人自身；上帝降灾降福，关键在于德行。

"今嗣王新服厥命①，惟新厥德；终始惟一，时乃日新②。任官惟贤材，左右惟其人。臣为上为德③，为下为民④；其难其慎⑤，惟和惟一⑥。德无常师⑦，主善为师⑧；善无常主⑨，协于克一⑩。俾万姓咸曰⑪：'大哉，王言！'又曰：'一哉，王心！'克绥先王之禄⑫，永厎烝民之生⑬。

[注释]

①嗣王：后继的君主，指太甲。服：事，担任。厥：其。命：天命。②时：通"是"，代指德。为上：辅佐君王。为德：以德。④为下：治理民事。⑤其难其慎：蔡沈《书集传》说："臣职所系，其重如此，是必其难其慎。难者，难于任用；慎者，慎于听察，所以防小人也。"⑥和：和谐。一：专一。⑦师：榜样。⑧主善为师：《孔传》说："德非一方，以善为主乃可师。"⑨主：准则。⑩协：合。一：纯一。⑪俾：使。万姓：万民。咸：皆。⑫克：能。绥：安，保。先王：指成汤。禄：禄位天命。⑬厎：止，到。烝(zhēng)民：众民，百姓。

[译文]

"现在大王您刚刚担负上帝赐予的天命，应当更新自己的品德；要始终如一，坚持不懈，德行就会每天更新。任用官员当用贤才，左右辅弼大臣更应是忠良之人。臣下侍奉君王要以德行，治理民政要能帮助民众。这是很难选择的，要谨慎考察处置，应当任用和谐专一之人。行德没有固定的模式，以善为法则的就可以作为榜样；行善也没有固定法则，关键在于能有纯一之德。天下民众都说：'伟大啊，君王的话！'又说：'纯一啊，君王的心！'君王就能保有先王成汤所承受的禄命，就能长久使民众得到安定的生活。

"呜呼！七世之庙，可以观德①；万夫之长，可以观政②。后非民罔使③，民非后罔事④。无自广以狭人⑤，匹夫匹妇不获自尽⑥，民主罔与成厥功⑦。"

[注释]

①七世之庙，可以观德：《孔传》说："天子立七庙，有德之王则为祖宗，其庙不毁，故可观德。"蔡沈《书集传》说："天子七庙，三昭三穆，与太祖之庙七。七庙亲尽则迁，必有德之主，则不祧毁，故曰：'七世之庙，可

以观德。'"古代帝王立七庙，对世次渐远的先祖，要按照规定迁去神主，供奉到祭祀远祖的庙，如果是有德的帝王就不迁。②万夫之长（zhǎng），可以观政：《孔传》说："能整齐万夫，其政可知。"蔡沈《书集传》说："天子居万民之上，必政教有以深服乎人，而后万民悦服，故曰：'万夫之长，可以观政。'"③使：使唤，役使。④事：侍奉。⑤无：通"毋"。自广：自大。狭：轻视。⑥匹夫匹妇：指普通老百姓。自尽：尽自己的全力。⑦民主：人主，君王。与：帮助。

[译文]

"啊，从能保持供奉七代祖先的宗庙，可以观察到功德的深厚；从万民之主的君王那里，可以观察到政教情况。君王离开民众就无人可以役使，民众没有君王也无人侍奉。不要自大而轻视民众，普通百姓如果不尽心尽力，君王就没有人能够助成大业。"

盘庚上①

盘庚迁于殷②，民不适有居③。率吁众慼出矢言④。曰："我王来⑤，既爰宅于兹⑥，重我民⑦，无尽刘⑧。不能胥匡以生⑨，卜稽曰其如台⑩？先王有服⑪，恪谨天命⑫，兹犹不常宁；不常厥邑⑬，于今五邦⑭。今不承于古⑮，罔知天之断命⑯，矧曰其克从先王之烈⑰！若颠木之有由蘖⑱，天其永我命于兹新邑⑲，绍复先王之大业⑳，厎绥四方㉑。"

[注释]

①盘庚：《盘庚》三篇，记录了汤王盘庚在迁都时对臣民的三次讲话。《史记·殷本纪》载："帝盘庚之时，殷已都河北，盘庚渡河南，复居成汤之故居，乃五迁，无定处。殷民咨胥皆怨，不欲徙。……乃遂涉河南，治亳，行汤之政，然后百姓由宁，殷道复兴。"盘庚是成汤第十世孙，祖丁的儿子，继承其兄阳甲的帝位，成为殷商历史上第二十位君主。至于迁都的原因，很多学

者认为是为了避免水患。②殷：地名，即今安阳小屯殷墟。③适：悦。有：语助词。居：都。④率：因此。吁：呼。戚（qī）：同"慼"，指亲近的贵戚近臣。矢：陈述。⑤我王：指盘庚。来：自奄地迁至于殷。⑥爰：助词，无意义。宅：居住。兹：此，此处指殷。⑦重：重视。⑧刘：杀害。⑨胥：相。匡：救助。⑩卜：占卜。稽：考，问。其如台（yí）：将如何。⑪服：事。⑫恪：敬。谨：勤。⑬不常厥邑：倒装，即"厥邑不常"。邑，国都。⑭五邦：五次迁都。⑮承：继。⑯罔知天之断命：杨树达《积微居小学金石论丛》说："罔知者，古人成语，犹今人言'不保'、'难保'。此文意言今不承于古，则不保天之将断绝其命。"可从。⑰矧（shěn）：何况。烈：先王的功业。⑱颠：仆倒。由蘖（niè）：倒断的树木重新生长出来的萌芽。由，生。蘖，伐木所断的地方再生萌芽。⑲永：长久。⑳绍：继续。㉑厎：定。绥：安。

[译文]

　　盘庚迁都到殷地以后，臣民们不喜欢这个地方。于是他召唤了许多贵戚大臣，叫他们转达意见来晓谕民众，说道："我们的君王来到这里，让大家有一个安居的好地方，为的是重视你们，不让你们死在旧都。但一时还没有能在生活上互相帮助，就问了卜，卜辞说：'为什么会这样啊！'先王有老规矩，就是敬遵天命，因此他们不敢贪图安逸，老是赖在一个地方住，建国以来已迁徙过五次国都了。现在如果不依照先王的前例，那就难保上天不断绝我们的天命，怎么还能谈得上继续先王功业呢！就像倒断的树木可以发出新的枝芽一样，老天要把我们迁移到新都，是要让我们长久成长在这里，从此复兴先王的伟大功业，把四方都安定下来啊！"

　　盘庚敩于民由乃在位①，以常旧服正法度②。曰："无或敢伏小人之攸箴③！"王命众悉至于庭④。

[注释]

　　①敩（xiào）：觉察。乃：于。在位：指贵戚大臣。②旧服：旧的法制。正：整顿。③无：毋。或：有。伏：隐匿。小人：平民。攸：所。箴：规诫。

④众：众多官员们。悉：都。

[译文]

盘庚察觉到了民众的情绪都是由于官员们的煽动，决定用旧有法制去整顿，就对他们说："谁也不准隐匿我规诫百姓的话！"又命令了许多官员都到朝廷上来。

王若曰①："格汝众②，予告汝训汝③，猷黜乃心④，无傲从康⑤。

[注释]

①王若曰：王这样说，是殷周史臣记载王讲话时的开头用语。②格：告。③训：教。④猷：图谋。黜：除去。乃：你们的。⑤无：毋。傲：傲慢。从：通"纵"，放纵。康：安逸。

[译文]

王这样说："我告诉你们，我不断告诫、训导你们，打算辟除你们的私心，不要傲慢放纵，单顾享乐。

"古我先王亦惟图任旧人共政①。王播告之修②，不匿厥指③，王用丕钦④；罔有逸言⑤，民用丕变⑥。今汝聒聒⑦，起信险肤⑧，予弗知乃所讼⑨！

[注释]

①惟：思。图：大。旧人：世袭做官的贵戚。共政：共理朝政。②王：指先王。播：公布。修：施行。③匿：隐瞒。厥：其，代指先王。指：旨。④用：因此。丕：大。钦：敬。⑤逸：过失。⑥变：移易，变化。⑦聒(guō)聒：不听正确意见，愚昧自用。⑧起：兴，造。信：通"伸"，申说。险：邪恶。肤：古"胪"字，传播。⑨讼：争辩。

[译文]

"从前我们先王也是大用世袭的贵戚，让他们一起参政。先王向他们发布政令时，他们绝不敢隐瞒先王的旨意，所以受到先王的尊重。他们又从不说惑乱众听的谬论，所以人民也能一心向善。现在你们愚昧地自以为是，编造许多邪恶的话加以传播，我真不明白你们究竟在闹什么！

"非予自荒兹德①，惟汝含德②，不惕予一人③。予若观火④。予亦拙谋作乃逸⑤。

[注释]

①荒：废乱。兹德：任用"旧人"的传统。②惟：同"乃"，是，为。含：藏，怀。③惕：通"施"，给予。④观火：热火。观，通"爟（guàn）"，热。⑤拙：唐石经作"灺（zhuō）"，烟盛而火光没有发出来的样子，比喻见事不明。作：造成，酿成。乃：你们的。逸：放纵。

[译文]

"并不是我愿意丢弃任用世袭贵族的传统，只是因为你们隐藏善德，而不给予我支持。我本来像烈火一样威严洞明，但处在烟雾弥漫的情况下，所以一时见事不明，哪里想到酿成了你们的放纵！

"若网在纲①，有条而不紊。若农服田力穑②，乃亦有秋③。汝克黜乃心④，施实德于民⑤，至于婚友⑥，丕乃敢大言⑦，汝有积德。乃不畏戎毒于远迩⑧，惰农自安⑨，不昏作劳⑩，不服田亩，越其罔有黍稷⑪。

[注释]

①纲：网的大绳。②服田：在土地上劳作。服，从事。力穑（sè）：勤于农事。穑，农业生产。③乃：于是，这才。秋：秋收，丰收。④克黜乃心：除去傲慢之心。⑤德：恩惠。⑥婚：婚姻，指亲戚。友：朋友，同僚。⑦丕乃：于是。⑧乃：如果。戎：大。毒：害。迩：近。⑨惰：懒惰。安：安逸。⑩昏：通"暋（mǐn）"，勤奋。⑪越：于是。其：将。罔：无。黍稷：农作物。

[译文]

"要像网一样结在绳子上，才可清晰有条理。要像农夫勤劳于农事，才可得到好收成。你们若能除去傲慢放纵之心，把真正的实惠给老百姓，以至于亲戚朋友，那样你们才敢大胆说自己是积累了德行的。如果你们不怕远近百姓受到大的伤害，贪一时的安逸而懒于耕作，不肯辛劳勤勉于农事，那就别指望有任何收获。

"汝不和吉言于百姓①，惟汝自生毒②，乃败祸奸宄③，以自灾于厥身。乃既先恶于民④，乃奉其恫⑤，汝悔身何及！相时憸民⑥，犹胥顾于箴言⑦，其发有逸口⑧，矧予制乃短长之命⑨！汝曷弗告朕而胥动以浮言⑩，恐沉于众⑪？若火之燎于原，不可向迩⑫，其犹可扑灭⑬。则惟汝众自作弗靖⑭，非予有咎！

[注释]

①和：宣布。吉言：好话。百姓：百官。②自生毒：犹云"自作孽"。③乃：以致。败祸：灾祸。奸宄：恶行。④先恶：导恶，倡导做坏事。⑤奉：承受。恫：痛苦。⑥相：视，看。时：是，此。憸（xiān）：散，小。⑦犹：尚，还。胥：相。箴言：规谏之言。⑧逸口：过言，错话。逸，过错。⑨矧：况。制：掌握，控制。短长之命：生死之命。⑩曷弗：何不。胥：相。浮言：无根之言。⑪恐：恐吓。沉：黄式三《尚书启蒙》说通"抌"，煽惑。⑫向迩：靠近。⑬其：将。⑭惟：是。靖：善。

[译文]

"你们不把我的好话宣布给百姓，这是你们自取灾祸，导致恶行及身。你们带头引导民众做坏事，自然由你们自己承受痛苦，懊悔也来不及！看这些小民还知道听从规诫的话，唯恐祸从口出，我又是操着你们的生杀之权的，你们为什么反倒不畏惧呢？你们有话何以不先来告诉我，竟敢散播谣言煽惑人心，恐吓民众？要知道，即使你们那些话像野火一样，使人们无法靠近，但我终究会扑灭。到那时，那是你们咎由自取，不要怪我惩罚！

"迟任有言曰①：'人惟求旧②；器非求旧，惟新。'古我先王暨乃祖乃父胥及逸勤③，予敢动用非罚④？世选尔劳⑤，予不掩尔善。兹予大享于先王⑥，尔祖其从与享之⑦。作福、作灾，予亦不敢动用非德⑧。

[注释]

①迟任：相传古代的贤人。②惟：应该。旧：旧臣，世代为官的贵族。③暨：与，和。乃：你们。胥及逸勤：指当时君臣同心同德从事迁徙。胥，相。及，与。逸，通"肆"，劳。④敢：岂敢，不敢。语急省"不"字。动：动辄。非罚：非罪而妄罚。⑤选：通"纂"，继。劳：劳苦。⑥大享：大祭祀。⑦与：参与。⑧非德：不合法度的赏赐或惩罚，此偏举一边。

[译文]

"古代贤人迟任曾经说：'用人应该专选旧的；不像器具那样，不要旧的，只要新的。'从前先王和你们的祖先同心同德地从事迁徙，我怎么敢对你们轻易加以处罚？你们若能世世承续先代的勤劳，我决不掩盖你们的好处。现在我大祭先王，你们的祖先也一起受祭，你们行善作恶都由先王和你们的祖先来处置，我也不敢擅用赏罚。

"予告汝于难①，若射之有志②。汝无侮老成人③，无弱孤有幼④；各长于厥居⑤，勉出乃力，听予一人之作猷⑥。

[注释]

①于：以。②志："志矢"，习射时所用的骨矢。③侮：欺侮。老成人：指年高德劭的贤人。④弱孤：用作动词，欺凌，轻视。有幼：即"幼"。⑤长：统率。⑥作：为。猷：谋，计划。

[译文]

"我告诉你们，办事是不容易的，要像射箭一样，要先用习射的箭练习。你们不准欺负贤德之人，也不要欺凌幼弱，应该统率所属勤勉出力，听我的谋划。

"无有远迩①，用罪伐厥死②，用德彰厥善③。邦之臧④，惟汝众；邦之不臧，惟予一人有佚罚⑤。

[注释]

①远迩：指关系的亲疏。②罪：刑罚。伐：惩处。③彰：明。④臧：善。⑤佚罚：行使刑罚有疏漏。佚，过错。

[译文]

"不论亲疏远近，我会一样对待：用刑罚来惩处罪行，用爵赏来表彰善行。国家好，是由于大家的功劳；要是不好，只是由于我行使刑法有疏失。

"凡尔众，其惟致告①：自今至于后日，各共尔事②，齐乃位③，度乃口④。罚及尔身，弗可悔。"

[注释]

①致告：传达。②共：供。③齐：整饬。位：职事。④度：闲。

[译文]

"你们所有人要把我的话广为传达：从今往后，各自勤勉供职，整饬职务，谨慎所言。如果做不到，等惩罚到你们的时候，要懊悔就来不及了。"

盘庚中

盘庚作①，惟涉河以民迁②，乃话民之弗率③，诞告用亶④。其有众咸造⑤，勿亵在王庭⑥。盘庚乃登进厥民⑦，曰：

[注释]

①作：继位。②惟：谋划，打算。涉：渡。盘庚自奄（今山东曲阜）迁

殷（今河南安阳），需要渡过黄河。以：带领。③话：会合。率：遵循。④诞：大。亶：诚。⑤其：那些。有众：指那些不从命迁居的人。咸：都，皆。造：至。⑥衷：轻慢。⑦登：升。进：走到前面来。

[译文]

盘庚继位后，决定渡过黄河，率领人民迁徙过去。于是，召集了那些反对迁都的臣民，准备诚恳地劝导他们。这些人都来到王庭，恭敬地等候着。盘庚于是召唤他们到面前，说道：

"明听朕言①，无荒失朕命②！呜呼！古我前后罔不惟民之承保③，后胥慼鲜④，以不浮于天时⑤。殷降大虐⑥，先王不怀厥攸作⑦，视民利用迁⑧。汝曷弗念我古后之闻⑨？承汝俾汝⑩，惟喜康共⑪；非汝有咎⑫，比于罚⑬。予若吁怀兹新邑⑭，亦惟汝故，以丕从厥志⑮。

[注释]

①明：认真。②荒失：轻忽，不重视。荒，忘。失，同"佚"，轻忽。③前后：先王。承保：拯救，保护。④后：厚。胥：相。慼：通"戚"，惠爱。鲜：善。⑤浮：同"拂"，违背。⑥殷：同"慇"，痛。大虐：大灾害，旧说水患，也有说是其他政治、军事危机。⑦怀：留恋。厥：其。攸：所。作：为，这里指营建建筑等。⑧视：根据。用：以，而。⑨曷：如何。古后：先王。闻：勤勉。⑩承：承保。俾：保。⑪康：安乐。共：巩固。⑫咎：罪过。⑬比：相同。⑭若：助词。吁：叫唤，呼喊。新邑：新的首都，在今安阳。⑮丕：大。从：顺。

[译文]

"你们好好听我的话，不要掉以轻心！哎呀！过去我们先王没有一个不是顾全民众的，先王那样惠爱人民，所以能够应顺天时。每当老天降下大灾，先王总是根据人民的利益迁徙，并不留恋他们亲手缔造的宗庙都邑。你们为什么不去想想先王这种勤勉呢？我也是为了保护大家，让大家生活安好，并不是像惩罚有罪的人那样对待你们！我之所以呼吁大家到那个新都去，也正为了你们自己的利益，是为了服从和满足大家广泛的心愿。

"今予将试以汝迁①，安定厥邦。汝不忧朕心之攸困②，乃咸大不宣乃心③，钦念以忱动予一人④。尔惟自鞠自苦⑤！若乘舟⑥，汝弗济⑦，臭厥载⑧。尔忱不属⑨，惟胥以沉⑩。不其或稽⑪，自怒曷瘳⑫？

[注释]

①试：用。②攸：所。③乃：却。咸：皆。宣：和顺。乃：你们的。④钦念：很想。忱：当作"抌"，不正确的话。⑤惟：只。鞠：困穷。⑥乘：载。⑦济：渡过。⑧臭：朽败。载：指旅行所乘工具，这里指船。⑨忱：同"沉"，沉没，沉溺。属：独。⑩胥：皆，都。⑪不其或稽：一点也不考虑到。⑫瘳（chōu）：病愈，引申为好处。

[译文]

"现在我要把你们迁过去，使我们国家安定。但是你们不唯不能体会我的苦处，反而内心很不和顺，很想用不正确的话来动摇我的决定。你们这是走投无路，自取苦恼！就像乘船，你们上去了后就不动，岂不是坐待船只朽败吗？如果这样，不但你们自己要淹死，连我们也要一起送命了。你们根本不考虑这点，只是一味怨恨，能得到什么好处？

"汝不谋长①，以思乃灾②，汝诞劝忧③。今其有今罔后④，汝何生在上！⑤

[注释]

①谋：计划。②乃：你们的。③诞：大。劝：助。④有今罔后：有今天，没有明天。意谓只顾现在，不顾将来。⑤上：上帝，上天。

[译文]

"你们不做长远打算，来考虑不迁都的灾害，简直是在大大地制造忧困。你们只想苟且地得过且过就好，不管明天怎样，上帝怎会留给你们活命！

"今予命汝，一无起秽以自臭①，恐人倚乃身②，迁乃心③。予迓续乃命于天④。予岂汝威⑤！用奉畜汝众⑥。

[注释]

①一：皆，都。无：通"毋"，不要。秽：脏东西。臭：嗅。②倚：同"掎（jǐ）"，偏邪，弯曲。③迁：同"污"，污秽。④迓（yà）：迎接。续：继续。⑤汝威："威汝"的倒置。威，威胁。⑥用：以。奉：助。畜：养。

[译文]

"现在我告诉你们，一点也不要散布谣言，自找麻烦，弄臭自己，以免恶人歪曲、污秽你们的身心。我是要把你们的生命从上帝那里迎接回来，哪里是用威势压迫你们呢！我为的是帮助、养育你们。

"予念我先神后之劳尔先①，予丕克羞尔②，用怀尔③。然④。失于政，陈于兹⑤，高后丕乃崇降罪疾⑥；曰：'曷虐朕民！'汝万民乃不生生⑦，暨予一人猷同心⑧，先后丕降与汝罪疾，曰：'曷不暨朕幼孙有比⑨！故有爽德⑩。'自上其罚汝，汝罔能迪⑪。

[注释]

①先神后：先后、先王。神是美称。劳：烦劳。尔先：你们的祖先。②丕：大。克：能够。羞：养。③怀：思念，记挂。④然：是这样的。⑤陈：延。兹：这，代指旧都。⑥高后：先王。丕乃：于是。丕，语气词。乃，若，如果。崇：重。⑦生生：尽力搞好谋生之事。上一生字用作动词，下一生字是名词。⑧暨：与。猷：有。⑨朕：指先王。幼孙：盘庚称自己为先王的幼孙。比：同。⑩故：却。爽：贰，差。⑪自上：先王在天之灵。其：将。迪：逃。

[译文]

"我想起我们的先王曾劳动过你们的先人，我要好好养育你们，时刻记挂你们。是这样的啊！可是因为没处理好，到现在还住在这有灾难的地方，先王就重重地降下责罚，说道：'你为什么要这样虐待我的民众？'若是你们大家不肯去努力追求美好的生活，和我同心同德，先王便要重重地惩罚你们，说道：'你们为什么不和我的幼孙同心协力，却对他存有二心呢！'所以你们一旦犯错，先王在天之灵就决不会饶恕你们，你们也根本没办法可以逃避。

"古我先后既劳乃祖乃父，汝共作我畜民①。汝有戕则在乃心②，我先后绥乃祖乃父③；乃祖乃父乃断弃汝，不救乃死！兹予有乱政同位④，具乃贝玉⑤。乃祖乃父丕乃告我高后曰⑥：'作丕刑于朕孙⑦！'迪高后丕乃崇降弗祥⑧！

[注释]

①共作：都作为。畜民：即上文"奉畜汝众"之"众"。②戕（qiāng）：毁伤。则：通"贼"，贼害。③绥：停止。④乱政：乱政之人。同位：在位。⑤具：具备，供置。乃：助词，无意义。贝玉：泛指钱物。贝，商代多用贝壳作为货币。⑥高后：辈分较老的先王。⑦丕刑：大刑。⑧迪：句首助词，无意义。丕乃：于是。崇：重。弗祥：不祥之灾。

[译文]

"我们的先王已经劳动了你们的先祖先父，你们当然都是我所蓄养下的臣民。倘使你们心中存有恶毒的想法，我的先王一定会撤除你们的先祖先父们在天上所供奉的职役；你们的先祖先父也必随之弃绝你们，不管你们的死活了。现在你们在位官员中有乱政的人，只知道贪污财宝。你们的先祖先父于是竭力请求先王说：'快给我们的子孙用大刑吧！'于是先王就给你们降下大灾害来了。

"呜呼！今予告汝不易①！永敬大恤②，无胥绝远③！汝分猷念以相从④，各设中于乃心⑤！乃有不吉不迪⑥，颠越不恭⑦，暂遇奸宄⑧,我乃劓殄灭之⑨,无遗育⑩,无俾易种于兹新邑⑪!

[注释]

①不易:迁都的计划不会改变。②敬:重视。恤:忧。③无:通"毋",不要。胥:相。绝远:很远,引申为疏远。④分(fēn):本分,应当如此的意思。猷念:即"念",心中的打算。⑤设:合。⑥乃:若。吉:善。迪:善。⑦颠越:高低、横竖。颠,自上往下堕。越,向上逾越。⑧暂:通"渐",诈欺。遇:同"愚"或"偶",奸邪。⑨劓:割断。⑩育:通"胄",后代。⑪易:施,延。

[译文]

"哎呀!现在我告诉你们,迁都计划决不改变。你们对我所忧虑的事情,应当有所体恤,不要漠然。你们应当把自己的心态摆正,跟我一同打算!如果有人横竖也不肯听命,奸诈邪恶,为非作歹,我就要把他杀掉,斩草除根,不让一个他们的孽种遗留在新都之中。

"往哉,生生①!今予将试以汝迁,永建乃家②。"

[注释]

①生生:自营其生。②建:立。

[译文]

"去吧!好好地去生活吧!现在我要把你们迁过去了,建立你们永久的好家园。"

盘庚下

盘庚既迁①,奠厥攸居②。乃正厥位③,绥爰有众④。曰:

[注释]

①既:已。②奠:定。③正:辨正(宗庙方位)。④绥:告。爰:于。

有众：即"众"，众人。

[译文]

盘庚迁到新都之后，安排好臣民的住所，确定宗庙宫室的方位，告诫众官员说：

"无戏怠①，懋建大命②！今予其敷心腹肾肠③，历告尔百姓④：于朕志⑤，罔罪尔众⑥；尔无共怒⑦，协比谗言予一人⑧。

[注释]

①怠：同"怡"，逸乐。②懋：勉。大命：受自上天的民命、国命等。③其：将。敷心腹肾肠：真心诚意地讲话。敷，公布。④历：一一。百姓：百官族姓。⑤于朕志：在我心里。⑥罔：无，不。⑦共：一同承受。⑧协比：勾结在一起。

[译文]

"不要贪图享乐，要努力继承天命，重建家园。现在我掏心窝子和你们百官讲心里话，我的心里，已经不责怪你们了，你们也不要抓住以前的怨怒，勾结在一起讲我的坏话。

"古我先王将多于前功①，适于山用降我凶②，德嘉绩于朕邦③。

[注释]

①先王：指盘庚前代曾经迁都的君主。将：意欲。多：同"侈"，光大。②适于山：依靠山丘高地。③德：当作"循"，遵循。嘉：美好。

[译文]

"从前我们先王要发扬光大前人的功业，迁到高地避免灾害，在都邑里遵循维系着前代业绩。

"今我民用荡析离居①，罔有定极②。尔谓朕：'曷震动万民以迁?'肆上帝将复我高祖之德③,乱越我家④,朕及笃敬恭承民命⑤,用永地于新邑⑥。

[注释]

①今:当今,指未迁都之前。用:则。荡:为水所流荡。析:愤慨。②极:止。③肆上帝:老天爷。肆是助词。高祖:年辈较早的先王。德:德业。④乱:治。越:及。⑤及:同"汲",努力进取的样子。笃:厚。承:通"拯",拯救。⑥地:安居其地。

[译文]

"到了近来,我们却遭受了洪水流荡肆虐之苦,没有尽头。你们反倒问我:'为什么要惊动万民来迁都啊!'这是因为上帝要恢复我们祖宗的业绩到我们这一代,我虔诚地敬奉上帝旨意来拯救民命,永远安居在这新的都邑里。

"肆予冲人①,非废厥谋,吊由灵各②;非敢违卜③,用宏兹贲④。

[注释]

①肆:发语词,无义。冲人:犹上文所云"小子",谦称。冲,幼。②吊:古"淑"字,善。灵各:即"灵格",通晓鬼神及天命的神灵。③违卜:上篇中群臣根据卜兆反对迁都,这里说"非敢违卜",却又迁都了,是因为第二次又改用了神龟占卜,得出迁都吉利的卦象,所以盘庚才执意要迁。④宏:发扬。贲(bì):美。

[译文]

"我不是不理会反对者的意见,而是由于神灵暗示我们迁居的好处;我并非敢于违背占卜,我实在是要发扬这美好的事业。

"呜呼!邦伯、师长、百执事之人①,尚皆隐哉②!予其懋简相尔③,念敬我众④。朕不肩好货⑤,敢恭生生⑥,鞠人谋人之保居叙钦⑦。今我既羞告尔⑧,于朕志若否⑨,罔有弗钦⑩。无总于货宝⑪,生生自庸⑫。式敷民德⑬,永肩一心⑭。"

[注释]

①邦伯:也叫方伯,指四方诸侯。师长:武官之长。百执事之人:王朝的各官吏。②尚:心中所希望。隐:依,依靠占卜的灵验。③其:将。懋:劝勉。简:选择。相:考察。④念:思,想。敬:敬重。⑤肩:当作"屑"。⑥恭:举用。生生:从事营生之事。⑦鞠:养。保:安。叙钦:铨叙,进用。⑧羞:进献。⑨若:顺。⑩罔:毋。弗:不。钦:敬。⑪无:毋。总:积聚。⑫庸:功。⑬式:发语词,无义。敷:散布。德:惠。⑭肩:能够。

[译文]

"啊!各方国的诸侯、军事长官及王朝各级官吏们,希望你们依从占卜。我将要严肃考察你们,看谁能重视、照顾民众。我不屑于聚敛财富、孜孜于一己家业的行为,只会尊敬、任用那些能养育人民和为人民谋安居的人。我既已宣布此意,无论你们同意与否,都不得不遵从。你们不要积聚财富,要谋求功业。要使老百姓得到实惠,永远能够与民众同心。"

说命上①

王宅忧②,亮阴三祀③。既免丧④,其惟弗言⑤。群臣咸谏于王,曰:"呜呼!知之曰明哲⑥,明哲实作则⑦。天子惟君万邦⑧,百官承式⑨。王言惟作命⑩,不言,臣下罔攸禀令⑪。"

[注释]

①说命:《说命》三篇是殷高宗武丁任用傅说为相的命辞,其中也记述了傅说对武丁的进谏之言。《史记·殷本纪》载:"帝武丁即位,思复兴殷,而未得其佐。三年不言,政事决定于冢宰,以观国风。武丁夜梦得圣人,名曰说。以梦所见视群臣百吏,皆非也。于是乃使百工营求之野,得说于傅险中。

是时说为胥靡，筑于傅险。见于武丁，武丁曰是也。得而与之语，果圣人，举以为相，殷国大治。故遂以傅险姓之，号曰傅说。"《说命》三篇属梅赜《古文尚书》。②王：商王高宗武丁。宅忧：居忧，守父母之丧。③亮阴：又作"谅阴"、"谅暗"，沉默不言。这里指武丁三年不理朝政。三祀：三年。④免丧：守孝期满，免除丧服。⑤其：指武丁。弗言：不说话，意谓不亲理朝政。⑥明哲：明智，通晓事理。⑦则：法则。⑧君：统治。⑨承：遵奉。式：法令。⑩命：命令。⑪攸：所。禀：受。

[译文]

殷高宗武丁为父守丧，三年不理朝政。丧期满，仍然没有亲政。众大臣都向武丁进谏说："啊！通晓事理就叫做明智，明智的人就能制定法度。天子统治天下，百官遵奉法令。君王的话就是命令，君王不说话，臣下将无所听命。"

王庸作书以诰曰①："以台正于四方②，惟恐德弗类③，兹故弗言。恭默思道，梦帝赉予良弼④，其代予言⑤。"乃审厥象⑥，俾以形旁求于天下⑦。说筑傅岩之野⑧，惟肖⑨。爰立作相⑩，王置诸其左右。

[注释]

①庸：用。②台（yí）：我，武丁自称。正：表率。③类：善。④赉：赐予。良弼：贤佐。⑤其：将。⑥象：形象。⑦俾：使。旁求：广求。⑧说：傅说。筑：捣土使之坚实。《孟子·告子下》谓："舜发于畎亩之中，傅说举于版筑之间。"版筑是古代筑墙之法，两版相夹固定，中间放泥土，用杵舂实。傅岩之野：《孔传》说："傅氏之岩在虞虢之界，通道所经。有涧水坏道，常使胥靡刑人筑护此道，说贤而隐，代胥靡筑之，以供食。"其地在今山西平陆与河南陕县之间。⑨肖：相像，相似。⑩爰：于是。立：推举。

[译文]

武丁因此作书告谕臣下说："以我来作为天下表率，恐怕我的德行不够好，所以我不发表意见。我只是恭敬地默默思考统治天下的方法，后来梦见了上帝赐予我贤良辅臣，他将代替我说话。"于是详细描绘了梦中贤辅的样子，派人广为寻求。傅说在傅岩之野建筑城墙，和武丁梦中的贤辅非常像。于是推举他做了宰相，武丁把他安置在自己身边。

命之曰①："朝夕纳诲②，以辅台德③。若金④，用汝作砺⑤；若济巨川⑥，用汝作舟楫⑦；若岁大旱，用汝作霖雨⑧。启乃心⑨，沃朕心⑩。若药弗瞑眩⑪，厥疾弗瘳⑫；若跣弗视地⑬，厥足用伤。惟暨乃僚⑭，罔不同心，以匡乃辟⑮，俾率先王⑯，迪我高后⑰，以康兆民⑱。

[注释]

①命之曰：蔡沈《书集传》说："《说命》，记高宗命傅说之言，'命之曰'以下是也，犹《蔡仲之命》、《微子之命》。后世命官判词，其原盖出于此。"命，任命官吏时发布的政令。②纳诲：进谏。③台：我，武丁自称。④若：比如。金：金属，这里指铁器。⑤砺：磨石。⑥济：渡过。⑦舟楫：船和桨。⑧霖雨：连下几天的雨。⑨启：开。乃：你的，指傅说。⑩沃：灌溉。⑪瞑（mián）眩：头昏眼花。《孔疏》说："瞑眩者，令人愤闷之意也。"⑫瘳：病好。⑬跣（xiǎn）：赤脚。⑭暨：与。僚：下属。⑮匡：正。辟：君王。⑯俾（bǐ）：使。率：循。先王：武丁以前的商代贤王。⑰迪：蹈，顺着。高后：商人称成汤。⑱康：安乐。兆民：指天下民众。

[译文]

武丁命令傅说说："要早晚进谏良言，辅助我行德政！好比是铁，用你作磨石；就像大河，用你作船、桨；又如大旱之年，用你来作甘霖。敞开你的心扉，灌溉我的心田！如果吃了药不感到头昏眼花，这病是治不好的；如果赤脚走路不看路面，就会因此受伤。与你的下属官员一起，要同心同德匡正你君王的错误，使我遵循先王教导之道，继承高祖成汤所开拓的基业，来安定天下民众。

"呜呼！钦予时命①，其惟有终②。"

[注释]

①钦：敬。时：通"是"。②其：表希望语气。终：成就。

[译文]

"啊！要恭奉我的命令，希望能有所成就。"

说复于王曰①："惟木从绳则正②，后从谏则圣③。后克圣④，臣不命其承⑤，畴敢不祗若王之休命⑥！"

[注释]

①复：答复。②绳：绳墨，木工用的墨线。正：直。③后：君王。④克：能。⑤不命其承：《孔传》说："君能受谏，则臣不待命，其承意而谏之。"承，奉。⑥畴：谁。祗：恭敬。若：顺。休：美。

[译文]

傅说回答武丁说："木料经墨线拉过才会直，君王能够纳谏才称得上圣明。君王能够圣明，臣下不必等待君王命令就会随时承意进谏，谁敢不恭敬顺从君王正确的命令呢？"

说命中

惟说命总百官①，乃进于王②，曰："呜呼！明王奉若天道③，建邦设都，树后王君公④，承以大夫师长⑤。不惟逸豫⑥，惟以乱民⑦。惟天聪明，惟圣时宪⑧，惟臣钦若⑨，惟民从乂⑩。惟口起羞⑪，惟甲胄起戎⑫，惟衣裳在笥⑬，惟干戈省厥躬⑭，王惟戒兹⑮！允兹克明⑯，乃罔不休⑰。

[注释]

①说：傅说。命：受命。总：统管。②进：进谏。王：商王武丁。③奉：

承。若：顺。④树：立。后王：指天子。君公：指诸侯。⑤承：佐。大夫：卿大夫。师长：众官员。师，众。《孔疏》说："周礼立官多以师为名。师者，众所法，亦是长之义也。大夫以下分职不同，每官各有其长，故以师长言之。"⑥惟：思。逸豫：安逸享乐。⑦乱：治理。⑧圣：圣王、君主，指武丁。时：通"是"。宪：效法，模仿。⑨钦：敬。若：顺。⑩从：顺从。乂：治理。⑪惟口起羞：《孔疏》说："言王者法天施化，其举止不可不慎，惟口出令，不善以起羞辱。"起，招惹。羞，羞辱。⑫甲胄：铠甲、头盔。戎：兵戎之事。⑬惟衣裳在笥（sì）：《孔疏》说："不可加非其人，观其能足称职，然后赐之。"衣裳，这里指官服，代指奖赐官员。笥，一种放衣裳的方形竹器。⑭惟干戈省厥躬：蔡沈《书集传》说："干戈，所以讨有罪，必严于省躬者，戒其有所轻动。"干，盾牌。戈，刀刃横置，用于横击和钩割的兵器。省，察。躬，自身。⑮兹：这些。⑯允：信。克：能。⑰乃：则。休：美。

[译文]

傅说受命总领众官，于是向武丁进言："啊！明智的君王承顺天道，建立国家，设立都城，立天子、封诸侯，佐以大夫师长众官，不贪图安逸享乐，只想着治理民众。上天明智聪明，君王以此作为效法，臣下们也敬顺，民众才会得到治理。要谨慎于言语号令，否则会招来麻烦；不可轻易动武，否则将招致战乱；官服收在竹箱里，要谨慎赐予，不可授非其人；干戈是讨伐有罪的兵器，使用时要反省察看。君王在这些方面要戒备啊！相信这些话就能明智，没有什么不会好起来。

"惟治乱在庶官①。官不及私昵②，惟其能；爵罔及恶德③，惟其贤。虑善以动，动惟厥时。有其善④，丧厥善；矜其能⑤，丧厥功，惟事事⑥，乃其有备，有备无患。无启宠纳侮⑦，无耻过作非⑧。惟厥攸居⑨，政事惟醇⑩。

[注释]

①治：治理。乱：混乱。庶：众。②及：涉及。昵：亲昵。③爵：爵禄，

说命中

等级。④有：自以为有。⑤矜：自夸。⑥事事：任何一件事。⑦无：通"毋"。启：开启。宠：宠幸，宠爱。纳：受，收进。⑧耻过：以犯错为耻辱。⑨攸：所。居：行为举止。⑩醇：醇美。

[译文]

"国家得到治理或造成混乱，在于百官。官职授予不要掺杂进亲昵关系，要考虑能力；爵位不可赐予德行丑恶之人，要考虑是否贤明。考虑好再行动，行动要选择好时机。自以为好，即便事实也如此，别人也不会认可，这还是等于丢失善德；自己夸耀能干，虽然实际如此，别人不认可，也等于丧失了功绩。做任何事情，都应当有所准备，有备无患。不要开启宠信之门而受到小人的侮辱，不要为犯下过错感到羞耻而文过饰非。如果行为能做到上面那样，政事就会非常完善醇美。

"黩于祭祀①，时谓弗钦②；礼烦则乱，事神则难③。"

[注释]

①黩（dú）：轻慢，不庄重。②时：通"是"。钦：敬。③礼烦则乱，事神则难：蔡沈《书集传》说："礼不欲烦，烦则扰乱，皆非所以交鬼神之道也。"

[译文]

"轻慢祭祀，这叫不敬；祭祀过于烦琐就会混乱，侍奉鬼神就很困难了。"

王曰："旨哉①，说！乃言惟服②。乃不良于言③，予罔闻于行④。"

[注释]

①旨：美。②乃言：你的话。服：信服。③良：善。④罔闻：听不到。

[译文]

王说："好啊，傅说！你的话都很令人信服。如果你不善于进谏，我就不能听到这些话并付诸行动了。"

说拜稽首，曰："非知之艰，行之惟艰。王忱不艰①，允协于先王成德②。惟说不言，有厥咎③。"

[注释]

①忱：诚、信。②允：的确。协：合。成德：盛德。③咎：罪过。

[译文]

傅说跪拜叩头，说："知道不难，付诸行动才困难。大王如果诚心诚意就没有困难，能够完全符合先王的盛德。如果我傅说不进言，那才有罪过了。"

说命下

王曰："来！汝说。台小子旧学于甘盘①，既乃遁于荒野②，入宅于河③，自河徂亳④，暨厥终罔显⑤。尔惟训于朕志⑥，若作酒醴⑦，尔惟曲糵⑧；若作和羹⑨，尔惟盐梅⑩。尔交修予⑪，罔予弃⑫；予惟克迈乃训⑬。"

[注释]

①台小子：即"予小子"，商王武丁自称。旧：过去。甘盘：武丁时的贤臣。②遁：逃避。③宅：居。河：黄河。④徂：往。亳：商代都城。⑤暨：至。终：始终。显：明显。⑥训：教导。⑦若：好像。醴：甜酒。⑧曲（qū）糵（niè）：酿酒时所用的发酵物，主要用某种霉菌和大麦、大豆、麸皮等制成。⑨和羹：调和了各种味道的汤。⑩梅：青梅，有酸味，可以调味。⑪交：多方面。修：修治、教导。⑫罔予弃：即"罔弃予"，宾语前置。⑬克：能。迈：行。乃：你的。训：训导。

[译文]

商王武丁说："来啊！傅说！我过去曾向甘盘学习，不久就躲避到郊野之外，入居黄河边，后来又从黄河边前往亳邑，始终都没有明显的进步。你教导我立志，就像制作甜酒，你就是发酵用的酒曲；就像调制美味的汤，你就是盐和梅。你多方教导我，不抛弃我，我一定能按你教导的去做。"

说曰："王！人求多闻，时惟建事①。学于古训②，乃有获③。事不师古④，以克永世⑤，匪说攸闻⑥。惟学逊志⑦，务时敏⑧，厥修乃来。允怀于兹⑨，道积于厥躬⑩。惟敩学半⑪，念终始典于学⑫，厥德修罔觉⑬。监于先王成宪⑭，其永无愆⑮。惟说式克钦承⑯，旁招俊乂⑰，列于庶位⑱。"

[注释]
①时：通"是"。②古训：前代圣王的训导。③乃：才。④师：效法。⑤克：能。永世：长久。⑥匪：非。攸：所。⑦逊：谦逊。⑧敏：敏捷。⑨允：信。怀：念。兹：此。⑩躬：自身。⑪敩学半：《孔传》说："教然后知所困，是学之半。"敩，教。⑫典：从事。⑬罔觉：不知不觉。⑭监：通"鉴"，借鉴。成宪：成法。⑮愆（qiān）：过失。⑯式：因此。克：能。钦：敬。承：承顺。⑰旁：广。⑱庶：众。位：官职。

[译文]
傅说说："大王！人人都追求博学多识，是想有所作为。学习古代圣贤的教导才有收获；做事不效法古代圣贤而能长治久安的，我从来没有听说过。只有通过学习，谦逊心志，无时无刻不专心努力，才能不断获得学识。切记这些，大道就会在自己身上积累。教是学的一半，学习就要自始至终念念不忘，德行会在不知不觉中得到修养和提高。借鉴先王成法，将永离过失。我因此也才能恭敬承顺大王的旨意，广招贤才把他们安排在各个职位上。"

王曰："呜呼，说！四海之内，咸仰朕德①，时乃风②。股肱惟人③，良臣惟圣。昔先正保衡④，作我先王⑤，乃曰：'予弗克俾厥后惟尧、舜⑥，其心愧耻，若挞于市⑦。'一夫不获⑧，则曰：'时予之辜⑨！'佑我烈祖⑩，格于皇天⑪。尔尚明保予⑫，罔俾阿衡专美有商⑬。为后非贤不乂⑭，惟贤非后不食⑮。其尔克绍乃辟于先王⑯，永绥民⑰！"

[注释]

①咸：都。仰：敬仰。朕：我。②时：通"是"。乃：你的。风：教化。③股肱：犹云"手足"。股，大腿。肱，上臂。④先正：先世长官。保衡：与"阿衡"都是指伊尹。《孔疏》说："言天下所取安所取平也。"⑤作：起。⑥俾：使。后：君王，指成汤。惟：如。⑦挞：鞭挞。⑧不获：不得其所。⑨时：通"是"。辜：罪。⑩佑：辅助。烈祖：成就功业的先祖，指成汤。⑪格：致。皇天：大天，上帝。⑫尚：庶几，表希望语气。明：勉力。保：辅佐。⑬阿衡：指伊尹。专：独。⑭乂：治。⑮食：食禄，指得到任用。⑯绍：继续。辟：君王，指武丁。⑰绥：安抚。

[译文]

王说："啊，傅说！天下四方都仰慕我的德行，这是你教化的结果。手足完备才能算正常人，拥有良臣才能算圣君。从前先王总领百官的伊尹使我先王兴起，他却说：'我不能使君王像尧舜那样，心中惭愧，就像在集市上受鞭挞之刑。'如果有一个人没有得到合理安置，就说：'这是我的罪过。'他辅佐成就功业的先祖成汤，功名上达于天。希望你努力辅佐我，不要使商朝只有伊尹一人独留美名。君王没有贤臣，天下得不到治理；贤臣没有君王，也得不到任用。你要让你的君王继续先王大业，长久地安定民众。"

说拜稽首，曰："敢对扬天子之休命①！"

[注释]

①敢：胆敢，冒昧。对：答。扬：称扬。休：美。

[译文]

傅说跪拜叩头,说道:"我冒昧对答,正是为了颂扬天子您美好的教导。"

高宗肜日①

高宗肜日,越有雊雉②。

[注释]

①高宗肜(róng)日:高宗,殷王武丁宗庙的称号,武丁是商汤第十一世孙,殷王朝第二十三代君主。"肜"祭,殷人祭祀先王之礼。商王朝祭祀高宗武丁之时,出现了野鸡鸣叫的异象,引起了王室的恐慌。贵族祖己针对此事,发表了一番言论,对商王进行了劝勉,构成了本篇的主要内容。《史记·殷本纪》记载:"帝武丁崩,子帝祖庚立。祖己嘉武丁之以祥雉为德,立其庙为高宗,遂作《高宗肜日》及《训》。"②越:与"粤"、"曰"、"爰"等都是发语词,无意义。雊(gòu):野鸡叫。雉:野鸡。

[译文]

肜祭高宗武丁的时候,有野鸡鸣叫。

祖己曰①:"惟先格王②,正厥事③。"

[注释]

①祖己:即武丁之子孝己。②格:告。③正:修。事:指祭祀之事。

[译文]

祖己说:"告诉大王,不要害怕,先把祭礼办好。"

乃训于王曰①:"惟天监下民②,典厥义③。降年有永有不永④。非天夭民⑤,民中绝命⑥。民有不若德⑦,不听罪⑧。天既孚命正厥德⑨,乃曰其如台。

[注释]

①训：劝勉。②监：察看。③典：主持，掌管。义：道理。④降年：指上天赐予的人的寿命。永：长。⑤夭：早死。⑥中：中道。⑦若：顺。⑧听罪：服罪。⑨既：已。孚：付，给予。命：老天的命令。

[译文]

接着又劝勉王说："上天考察下界，掌握着大道与天。它赐予人的寿命有长有短，但并不是上天要使人们短命，而是因为有人不听天命，做错了又不肯服罪，以致中途绝命。上天已发出明确的命令，用以规范人们的道德，可是有人竟然说：'能把我怎么样！'

"呜呼！王司敬民①，罔非天胤②，典祀无丰于昵③。"

[注释]

①司：嗣，承继。敬民：敬理民事。②罔：无。天胤：天子。③典：常。丰：厚。昵：亲近，指祢庙（父庙）。

[译文]

"哎呀！君王们承继着敬理民事的大业，无一不是上天的后代，祭祀大典中，不可过分亲厚父庙而不按正常礼法规定。"

西伯戡黎①

西伯既戡黎，祖伊恐②，奔告于王曰③：

[注释]

①西伯戡（kān）黎：本篇记录了周文王征服了黎国，殷商贵族祖伊开始恐慌，跑去对纣王发出警告的一段对话。西伯，周文王。戡，平定。黎，商王朝西北的藩屏之地，殷诸侯国，在今山西省长治县西南。②祖伊：人名，殷贵族。③王：商王朝最后一个国王帝辛纣。

[译文]

西周文王征服了黎国,祖伊非常恐慌,跑去对纣王说:

"天子!天既讫我殷命①,格人元龟②,罔敢知吉③。非先王不相我后人④,惟王淫戏用自绝⑤。故天弃我,不有康食⑥,不虞天性⑦,不迪率典⑧。今我民罔弗欲丧⑨,曰:'天曷不降威!'大命不艺⑩,今王其如台?"

[注释]

①既:通"其",将。讫:终止。②格人:贤人。元龟:大龟。③罔:无。吉:卜兆的吉凶。④相(xiàng):辅助,保佑。⑤惟:是,为。淫戏:暴虐腐化。用:以。⑥康食:安食,好好吃饭。⑦虞:通"娱",乐。⑧迪:由,用。率:助词,无意义。⑨罔:无。丧:亡。⑩艺:原作"挚",据于省吾《尚书新证》之说校改,通"祢",亲近。

[译文]

"大王!老天快要终止我殷朝天命了。懂得天命的贤人和传达天意的宝龟,都不敢说有好兆头了。这不是祖宗不保佑我们,而是大王淫虐过度自己断绝了天命,老天才抛弃了我们,使大家没有安稳饭吃,更谈不上安于天性、遵循法纪。现在我们的民众几乎没有不希望王朝完蛋的,都说:'老天怎么不降下惩罚来啊!'看来天命已在离开我们,大王啊,你还打算怎么办?"

王曰:"呜呼!我生不有命在天?"

[译文]

纣说:"咦!我不是一生下来就有大命在天的吗?"

祖伊反①,曰:"呜呼!乃罪多累在上②,乃能责命于天③?殷之即丧④,指乃功⑤,不无戮于尔邦⑥?"

[注释]

①反:同"返"。②乃:你的。累:原作"参",据段玉裁《古文尚书撰异》之说改,积累。③责:责成,要求。④之:其。即:遂。⑤指:通"耆",致。⑥无:疑问词倒置,相当于"吗"。戮:通"僇(lù)",辱。

[译文]

祖伊回去说:"唉!你都罪恶滔天了,还向老天爷要什么天命?殷朝的灭亡近在眼前了,你的所做所为发展下去,怎能不毁灭你的国家?"

微 子①

微子若曰②:"父师、少师③,殷其弗或乱正四方④!我祖底遂陈于上⑤;我用沉酗于酒⑥,用乱败厥德于下⑦。殷罔不小大好草窃奸宄⑧;卿士师师非度⑨。凡有辜罪⑩,乃罔恒获⑪。小民方兴⑫,相为敌雠。今殷其沦丧⑬,若涉大水⑭,其无津涯⑮。殷遂丧越至于今⑯?"

[注释]

①微子:微子是殷王朝贵族,名启,纣的庶兄。微子对于纣王恶行曾百般进谏,纣王始终不听。本篇记载了商朝灭亡前,微子向王朝父师、少师询问如何应对的一番谈话。②若曰:这样说。③父师、少师:商王朝官名。④其:将。弗或:不能。乱:治理。⑤我祖:指商王朝第一任君主汤。底:致。陈:列。⑥我:指纣王酗酒无度的行为。用:则,却。⑦用:以。厥:其,指汤。⑧罔:无。小大:从上到下很多人。草窃:掠夺。奸宄:邪恶作乱。⑨卿士:执政之官。师师:卿士之众。度:法。⑩辜:罪。⑪罔恒获:常常得不到。⑫方:通"旁",并。兴:起。⑬其:将。沦丧:灭绝。⑭涉:渡河。⑮其:而。津:渡河处。涯:水边。⑯丧越:灭亡而离散。

[译文]

微子说:"父师、少师!我们殷王朝快不能治理国家了。我们祖宗汤王以前开拓的功业,被我们酗酒荒淫败乱尽了。从上到下的人无不喜欢为非作歹,掠夺财货。朝廷卿士众官也竞相搞非法活动。逃亡的罪人也常抓不回来。老百姓们也并起争夺斗殴。殷王朝快要覆亡了,像要渡河却找不到渡口、河岸,难道灭亡就在今天吗?"

曰:"父师、少师,我其发出狂①,吾家耄逊于荒②,今尔无指告予③?颠隮若之何其④?"

[注释]

①发:起。狂:通"往",出走。②耄:昏乱。逊:通"驯",从。荒:通"亡"。③尔:你们。无:疑问词倒置,相当于"吗"。指:通"稽",计。④颠隮(jī):《孔疏》说:"颠谓从上而陨,隮谓坠于沟壑,皆灭亡之意。"若之何其:犹如"如之奈何"。

[译文]

又说道:"父师、少师!我是出走呢,还是随着王朝同归覆亡呢,现在能考虑告诉我吗?国亡了到底如何才好啊!"

父师若曰:"王子①!天毒降灾荒殷邦②,方兴沉酗于酒,乃罔畏畏③,咈其耇长旧有位人④。今殷民乃攘窃神祇之牺牷用⑤,以容将食无灾⑥。降监殷民⑦,用乂雠敛⑧,召敌雠不怠⑨。罪合于一⑩,多瘠罔诏⑪。商今其有灾⑫,我兴受其败⑬;商其沦丧,我罔为臣仆⑭。诏王子出,迪我旧云刻子⑮。王子弗出,我乃颠隮⑯。自靖⑰,人自献于先王⑱,我不顾行遁⑲。"

[注释]

①王子:指微子,因他是"帝乙"之子,故称。②毒:通"笃",厚。

荒：通"亡"，灭亡。③畏畏：即"畏威"，畏惧天威。④咈：违。耇（gǒu）长：指权高年长的官员。旧有位人：退休的有才德之人。⑤攘：偷窃。神祇：天地神鬼。牺：祭祀时所用毛色纯一的牲口。牷（quán）：祭祀时所用肢体齐全的牲口。⑥容：用。将食：同义连用成语，吃。将，置肉几案上而食之。⑦降：下。监：察视。⑧乂：治。雠敛：重赋。雠，通"稠"，繁多。⑨召：招致。怠：倦怠。⑩合：集合。⑪瘠：贫瘠。罔：无。诏：告。⑫其：将。⑬兴：起。⑭罔为臣仆：不要成为奴隶。⑮迪：用。刻子：即"箕子"，古音通假。⑯乃：仍。⑰自靖：各自考虑如何应付。⑱人：各人。献：献身。⑲顾：犹豫。行：将。遁：逃。

[译文]

父师回答道："王子！老天严重地降下灾害要覆亡我殷朝，但沉酗于酒的纣王却不畏天威，不用元老旧臣。现在我们殷人竟至偷窃祭祀鬼神用的祭品，吃了也不受惩罚。对下面百姓施行繁重的赋税征敛，招致无数敌对情绪还不知停止。那么多罪恶加到一起，百姓被榨干了却无处申述。商王朝眼看就有灾难了，要轮到我们承受；商王朝要灭亡了，我们可不能做亡国奴。告诉你，王子，按我过去对箕子说过的话，你还是出走吧。要是不走，我们最后都要完蛋。大家各自考虑前途，打算一下怎么献身先王。我不能多所瞻顾，马上就要走了。"

周书

泰誓上①

惟十有三年春②,大会于孟津③。

[注释]

①泰誓:"泰"又作"太","太誓"就是"大誓"。本篇所载乃武王伐纣,大会诸侯于孟津(盟津),在众军前的誓师词。《史记·周本纪》云:"十一年十二月戊午,师毕渡盟津,诸侯咸会。曰:'孳孳无怠!'武王乃作《太誓》,告于众庶。"司马迁认为《泰誓》作于武王伐纣之时。但此《泰誓》后来散逸了,不在西汉伏生今文《尚书》二十八篇内。旧说武宣之时曾从民间得到《泰誓》,和伏生本凑成二十九篇之数,但我们认为值得商榷,不排除汉武帝后的《泰誓》有伪作的可能。此《泰誓》三篇见于梅赜《古文尚书》。②十有(yòu)三年:即十三年。有,又。蔡沈《书集传》云:"十三年者,武王即位之十三年也。"然《书序》及上引《周本纪》均言十一年,似当以十一年之说为是。③孟津:黄河古渡口名,在今河南孟津县。

[译文]

十三年春,周武王在孟津大会诸侯。

王曰①："嗟！我友邦冢君②，越我御事庶士③，明听誓④。惟天地万物父母，惟人万物之灵。亶聪明作元后⑤，元后作民父母。今商王受弗敬上天⑥，降灾下民，沉湎冒色⑦，敢行暴虐，罪人以族⑧，官人以世⑨。惟宫室、台榭、陂池、侈服⑩，以残害于尔万姓⑪。焚炙忠良⑫，刳剔孕妇⑬。皇天震怒，命我文考肃将天威⑭，大勋未集⑮。肆予小子发⑯，从尔友邦冢君观政于商⑰，惟受罔有悛心⑱，乃夷居⑲，弗事上帝神祇，遗厥先宗庙弗祀⑳，牺牲粢盛㉑，既于凶盗㉒。乃曰：'吾有民有命㉓。'罔惩其侮㉔。

[注释]

①王：周武王姬发。②冢（zhǒng）君：诸侯国君。冢，大。③越：与，和。御事：近臣。庶士：众官员。④明：仔细。⑤亶（dǎn）：诚实。元：大。后：君。⑥商王受：商纣王，受是其名。⑦沉湎：沉溺于酒。冒色：贪恋女色。⑧族：灭族。《孔传》说："一人有罪，刑及父母、兄弟、妻子。"⑨官人：任用人。世：世袭。⑩台榭（xiè）：建在高土台上的敞屋。《孔传》说："土高曰台，有木曰榭。"陂池：池塘。《孔传》说："泽障曰陂，亭水曰池。"侈服：华丽的服饰。《孔传》说："侈谓服饰过制，言匮民财力，为奢丽。"⑪万姓：即天下万民。⑫焚炙（zhì）：焚烧，指炮（páo）烙（luò）之类酷刑。⑬刳（kū）剔：割剖。⑭文考：周文王。肃：敬。天威：上帝的惩罚。⑮勋：功业。集：成就。⑯肆：因此。予小子发：武王姬发自称。⑰观政于商：观察政事。《孔传》说："我与诸侯观纣政之善恶。谓十一年自孟津还时。"蔡沈《书集传》说："观政，犹伊尹所谓万夫之长，可以观政。八百诸侯，背商归周，则商政可知。"⑱悛（quān）：改过。⑲夷居：形容傲慢无礼的样子。夷，蔡沈《书集传》说："蹲踞也。"⑳遗：废弃。先：祖先。㉑牺牲：祭祀时所用的牛羊类牲畜，色纯为牺，体全为牲。粢（zī）盛（chéng）：盛在祭器中的黍稷。《孔传》说："黍稷曰粢……在器曰盛。"㉒既：尽。凶盗：凶恶盗窃之人。㉓有命：有天命。㉔惩：制止。侮：傲慢。

[译文]

周武王说："啊！我的友邦首领们，以及我的近臣、官员们，仔细地听我誓词。天地是万物的父母,人是万物中的灵长。真正聪明的人成为大王,就是人民的父母。现在商王纣不敬重上天,降下灾祸给人民,沉溺美酒,贪恋女色,肆行残暴,用株连灭族之法来惩罚民众,凭世袭来任用官吏。用制作宫室、楼台、池塘、奢侈的服饰,来残害你们民众。炮烙忠良,割剖孕妇。皇天大怒,命我先父文王施行天罚,但大功未成。所以我姬发和你们这些友邦首领一直观察商朝的政治状况,但是纣王受毫不悔改,仍然傲慢无礼,不服侍上帝鬼神,废弃宗庙不行祭祀,祭祀用的牺牲、器物里的黍稷,都被盗贼偷吃了。他却还说什么:'我有臣民,有天赐的大命!'根本没有制止自己侮慢行为的意思。

"天佑下民①,作之君②,作之师③,惟其克相上帝④,宠绥四方⑤。有罪、无罪,予曷敢有越厥志⑥?同力度德,同德度义⑦,受有臣亿万,惟亿万心;予有臣三千,惟一心。商罪贯盈⑧,天命诛之。予弗顺天,厥罪惟钧⑨。

[注释]

①佑:助。②作:立。③师:官员。④克:能。相:辅佐。⑤宠:爱护。绥:安定。⑥曷:何。越:超过。⑦同力度德,同德度义:《孔传》说:"力钧则有德者胜,德钧则秉义者强,揆度优劣,胜负可见。"⑧贯:通,串。盈:满。⑨钧:通"均",同。

[译文]

"上帝佑助天下民众,为他们立了君王,选了百官,因为他们能够辅助上帝,爱护和安定四方。有罪与否,我怎么敢远离上帝的意志呢?力量相等就度量德,德行相配就度量义。商王纣有大臣亿万,却有亿万条心,我只有大臣三千,却是一条心。商纣恶贯满盈,上帝命令去诛杀他。我若不顺应上帝,我的罪行就和纣王一样。

"予小子夙夜祗惧①。受命文考②,类于上帝③,宜于冢土④,以尔有众,厎天之罚⑤。天矜于民⑥,民之所欲,天必从之。尔尚弼予一人⑦,永清四海。时哉⑧!弗可失。"

[注释]

①夙(sù)夜:早晚。祗:敬。②受命文考:从文王那里接受上帝赐予的天命。③类:祭天之礼,一般都有特别事故,与定时的郊祀不同。④宜:祭社稷之礼。冢(zhǒng)土:大社。古代为万民百官所立的社,祭祀土神和谷神。⑤厎(zhǐ):致。⑥矜(jīn):哀怜。⑦弼:辅佐。予一人:武王自称。⑧时:时机。

[译文]

"我早晚敬慎戒惧。我从先父文王那里接受了上天赐予的大命,祭祀天帝,祭祀社稷,率领你们诸位,奉行天罚。上天哀怜民众,民众的愿望,上天一定顺从。希望你们辅助我,使天下永远清平。时机啊,千万不能失去!"

泰誓中

惟戊午,王次于河朔①。群后以师毕会②。王乃徇师而誓③。

[注释]

①次:停留,驻扎。河朔:黄河北岸。②群后:各路诸侯。毕:全部。会:会合。③徇:巡视。

[译文]

戊午这一天,周武王率军驻扎在黄河北岸,各路诸侯率领军队全部会合。武王于是巡视各路军队,发布誓师词。

曰:"呜呼!西土有众①,咸听朕言。我闻吉人为善②,惟日不足;凶人为不善,亦惟日不足。今商王受力行无度,播弃犁老③,昵比罪人④。淫酗肆虐⑤。臣下化之⑥,朋家作仇⑦,胁权相灭⑧。无辜吁天⑨,秽德彰闻⑩。

[注释]

①西土有众:西方的方国诸侯。有,助词。②吉人:善良的人。③播:遍。犁老:老臣。犁,通"耆"。④昵:亲近。比:亲近。⑤淫:过分,过度。酗:酗酒。⑥化:同化。⑦朋:朋党。⑧胁:挟持。⑨无辜:无罪。吁:呼吁。⑩秽:污秽。彰:显著。

[译文]

他说:"啊!西方各侯国的将士们,都听我讲话。我听说好人做好事,整天做还觉得时间不够;坏人做坏事,也是整天做还觉得时间不够。现在纣王拼命干坏事,漫无法纪,抛弃年高德劭的大臣,亲近奸佞,沉湎于酒,肆行暴虐。臣下们也互相效法,各自建立朋党,相互为敌,依仗权力,彼此杀伐。无罪的人呼天告冤,纣王的恶行彰显到上帝那里。

"惟天惠民①,惟辟奉天②。有夏桀弗克若天③,流毒下国④。天乃佑命成汤,降黜夏命⑤。惟受罪浮于桀⑥,剥丧元良⑦,贼虐谏辅⑧,谓己有天命,谓敬不足行⑨,谓祭无益,谓暴无伤。厥监惟不远⑩,在彼夏王。天其以予乂民⑪,朕梦协朕卜⑫,袭于休祥⑬,戎商必克⑭。受有亿兆夷人⑮,离心离德;予有乱臣十人⑯,同心同德。虽有周亲⑰,不如仁人。

[注释]

①惠:爱。②辟:君王。奉:恭奉。③克:能。若:顺从。④下国:天下。⑤黜:废除。夏命:夏朝的大命。⑥浮:超过。《孔疏》说:"物在水上曰浮。浮者,高之意,故为过也。桀罪已大,纣又过之。言纣恶之甚,故下句

说其过桀之状。"⑦剥：伤害。丧：丢弃，离开。元良：微子之类的忠臣。《史记·殷本纪》："微子数谏不听，乃与大师、少师谋，遂去。"⑧贼：杀害。虐：残暴。谏辅：谏官，指比干。《史记·殷本纪》载比干"乃强谏纣。纣怒曰：'吾闻圣人心有七窍。'剖比干，观其心"。⑨足：值得。⑩监：通"鉴"，借鉴。⑪其：副词，表揣测语气。以：用。义：治。⑫协：符合。⑬袭：重复。休：美。祥：善。⑭戎：征伐。⑮亿兆：极言极多，虚指。⑯乱：治。十人：《孔传》说："周公旦、召公奭、太公望、毕公、荣公、太颠、闳夭、散宜生、南宫适及文母。"⑰周亲：至亲。

[译文]

"上帝慈爱民众，君王恭奉上帝。夏王桀不能顺应上帝，流毒四方。上帝于是赐下福命佑护成汤，降下废除夏朝的命令。商纣王之罪超过了夏桀，他伤害、驱逐忠良之臣，残杀直谏的辅臣，还说自己享有天命，说上帝不值得崇敬，祭祀也没有用，施行暴虐不会有害。纣王的前车之鉴并不远，就是那个夏桀。上帝将要让我治理万民，我的梦符合我的占卜，二者都显示出吉祥。征伐商纣一定能够胜利。商纣王有亿万臣民，却离心离德；我有治政大臣十人，同心同德。商纣王虽有至亲大臣，却不如我有仁义之士。

"天视自我民视①，天听自我民听。百姓有过②，在予一人，今朕必往。

[注释]

①自：从。②过：责备。

[译文]

"上帝所见，来自我们民众所见；上帝所闻，来自我们民众所闻。民众有责难怨言，都是我一个人的责任，现在我坚决前去伐商。

"我武惟扬①，侵于之疆②，取彼凶残③；我伐用张④，于汤有光⑤。

[注释]

①武：指军事行动。扬：举。②侵：入。疆：商王畿的区域。③取：擒拿。凶残：指纣王。④张：大的成果。⑤汤：商王成汤。光：光辉。

[译文]

"我们的武力要壮大起来，进攻到商的王畿区域，擒住那凶残的纣王；我们的征伐会获得大成果，比成汤征伐夏桀更光辉。

"勖哉夫子①！罔或无畏②，宁执非敌③。百姓懔懔④，若崩厥角⑤。呜呼！乃一德一心⑥，立定厥功⑦，惟克永世⑧。"

[注释]

①勖（xù）：勉，努力。夫子：指将士。②罔或无畏：《孔传》说："无敢有无畏之心。"意谓不要轻敌。罔，无。③非敌：非我所能敌。④懔（lǐn）懔：畏惧不安的样子。⑤若：好像。崩：崩摧。角：额头。⑥乃：你们。一德一心：犹云"同心同德"。⑦立：建。⑧克：能。永：长久。

[译文]

"努力啊，将士们！不要有轻敌之心，宁可保持敌强我弱的思想。民众畏惧不安，好像磕坏额角一样。啊！你们要同心同德，建立自己的功业，永远安定老百姓。"

泰誓下

时厥明①，王乃大巡六师②，明誓众士③。

[注释]

①时厥明：《孔传》说："是其戊午明日。"即戊午日第二天。②六师：六军。西周建立后有所谓西六师，或即此。③众士：众将官。

[译文]

到了戊午日的第二天,周武王巡视检阅六师,在众将官前发表誓词。

王曰:"呜呼!我西土君子。天有显道①,厥类惟彰②。今商王受狎侮五常③,荒怠弗敬④。自绝于天,结怨于民。斫朝涉之胫⑤,剖贤人之心⑥,作威杀戮,毒痡四海⑦。崇信奸回⑧,放黜师保⑨,屏弃典刑⑩,囚奴正士⑪。郊社不修⑫,宗庙不享,作奇技淫巧以悦妇人⑬。上帝弗顺,祝降时丧⑭。尔其孜孜奉予一人⑮,恭行天罚。

[注释]

①显:明。②类:法则。彰:显扬。③狎(xiá)侮:轻忽、亵渎。五常:指父义、母慈、兄友、弟恭、子孝五种伦常。④荒怠:懈怠,荒废。⑤斫(zhuó)朝涉之胫:《孔传》说:"冬月见朝涉水者,谓其胫耐寒,斫而视之。"斫,砍。朝,早上。涉,涉水。胫,小腿。⑥剖贤人之心:殷臣比干强谏纣王,纣王剖比干,观其心。事见《史记·殷本纪》。⑦痡(pū):病,伤害。⑧崇:推崇。回:邪。⑨放黜:放逐贬退。师保:《周礼·地官》有师氏、保氏,以道德、礼义教谕进谏君王。或即此。⑩典刑:常法。⑪囚奴正士:《史记·殷本纪》载:"箕子惧,乃佯狂为奴,纣乃囚之。"囚奴,囚禁、奴役。正士,正直之士。⑫郊社:祭祀天地之礼。不修:不治。⑬奇技淫巧:蔡沈《书集传》说:"奇技,谓奇异技能。淫巧,为过度工巧。"悦:取悦。妇人:指妲己。⑭祝:《孔传》说:"断也。"降:下。时:通"是"。⑮其:助词,表示祈使语气。孜孜:勤勉不懈怠。奉:帮助。

[译文]

武王说:"哎呀,我的西方将士们!上帝有着明显的法则,应当宣扬出来。现在商纣王侮慢五常,荒废不敬,自绝于天,结怨于民众。他砍断清晨徒步涉水者的小腿,剖开贤人的心脏,显示淫威,杀戮无辜,毒害天下。他崇信奸佞之人,流放黜退师氏保氏,

泰誓下 139

摒弃常法，囚禁奴役直谏之士。祭祀天地的礼仪从不修治，祖先宗庙也无贡享，热衷制造奇技淫巧之物，来取悦女人。上帝厌恶他，断绝其天命，降下这些灾祸。你们应该努力辅助我，恭敬执行上帝的惩罚！

"古人有言曰：'抚我则后①，虐我则雠②。'独夫受洪惟作威③，乃汝世雠④。树德务滋⑤，除恶务本⑥，肆予小子诞以尔众士⑦，殄歼乃雠⑧。尔众士其尚迪果毅以登乃辟⑨。功多有厚赏，不迪有显戮⑩。

[注释]

①抚：抚爱。则：就。后：君主。②虐：残害。雠：仇敌。③独夫：蔡沈《书集传》说："独夫，言天命已绝，人心已去，但一独夫耳。"洪：大。④世雠：大仇。⑤务：致力。滋：滋长。⑥本：根本。⑦肆：故。诞：助词，无意义。⑧殄（tiǎn）：绝灭。⑨尚：庶几，表希望语气。迪：前进。果：果敢。毅：坚毅。登：成就。辟：君王。⑩显戮：明显的惩罚，指公开刑杀于市朝。

[译文]

"古人曾说过：'爱护我的就是君王，残害我的就是仇敌。'丧道的独夫纣王大行威罚，就是你们的大敌。树立德行务求滋长，除绝邪恶务求去根，所以我率领你们诸位将士，去歼灭你们的仇敌。希望诸位将士勇往直前，果敢坚毅地去成就你们的君王。立功多的有重赏，不前进的就公开刑杀。

"呜呼！惟我文考若日月之照临①，光于四方，显于西土。惟我有周诞受多方②。予克受③，非予武④，惟朕文考无罪；受克予，非朕文考有罪，惟予小子无良。"

[注释]

①文考：指文王。若：好像。②诞：助词。受：接受。多方：归附于周

的方国。③克:胜。④武:勇武。

[译文]

"啊!我父文王之德如同日月照耀一般,光辉普及天下,在西土尤为显著。我们周国接受了众方国的归附。如果我战胜商纣王,不是我勇武,而是因为先父文王没有过失;如果商王纣战胜我,不是我父文王有罪过,只是因我没有行善道。"

牧 誓①

时甲子昧爽②,王朝至于商郊牧野③,乃誓。

[注释]

①牧誓:牧是地名,在商都朝歌南郊。《史记·周本纪》载:"武王朝至于商郊牧野,乃誓。"本篇即武王伐纣牧野之战前的誓师词,由当时史官记录成篇。②甲子:甲子日。《史记》作"二月甲子",有人根据"殷正建丑"、"周正建子"推算出甲子日在周武王十一年二月五日。牧野之战具体年代不详,大概在公元前1046年左右。昧爽:暗而不明,即早晨天快亮的时候。③王:周武王,姬姓,名发,周王朝第一任君主。牧野:殷朝歌的南郊,在今河南淇县以南、卫辉以北。

[译文]

甲子这天清晨天还没大亮的时候,武王来到商都郊外牧野这个地方,举行誓师典礼。

王左杖黄钺①,右秉白旄以麾曰②:"逖矣③!西土之人④!"

[注释]

①左杖:左手拿着。杖,手持棍棒。黄钺:黄金装饰的斧子,作为仪节和乐舞的工具,也叫"戚"。②秉:拿着。旄:装饰着牛尾的小旗。麾:通"挥",指挥。③逖(tì):远。④西土之人:周族在今陕西一带,在商朝之西,

故云。

[译文]

武王左手拿着黄金斧钺,右手举着饰有旄牛尾的小旗,指挥说:"大家远来辛苦了,我西方的人们!"

王曰:"嗟!我有邦冢君、御事①,司徒、司马、司空②,亚旅、师氏、千夫长、百夫长③,及庸、蜀、羌、髳、微、卢、彭、濮人④,称尔戈⑤,比尔干⑥,立尔矛⑦,予其誓⑧。"

[注释]

①有邦:即"邦"。冢君:首脑。冢,大。御事:治事行政之官。②司徒:管理山林、畜牧等行业的官,掌管人民的教化。司马:在王左右,担任赞右王命。司空:管理田地、居处等行业的官。③亚旅:次于司徒、司马、司空的武职。师氏:高级武官。千夫长:统率一千士兵的贵族官员。百夫长:统率一百士兵的贵族官员。④庸、蜀、羌(qiāng)、髳(máo)、微、卢、彭、濮(pú):周族周围地区几个不同部族,先后臣服周,跟随武王伐纣。庸,在今湖北房县。蜀,在今陕南汉中。羌,在今甘肃东南地区。髳,在今山西省南部平陆县。微,在今陕西眉县一带。卢,在今湖北南漳县以东、襄樊市以西之地。彭,在今湖北房县附近南河流域。濮,在今湖北南漳县境。⑤称:举。戈:刀刃横置,用于横击和钩割的兵器。⑥比:并列。干:盾牌。⑦矛:长柄兵器,前端装有利刃,用于击刺。⑧其:将。

[译文]

武王说:"啊!我各邦国的首脑、治事大臣,司徒、司马、司空,军事首长,千夫长、百夫长等军官,及庸、蜀、羌、髳、微、卢、彭、濮等各个部族的人们,举起你们的戈,排列好你们的盾,竖立好你们的矛,我要发誓词了。"

王曰:"古人有言曰:'牝鸡无晨①;牝鸡之晨②,惟家之索③。'今商王受惟妇言是用④,昏弃厥肆祀弗答⑤,昏弃厥遗王父母弟不迪⑥;乃惟四方之多罪逋逃是崇、是长、是信、是使⑦,是以为大夫卿士⑧;俾暴虐于百姓⑨,以奸宄于商邑⑩。今予发惟共行天之罚。

[注释]

①牝(pìn):雌。晨:在早晨鸣叫。②之:若。③惟:就是。索:萧瑟不祥之谓。④受:即"纣",同音假借,是商王朝最后一任国王"帝辛"的名字。⑤昏弃:蔑弃。昏,通"泯",泯。肆:祭祀先王之礼。答:报。⑥王父母弟:指同父异母诸兄弟。迪:用。⑦逋逃:逃亡者。逋,逃亡。⑧大夫卿士:泛指殷王朝各级官员。⑨俾:使。百姓:百官。⑩商邑:商的都邑。

[译文]

武王说:"古人有一句话:'母鸡不该在早晨打鸣。如果母鸡早晨打鸣,这个家就要破败了。'现在商王纣只听信女人的话,背弃祖先宗庙,不举祭祀;蔑弃同宗兄弟,不予任用;只是尊崇信任那些因犯罪而四方逃亡的奴隶们,任命他们担任大夫卿士等要职,使他们为害于百官,作恶于商国。现在我姬发要奉行上天的惩罚命令!

"今日之事①,不愆于六步、七步②,乃止,齐焉。夫子勖哉③!不愆于四伐、五伐、六伐、七伐④,乃止,齐焉。勖哉夫子⑤!尚桓桓如虎、如貔、如熊、如罴⑥,于商郊弗迓克奔⑦,以役西土⑧。勖哉夫子!

[注释]

①今日之事:指伐纣战争前作为宣誓仪式所举行的军事舞蹈。②愆:过。③夫子:对"千夫长"、"百夫长"等武职官名的尊称。④伐:一击一刺为一伐。⑤勖:勉。⑥尚:副词,表希望语气。桓桓:威武的样子。貔(pí):传说中一种猛兽。罴(pí):一种猛兽,熊类。⑦迓:一作"御",驾车。克:能。奔:跑。⑧役:役使。

[译文]

"今天举行临战前的军事舞蹈,在徒手舞蹈上,不超过六步、七步就要停下来,整齐队形。战士们努力啊!在击刺舞蹈上,不过四次、五次、六次、七次就要停下来,整齐队形。战士们努力啊!大家要威风凛凛,像虎貔熊罴一样,在商都的郊外举行舍车、徒步的演习,以动员我西方勇士们投入战斗。战士们努力啊!

"尔所弗勖,其于尔躬有戮①!"

[注释]

①躬:身体。戮:杀。

[译文]

"倘若你们不努力,就在你们身上执行刑戮!"

武 成①

惟一月壬辰②,旁死魄③。越翼日癸巳④,王朝步自周⑤,于征伐商⑥。厥四月哉生明⑦,王来自商,至于丰⑧。乃偃武修文⑨,归马于华山之阳⑩,放牛于桃林之野⑪,示天下弗服⑫。

[注释]

①武成:即成就武功之谓,指武王伐纣灭商之事取得成功。武王灭商后,设立三监管理殷余民,释箕子之囚,散鹿台之财,赈济百姓,最后西归,史官记录这一过程,即为《武成》篇。事见《史记·周本纪》。但《武成》篇在东汉就亡逸了,《周本纪》所载仅其逸文而已。本篇属梅赜《古文尚书》。②一月:《孔传》说:"此本说始伐纣时,一月,周之正月。"③旁死魄:月亮大部分无光的时候。旁,近。魄,也作"霸",王国维《生霸死霸考》说:"古人记时,月分四期:一曰初吉,二曰既生霸,三曰既望,四曰既死霸。又有哉生霸,旁生霸,旁死霸三名。"具体分期,自一日至七八日为初吉,八九

日至十四五日为既生霸，自十五六日至二十二三日为既望，自二十三四日至月底为既死霸。此旁死霸指阴历每月二十五日至三十日这段时间。④越：及。翼日：第二天。⑤朝：早晨。周：指宗周镐京。⑥于：往。⑦哉生明：指月亮开始发光。《孔传》说："始生明，月三日，与死魄互言。"哉，始。⑧丰：文王所都，在今陕西长安县西北沣水西岸，后武王迁往沣水东岸的镐。⑨偃：停息。修：修治。⑩华山：旧说即西岳华山，清儒阎若璩认为："《武成》之华山非太华山，乃阳华山。今商州雒南县东北有阳华山，即武王归马之地，与桃林之野南北相望，壤地相接。"未知孰是。⑪桃林：《孔传》说："桃林在华山东。"阎若璩说："桃林塞为今灵宝县西至潼关广围三百里皆是。"⑫服：使用。

[译文]

一月壬辰日，月亮大部分没有光辉。到了第二天癸巳日，武王从周都镐京出发，前往征伐商朝。四月，月亮开始发光的那一天，武王伐商归来，到达丰邑。于是停止了武备，修治文教，放马归于华山之南，放牛归于桃林之野，向天下表示不再使用武功。

丁未，祀于周庙①，邦甸、侯卫骏奔走②，执豆、笾③。越三日庚戌，柴望④，大告武成⑤。

[注释]

①祀：祭祀。周庙：周的祖庙。《孔传》说："祭告后稷以下，文考文王以上七世之祖。"②邦甸、侯卫：泛指远近诸侯。骏奔走：迅速奔走助祭。骏，速。③豆、笾（biān）：二者都是古代祭祀的礼器。④柴：燔柴祭天之礼。望：祭祀山川之礼。⑤大告：遍告。

[译文]

丁未日，武王在周祖庙祭祀，各地诸侯奔走助祭，陈设木豆、竹笾等祭器。又过了三天，庚戌日，举行燔柴祭天之礼、望祀山川之礼，遍告天下伐商成功。

既生魄①，庶邦冢君②，暨百工③，受命于周。

[注释]

①既生魄：王国维《生霸死霸考》说："既生霸，谓自八九日以下降至十四五日也。"②庶：众。冢君：大君，即各诸侯王。③暨：和。百工：百官。

[译文]

在月亮发出光的一个日子里，众多诸侯国君以及百官，接受周天子的策命。

王若曰："呜呼，群后①！惟先王建邦启土②，公刘克笃前烈③。至于大王④，肇基王迹⑤，王季其勤王家⑥。我文考文王，克成厥勋⑦，诞膺天命⑧，以抚方夏⑨。大邦畏其力，小邦怀其德。惟九年，大统未集⑩，予小子其承厥志。厎商之罪⑪，告于皇天后土⑫，所过名山大川，曰：'惟有道曾孙周王发⑬，将有大正于商⑭。今商王受无道，暴殄天物，害虐烝民⑮，为天下逋逃主⑯，萃渊薮⑰。予小子既获仁人⑱，敢祗承上帝⑲，以遏乱略⑳。华夏蛮貊罔不率俾㉑。恭天成命㉒，肆予东征㉓，绥厥士女㉔。惟其士女篚厥玄黄㉕，昭我周王㉖。天休震动㉗，用附我大邑周㉘。惟尔有神，尚克相予以济兆民㉙，无作神羞。'

[注释]

①后：指诸侯王。②先王：指后稷。《孔疏》说："后稷非王，尊其主，故称先王。"③公刘：周先公名，后稷的曾孙，修后稷之业，使周国富裕。克：能。笃：厚。烈：业。④大王：即太王古公亶父，王季的父亲，文王的祖父，积德行义，率周人至于岐地，定都周原，得到周人的爱戴和歌颂。⑤肇基：开始。⑥王季：文王的父亲。⑦勋：功。⑧诞：其。膺：承受。⑨方夏：四方及中土。⑩大统未集：《孔传》说："言诸侯归之，九年而卒，故大统未就。"集，成。⑪厎（zhǐ）：致。⑫皇天后土：指天神地祇。⑬曾孙：自称之辞。⑭大正：《孔传》说："以兵征之。"⑮烝：众。⑯为天下逋（bū）逃主：

《孔传》说："天下罪人逃亡者,而纣为魁主。"逋,逃亡。⑰萃:聚。⑱仁人:《孔传》说:"谓太公、周、召之徒。"⑲祗:敬。承:奉。⑳遏:绝。略:谋。㉑华夏:中原国家。蛮:古代泛称南方少数民族。貊(mò):这里泛指北方少数民族。率:顺。俾:从。㉒恭:奉。成命:共同伐商的天命。㉓肆:所以。㉔绥:安。士女:男女的泛称,这里指广大百姓。㉕篚(fěi):圆形的竹筐。这里作动词用。玄黄:玄、黄二色的丝帛。㉖昭:见。㉗天休震动:周的善德感天动地。㉘大邑周:即周国。㉙克:能。相:帮助。济:救助。兆民:天下众多民众。

[译文]

周武王这样说道:"啊,众位诸侯!我先王后稷建立邦国,开辟疆土,公刘能够增厚先王功业。到了太王古公亶父,开始建立王基,王季也能勤劳于邦国。我的父亲文王,能够成就先王功勋,他承受天命,安抚天下。大国畏惧他的威力,小邦怀念他的德行。文王在诸侯归附的第九年逝世,大统尚未建立。我将继承他的遗志,把商纣王的罪行,举报给皇天后土、名山大川。我说:'替天行道的曾孙周王姬发,将大规模征伐商朝。当今的商纣王不遵天道,暴殄天物,虐杀民众。纣王成为天下逃犯的头子,商都成了罪人聚集的地方。我得到了一些仁义之士的辅助,愿意恭奉上帝,以断绝动乱之谋。中原和四夷无不遵从。恭奉上天命令,所以我东征商纣王,安定天下众民。百姓们用竹筐装着黑、黄二色的丝帛,前来见我。我周朝的善德感动上天,四方因此归附我大周。希望众位神灵,都能够佑护我救助天下万民,不要让我使你们神灵蒙羞!'

"既戊午,师逾孟津①,癸亥,陈于商郊②,俟天休命③。甲子昧爽④,受率其旅若林⑤,会于牧野⑥。罔有敌于我师⑦,前徒倒戈⑧,攻于后以北⑨,血流漂杵⑩。一戎衣⑪,天下大定。乃反商政⑫,政由旧⑬。释箕子囚⑭,封比干墓⑮,式商容闾⑯。散鹿台之财⑰，发钜桥之粟⑱，大赉于四海⑲，而万姓悦服。"

[注释]

①逾：渡。孟津：即"盟津"，此黄河渡口在今河南省孟津县东北。②陈：布阵。商郊：商都朝歌的郊外。③俟天休命：等待上天的美命降临，这里是等待天亮开战的意思。④甲子：甲子日。有人推算是在周武王十一年二月五日。昧爽：指早晨天快亮的时候。昧，通"冥"。⑤旅：众，军队。若林：《孔传》说："言盛多。"⑥牧野：殷朝歌的南郊，在今河南淇县以南汲县以北。⑦敌于我师：即与我师为敌。《史记·周本纪》载："纣师虽众，皆无战之心，心欲武王亟入。纣师皆倒兵以战，以开武王。武王驰之，纣兵皆崩畔纣。"⑧前徒：前军。倒戈：掉转矛戈。⑨后：后面的军队。北：败逃。⑩杵：舂杵。⑪一戎衣：一次用兵。⑫乃：于是。反：废除。⑬由：用。旧：指商先王的善政。⑭箕子：商纣王的叔父，封地在今山东境内。⑮封：堆土为坟。比干：纣王叔父，商代著名贤臣，以死力谏纣王，纣王剖其心。⑯式：同"轼"，车前的横木。这里用作动词，礼敬之意。《孔疏》说："式者，车上之横木，男子立乘，有所敬，则俯而凭式，遂以式为敬名。"商容：商代贤人。闾：里巷的大门。⑰鹿台：商府库名。⑱钜（jù）桥：商的粮仓。⑲赉（lài）：赏赐，施舍。

[译文]

"到了戊午日，我军从孟津渡过黄河。癸亥日，在商都郊外布好阵势，等待天亮。甲子日黎明时分，商纣王率领他那森然林立的军队，会战于牧野。但商军没有愿意和我军为敌的，前军掉转兵器，攻击后面的军队，导致纣军败退，血流成河，甚至可以漂起舂杵。一次用兵，天下彻底安定。于是废除纣王暴政，恢复商先王的善政。释放被囚禁的箕子，整修比干的坟墓，礼敬商容里巷大门。散发鹿台府库聚敛的财货，发放钜桥粮仓囤积的粮食，普施天下，万民心悦诚服。"

列爵惟五①，分土惟三。建官惟贤②，位事惟能③。重民五教④，惟食、丧、祭。惇信明义⑤，崇德报功⑥。垂拱而天下治⑦。

[注释]

①列爵：班赐爵位。惟：为。五：指公、侯、伯、子、男五等诸侯。②建：立。③位事：居位处事。④五教：蔡沈《书集传》说："五教，君臣、父子、夫妇、兄弟、长幼，五典之教也。"⑤惇：厚。⑥崇：尊。报：报答。⑦垂拱：垂衣拱手。

[译文]

周武王班列爵位为五等，分封土地为三品。选立官员根据贤能，居位办事根据才干。重视对民众进行君臣、父子、夫妇、兄弟、长幼五典之教，重视民食、丧亡、祭祀之事。惇厚诚信，显明理义，尊崇有德，报答有功。从此，周武王垂衣拱手，而天下大治。

洪 范①

惟十有三祀②，王访于箕子③。王乃言曰："呜呼！箕子。惟天阴骘下民④，相协厥居，我不知其彝伦攸叙⑤。"

[注释]

①洪范：《史记·周本纪》载："武王已克殷，后二年，问箕子殷所以亡。箕子不忍言殷恶，以存亡国宜告。武王亦丑，故问以天道。"本篇开头有武王访问咨询箕子的话，可能是周史臣的记录，也可能是后人加上的。《洪范》被称作"统治大法"，是一篇对后世君王影响深远的文献。洪，大也。范，法也。②惟十有三祀：即"十又三年"，武王伐商二年后。商代以祀纪年。③王：周武王。箕子：商纣王的叔父，封地在今山东境内。④阴：覆。骘(zhì)：定。⑤彝：常。伦：理。攸：所以。叙：顺序。

[译文]

十三年,武王访问了箕子。王说道:"哎呀!箕子。上帝荫庇保护着百姓,使大家和谐居住。我不知道上帝治理天下的常理怎样弄得那么井然有序?"

箕子乃言曰:"我闻在昔,鲧堙洪水①,汨陈其五行②,帝乃震怒③,不畀洪范九畴④,彝伦攸斁⑤。鲧则殛死⑥,禹乃嗣兴,天乃锡禹洪范九畴⑦,彝伦攸叙。

[注释]

①鲧:神话人物,传说为禹的父亲。堙(yīn):堵塞。②汨(gǔ):乱。五行:水、火、木、金、土。③帝:殷人对上帝的称呼。④畀(bì):赐予。洪:大。范:法。畴:类。⑤攸:因此。斁(dù):败坏。⑥则:既,已经。殛:流贬。⑦锡:同"赐",赐予。

[译文]

箕子说:"我听说过去鲧用土去堵塞洪水,把五行搞乱了,上帝大怒,就不把'大法九章'传授给他。治理天下的常理遭到败坏,鲧被诛杀了。禹继起,振兴大业,上帝就把'大法九章'传授给了禹,禹按此常理治理天下,井井有条。

"初一①,曰五行②。次二,曰敬用五事③。次三,曰农用八政④。次四,曰协用五纪⑤。次五,曰建用皇极⑥。次六,曰乂用三德⑦。次七,曰明用稽疑⑧。次八,曰念用庶征⑨。次九,曰向用五福⑩,威用六极⑪。

[注释]

①初:开始。②五行:见下文,指水、火、木、金、土。③用:以。五事:见下文,指一个人的态度、言语、观看、闻听、思考等五项。④农:勉。八政:见下文,指"食"、"货"等八项。⑤协:和。五纪:见下文所举五种

纪时计算之术。⑥皇极：君王进行统治的准则。⑦乂（yì）：治。三德：见下文，为正直、刚克、柔克三项。⑧稽疑：卜问疑难。⑨念：通"验"，应验。庶：众多。征：征兆。⑩向：通"飨"，给人以好处。五福：见下文，寿、富、康宁、好德、终命等五项。⑪威：通"畏"。六极：见下文"凶、短、折"等六项不吉利的事。

[译文]

"这九章，第一，五行；第二，谨慎于君王自身的五事；第三，勉力办好八项政务；第四，协调五种纪时之术；第五，建立君王的统治准则；第六，运用三种统治方式进行治理；第七，运用卜筮来处理疑难问题；第八，用各种征兆验证君主行为的好坏；第九，运用五种幸福的事以赐福，运用六种极坏的事以惩罚。

"一，五行：一曰水，二曰火，三曰木，四曰金，五曰土。水曰润下①，火曰炎上②，木曰曲直③，金曰从革④，土爰稼穑⑤。润下作咸⑥，炎上作苦，曲直作酸，从革作辛⑦，稼穑作甘⑧。

[注释]

①水曰润下：水的特性为向下湿润。曰，为。②炎上：向上燃烧。③曲直：可曲可直。④从革：变革。⑤爰：即"曰"，为。稼穑：种植和收获庄稼。⑥作：则，就。⑦辛：辣。⑧甘：甜。

[译文]

"第一章，五行：一是水，二是火，三是木，四是金，五是土。水的特性是向下湿润，火的特性是向上燃烧，木的特性是可曲可直，金的特性是可以按照人的要求变化形状，土的特性是可以种植和收获庄稼。向下湿润致卤就使味道咸，向上燃烧致焦就使味道苦，可曲可直的木材产生酸味，可变化的金属伤人使人感到苦辛，土地生长出来的庄稼味道甜美。

"二，五事：一曰貌①，二曰言，三曰视，四曰听，五曰思。貌曰恭，言曰从②，视曰明③，听曰聪④，思曰睿⑤。恭作肃⑥，从作乂⑦，明作哲，聪作谋⑧，睿作圣。

[注释]

①貌：容貌，态度。②从：顺。③明：清醒明察。④聪：聪明。⑤睿（ruì）：睿智通达。⑥作：表现出。肃：严肃。⑦乂（yì）：治理，引申为辅助、鼓励。⑧谋：通"敏"，处事敏锐。

[译文]

"第二章，君王自身的五事：一是态度，二是言语，三是观察，四是闻听，五是思考。态度要恭敬，言语要柔顺，观察事物要清醒明晰，听取别人的意见要聪颖善于采择，思考问题要通达事理。态度恭敬，就表现出严肃端庄；说话柔顺就能得到广泛辅佐；看问题清醒明察，就有智者风范；听取意见聪颖，就能善于谋断；思考问题通达，就能达到圣明。

"三，八政：一曰食①，二曰货②，三曰祀③，四曰司空④，五曰司徒⑤，六曰司寇⑥，七曰宾⑦，八曰师⑧。

[注释]

①食：民食，指农业。②货：财货，指手工业、商业。③祀：祭祀等宗教活动。④司空：掌管居民的官。⑤司徒：掌管教育的官。⑥司寇：掌管司法的官。⑦宾：礼宾、朝觐等外交事务。⑧师：指军事活动。

[译文]

"第三章，要做好八项政务：一是农业生产，二是手工生产和商业贸易，三是宗教祭祀活动，四是内务民政，五是教育文化，六是公安司法，七是礼宾外交，八是军事行动。

"四，五纪①：一曰岁②，二曰月③，三曰日④，四曰星辰⑤，五曰历数⑥。

[注释]

①五纪：依节气纪岁，依月象纪月，依圭影纪日，依二十八宿纪日月之会，依五行星的运行数据纪历数。纪，指天象数据及几种不同的纪时单位。②岁：上年冬至到下年冬至为一岁。到战国时已和年字同用。③月：从朔至晦为一月。据王国维《生霸死霸考》，商代以一月为三旬，西周则一月按月相分为初吉、既生霸、既望、既死霸四部分。④日：昼夜为一日。⑤星辰：即"星"。⑥历数：日月星辰运行经历周天的各种数据。

[译文]

"第四章，五种纪时方法：一是年，二是月，三是日，四是星辰，五是历数。（即依冬至以纪年岁，依月相以纪月，依圭影以纪日，依躔度以纪星辰，依日、月、星辰的运行数据以纪历数。）

"五，皇极：皇建其有极①。

[注释]

①有：助词，无意义。极：准则。

[译文]

"第五章，君王的统治准则：君王要建立他的统治准则。

"敛时五福①，用敷锡厥庶民②；惟时厥庶民于汝极③，锡汝保极④。凡厥庶民，无有淫朋⑤，人无有比德⑥，惟皇作极。凡厥庶民，有猷有为有守⑦，汝则念之⑧。不协于极⑨，不罹于咎⑩，皇则受之，而康而色⑪。曰'予攸好德⑫'，汝则锡之福。时人斯其惟皇之极⑬。无虐茕独⑭，而畏高明⑮。人之有能有为⑯，使羞其行⑰，而邦其昌。凡厥正人⑱，既富方谷⑲；汝弗能使有好于而家⑳，时人斯其辜㉑。于其无好，汝虽锡之福，其作汝用咎㉒。

[注释]

①敛：聚。时：是，这。五福：指下文第九章中的寿、福等五项。②用：

洪范 153

以。敷:布。锡:同"赐",赐予。厥:其。③惟时:于是。于汝极:对于你的准则。④锡:同"赐",给予,帮助。保:保护。⑤无:毋,不要。淫朋:邪党。⑥人:官员。比:私相亲密。⑦猷:谋划。为:才干。守:德行操守。⑧念:记住。⑨协:和,合。⑩罹(lí):陷入。⑪而康而色:而且要和善你的脸色。前一"而"字是连词。后一"而"字同"汝"。⑫攸:修。⑬时人:此人,这些人。斯:则,乃。其:将。⑭虐:欺侮。茕(qióng)独:泛指孤苦无告的人。⑮高明:尊崇显要之人。⑯人:指在位官员。⑰羞:进,贡献。⑱正人:官员中的长官。⑲方:始,才。谷:善。⑳而:汝,指君王。㉑时人:这些人。其:将。辜:罪。㉒作汝:替你办事。用:以。咎:恶。

[译文]

"聚集五种幸福的事,赐予百姓,这样的话,百姓就会帮助你巩固这准则。所有庶民都不得结成邪党,一切官员不得朋比为奸,只应遵循君王所建的准则。庶民中有善于谋划、有才干、有操守的,要注意记住他们。那些作为不合准则,但尚未陷入罪恶的人,就先容忍他们,而且应该和颜悦色地去宽容他们。如果某人说'我要注意修好品德',就要赏赐他好处,这些人就会完全遵守君王的准则。不要虐待那些孤苦无告的平民,而畏惧显贵官员。那些有才干的官吏,要晋升他们,这样可使国家昌盛。那些高级长官,须先给他们以优厚的俸禄,才好要求他们做出善政。如果你不能使人们尽力于王家,那就是这些官员们的罪过。对于没有德行的人,你虽然赐福给他们,也只会干出坏事。

"无偏无颇①,遵王之义。无有作好②,遵王之道。无有作恶,遵王之路。无偏无党③,王道荡荡④。无党无偏,王道平平⑤。无反无侧,王道正直。会其有极⑥,归其有极⑦。曰皇极之敷言⑧,是彝是训⑨,于帝其训⑩。凡厥庶民极之敷言,是训是行,以近天子之光。曰天子作民父母,以为天下王。

[注释]

①颇：倾斜，不平。②好：私人利益。③党：包庇私情。④荡荡：宽阔，平坦。⑤平平：通"辨辨"、"便便"，治理、辨别。⑥会：会集，会合。⑦归：归宿。⑧敷：通"傅"，至。⑨彝：师法，效法。训：教训。⑩训：顺从。

[译文]

"不要偏，不要斜，应当遵循君王的仁义啊！不能只顾私人利益，应当遵循君王正道而前进啊！不要为非作恶，要遵循君王的正路行走啊！不要偏私，不要结党，君王的道路将无比宽广！不要结党，不要偏私，君王的道路将无比平坦！不要反复，不要倾侧，君王的道路中正平直！大家汇集到君王的准则之下来啊！大家归依到君王的准则下来啊！这就叫做君王统治准则的至理名言！要以至言为师法，为教训，才算顺从了上帝的意旨！这也都是庶民们所要遵守的至言，只应该顺从它、奉行它，以亲附于天子，承受他圣德的光彩！这样，天子才是人民的父母，是全天下的君王！

"六，三德①：一曰正直，二曰刚克②，三曰柔克③。平康④，正直；强弗友⑤，刚克；燮友⑥，柔克。沉潜⑦，刚克；高明⑧，柔克。惟辟作福⑨，惟辟作威，惟辟玉食⑩。臣无有作福、作威、玉食。臣之有作福、作威、玉食⑪，其害于而家⑫，凶于而国。人用侧颇僻⑬，民用僭忒⑭。

[注释]

①三德：三种统治方法。②刚：刚强，强硬。克：取胜。③柔：怀柔，温和的方式。④平康：平正康宁。⑤强：通"犟（jiàng）"，刚强顽固。⑥燮（xiè）：和。⑦沉潜：指沉沦在下的民众。⑧高明：显要贵族。⑨辟：君主。⑩玉食：美食。⑪之：如果。⑫其：则。而：汝。⑬人：在位官员。用：因此。侧：倾斜。颇：倾斜。僻：邪僻。⑭僭：犯上作乱。忒（tè）：作恶。

[译文]

"第六章，三种统治方式：一是用正直的方式进行统治，二是用强硬的方式取得胜利，三是用温和的方式取得胜利。对平正康宁的人，要采用正直方式；对倔强不亲附的人，要用强硬方式；对和顺可亲近的人，要用温和方式。对待百姓，要以强硬方式统治；对显要贵族，要以温和方式拉拢。只有君王才有权赐予百姓以幸福，给予民众以刑罚，也只有君王才可以享受锦衣玉食。臣下则无权如此。倘若臣下擅权，给人以幸福、予人以刑罚、享受美食，就会危及王室，倾覆国家，百官会因此走上邪路，老百姓也会犯上作恶。

"七，稽疑①：择建立卜筮人②，乃命卜筮③。曰雨，曰霁④，曰蒙⑤，曰驿⑥，曰克⑦，曰贞⑧，曰悔⑨，凡七。卜五⑩，占用二⑪，衍忒⑫。立时人作卜筮⑬，三人占，则从二人之言。

[注释]

①稽疑：卜筮决疑。②卜：用龟甲占卜。筮：用蓍草占卜。③乃命卜筮：占卜时将所问之事告诉龟。④霁：雨止而云未散。⑤蒙：雾气蒙蒙的样子。⑥驿（yì）：古文作"圛"，半有半无的升云。⑦克：成功与否。⑧贞：内卦。⑨悔：外卦。⑩卜五：指用龟甲占卜的雨、霁、圛、蒙、克五项。⑪占用二：用蓍草占筮的贞、悔两项。⑫衍忒：卜筮二者都要推演研究兆卦的变异。衍，推演。忒，变。⑬时人：此人，这些人。

[译文]

"第七章，占卜决疑的方法：择用善于卜筮的人，用龟甲占卜、蓍草筮卦，展示出雨、霁、蒙、驿等天气状貌，事件成功与否，以及内卦、外卦的丰富变化，一共七项。其中龟卜五项，著筮两项，都要推演研究其兆卦的变异。用这些人进行卜筮时，三个人占问，要信从其中两个人的结果。

"汝则有大疑①,谋及乃心,谋及卿士,谋及庶人,谋及卜筮。汝则从,龟从,筮从,卿士从,庶民从,是之谓大同。身其康强②,子孙其逢③,吉。汝则从,龟从,筮从,卿士逆,庶民逆④,吉。卿士从,龟从,筮从,汝则逆,庶民逆,吉。庶民从,龟从,筮从,汝则逆,卿士逆,吉。汝则从,龟从,筮逆,卿士逆,庶民逆,作内,吉;作外,凶⑤。龟筮共违于人⑥,用静,吉;用作,凶⑦。

[注释]

①则:倘若,如果。②其:乃。③逢:盛,大。④逆:反对。⑤作内,吉;作外,凶:郑玄说:"逆者多,以故举事于境内则吉,境外则凶。"《孔传》释"内"为"祭祀冠昏"之事,"外"为"出师征伐"之事。⑥龟筮共违于人:似指龟筮都"逆",与人三方面意见都相反。⑦用静,吉;用作,凶:《孔传》说:"安以守常则吉,动则凶。"

[译文]

"倘若有重大疑难的事,首先要自己反复考虑,然后再问大臣,再咨询庶民,最后再看卜筮的结果。如果你自己赞同,龟卜赞同,蓍卦赞同,大臣赞同,庶民也赞同,这就叫做'大同'。这样,你身体就会强健,子孙后代也会昌盛,这是大吉。如果你自己赞同,龟卜赞同,蓍卦也赞同了;可是大臣们反对,庶民们也反对,这也算吉利。如果大臣们赞同,龟卜赞同,蓍卦赞同了,你自己却反对,庶民们也反对,这还是算吉利。如果庶民们赞同,龟卜赞同,蓍卦赞同了,你自己却反对,大臣们也反对,这仍算是吉利。如果你赞同,龟卜也赞同,蓍筮却反对,大臣们也反对,庶民也反对,这种情形下,用于国内之事,仍是吉利;对外,则有凶灾。如果龟卜和蓍筮都不合人意,那就要安静下来,不应有所举动,才能得到吉利的结果;有所妄动,就会招来凶祸。

"八，庶征①：曰雨，曰旸②，曰燠③，曰寒，曰风。曰时五者来备④，各以其叙⑤，庶草蕃庑⑥。一极备⑦，凶；一极无⑧，凶。

[注释]

①庶：众。征：征兆。②旸（yáng）：日出。③燠（yù）：暖，热。④曰时：要是。曰，语气助词，无义。⑤叙：次序。⑥蕃：滋。庑：通"芜"，草长得丰盛。⑦一极备：其中一项过多。⑧一极无：其中一项太欠缺。

[译文]

"第八章，各种征象：雨、晴、暖、寒、风。要是五项都具备，各按其规律发生，就能使草木繁盛，庄稼丰收。如果其中某一项过多，就不利；某一项欠缺，也是不利。

"曰休征①：曰肃②，时雨若③；曰乂，时旸若；曰哲，时燠若；曰谋，时寒若；曰圣，时风若。

[注释]

①休：美好。②肃：即上文第二章"恭作肃"的"肃"，指君王态度严肃、庄敬。下"乂"、"哲"、"谋"、"圣"皆同。③时：适时。若：助词，无义。

[译文]

"美好行为的征兆：君王表现肃敬，雨水恰到好处地降下来；君王政治修明，太阳按时普照大地；君王处理事情明智，气候适时温暖；君王深谋远虑，天气适时转寒；君王明识通达，和风定时而至。

"曰咎征①：曰狂②，恒雨若③；曰僭④，恒旸若；曰豫⑤，恒燠若；曰急⑥，恒寒若；曰蒙⑦，恒风若。

[注释]

①咎：过失。②狂：狂妄。③恒：常。④僭：差，过失。⑤豫：缓慢拖

拉。⑥急：急躁莽撞。⑦蒙：昏暗不明。

[译文]

"恶劣行为的征兆：君王行为狂肆狂妄，常下大雨；君王行为动辄有差错，经常干旱；君王办事拖拉迟缓，天气经常炎热；君王办事冒失孟浪，天气经常寒冷；君王处事昏暗不明，经常大风不止。

"曰：王省惟岁①，卿士惟月②，师尹惟日③。岁月日时无易④，百谷用成⑤，乂用明⑥，俊民用章⑦，家用平康。日月岁时既易，百谷用不成，乂用昏不明，俊民用微⑧，家用不宁。

[注释]

①省：察。②卿士：周王朝掌管国政的最高级的官员。③师尹：师氏、尹氏的连称，泛指周王朝高级文武百官。单称师氏是高级武官，尹氏是高级文官，即史官之长。这里，王统卿士，卿士统百官，比如以岁统月，以月统日，纲举目张。④无：毋，不要。⑤用：以。⑥乂（yì）：治。⑦俊民：才能特别高的人。章：显用。⑧微：沉沦卑贱。

[译文]

"君王、卿士、师尹递相统率，就像岁、月、日递相隶属，纲举目张。岁、月、日自然有序而不错乱，庄稼才会获得丰收，政治就会清明，贤才也会显用，国家才能平安宁静。如果日、月、岁时间颠倒错乱，庄稼不会有收成，政治也会昏暗，贤才只能沉沦，国家当然就不得安宁了。

"庶民惟星①：星有好风②，星有好雨。日月之行，则有冬有夏；月之从星，则以风雨③。

[注释]

①庶民惟星：老百姓就像星星。②星有好（hào）风：星星有爱好风的，

意思是星星能影响造成风。下"好雨"同。③月之从星,则以风雨:古人传说月亮运行经过爱好风雨的星就会引起风雨。这里是比喻,强调君王要加强统治,不能迁就民欲。

[译文]

"庶民们好比星星,能够影响风雨调顺。日、月,按一定规律运行,就会产生冬夏。如果月亮行道时,从星所好,顺从民欲,就会政教失常,引起风雨。

"九,五福①:一曰寿,二曰富,三曰康宁②,四曰攸好德③,五曰考终命④。六极⑤:一曰凶、短、折⑥,二曰疾,三曰忧,四曰贫,五曰恶⑦,六曰弱⑧。"

[注释]

①福:幸福的事。②康宁:健康安宁。③攸:修。④考终命:终天年。考,老。⑤极:这里指惩罚、恶事。⑥凶、短、折:均指早死。郑玄说:"未龀(换牙)曰凶,未冠(成年)曰短,未婚曰折。"⑦恶:邪恶。⑧弱:衰弱。

[译文]

"第九章,五种幸福:一是长寿,二为富贵,三是健康安宁,四是敬修美德做好事,五是老而得善终。六种惩罚:一是夭折,二是疾病,三是忧患,四是贫穷,五是凶恶,六是衰弱。"

旅 獒①

惟克商②,遂通道于九夷八蛮③。西旅厎贡厥獒④。太保乃作《旅獒》⑤,用训于王⑥。

[注释]

①旅獒(áo):旅是西部的方国。獒是一种大犬。《书序》说:"西旅献

獒,太保作《旅獒》。"旅与周国进行交流,献上了特产大犬。太保召公认为不可以接受,劝勉武王不能玩物丧志,要奋发于德政,于是作了这一篇文字。《旅獒》属梅赜《古文尚书》。②克商:周武王灭商。③通道:开通道路。九夷八蛮:泛指周王朝周边的少数民族。九夷,泛指东方的少数民族,即东夷。八蛮,泛指南方的少数民族,即南蛮。④西旅:西方的方国,西戎的一支。厎(zhǐ):致。獒:《尔雅·释畜》云:"犬高四尺曰獒。"⑤太保:即召公奭。⑥训:训导。

[译文]

周武王灭商以后,便开辟了通往周边少数民族的道路。西方的旅国来进贡大犬,太保召公奭于是作《旅獒》,用来劝导周武王。

曰:"呜呼!明王慎德,四夷咸宾①。无有远迩②,毕献方物③,惟服食器用④。王乃昭德之致于异姓之邦⑤,无替厥服⑥;分宝玉于伯叔之国⑦,时庸展亲⑧。人不易物⑨,惟德其物。

[注释]

①咸:都。宾:宾服,归顺。②迩:近。③毕:尽。方物:当地所产之物,即特产。④惟:只。⑤昭:昭示。异姓之邦:周天子分封的异姓诸侯。⑥替:废弃。服:职事,职务。⑦伯叔之国:与周天子同姓的诸侯国。⑧时:通"是"。庸:用。展亲:展示亲情。⑨易:轻视。

[译文]

召公说:"啊!圣明的君王要谨慎自己的德行,四方的少数民族才会都来归顺。不论远近,都会献上当地特产的衣食等日常用品。天子又向异姓诸侯们分赐贡物,以昭示圣德,使他们不废弃各自的义务。分赐宝玉给同姓诸侯,以此来昭示亲情。人们不轻视贡物,而是要看这些贡物是否符合德义。

"德盛不狎侮①。狎侮君子②,罔以尽人心;狎侮小人③,罔以尽其力。不役耳目④,百度惟贞⑤。玩人丧德,玩物丧志。志以道宁⑥，言以道接⑦。不作无益害有益，功乃成；不贵异物贱用物⑧，民乃足。犬马非其土性不畜⑨；珍禽奇兽，不育于国⑩。不宝远物，则远人格⑪；所宝惟贤，则迩人安⑫。

[注释]

①狎（xiá）侮：轻慢。②君子：大臣等贵族统治者。③小人：下层民众。④役：驱使，这里指迷惑。⑤百度：百事。贞：正。⑥宁：安。⑦接：酬应。⑧异物：奇技淫巧之物。⑨土性：土生土长。畜：畜养。⑩不育于国：《孔传》说："皆非所用，有损害故。"⑪宝：珍视。格：至，来。⑫迩：近。

[译文]

"德盛就不会轻慢他人。轻慢侮辱官员，就不能使他们全心全意；轻慢侮辱民众，就不能使他们竭尽全力。不沉湎于声色之欢，万事才会顺利。玩人丧德，玩物丧志。志向合乎道义才能安定，言论合乎道义才能被人接受。不做无益之事，妨碍行有益之事，事业才会成功；不珍视奇巧的东西，不轻贱实用的东西，民众才能富足。犬马等牲畜不是土生土长的就不要畜养，珍禽异兽更不要养在国内。不以远方的贡物为宝，远方的人就会来归附；重视的是贤才，身边的人才能安定。

"呜呼！夙夜罔或不勤①。不矜细行②，终累大德③，为山九仞④，功亏一篑⑤。允迪兹⑥，生民保厥居⑦，惟乃世王⑧。"

[注释]

①或：有。②不矜（jīn）细行：犹今天所说"不拘小节"。矜，慎重。细行，小的行为。③累：损害。④仞：古代八尺为一仞。⑤篑（kuì）：盛土的竹筐。⑥允：信。迪：施行。兹：此，这些。⑦生民：民众。保：安。厥：其。⑧乃：你，指武王。世王（wàng）：世代为天子。

[译文]

"啊！从早到晚一刻也不能不勤勉。不拘小节，终会损害大德。

如同堆积九仞高的山，就差最后一竹筐土，也不能说就大功告成了。真的做到了这些，人民就会安居，您也可以世代为王了。"

金　縢①

既克商二年②，王有疾③，弗豫④。二公曰⑤："我其为王穆卜⑥?"周公曰⑦："未可以戚我先王⑧。"

[注释]

①金縢（téng）：指以金属带函封柜匣，用于藏放王室机密文件。本篇叙述武王灭商后两年，生了重病，周公旦请求先王在天之灵让自己代替武王去死，并将祝册放在"金縢之匮"中，武王很快病就好了。武王死后，成王年纪还小，就由周公摄政。后来，管叔、蔡叔放出谣言诽谤周公，周公为了表示清白，避居东方。后来，老天降下警告，成王打开金匮，知道了事情始末，很是感动惭愧，就迎回了周公。②既克商二年：武王克商在文王受命十一年，这是十三年。③王：周武王。④弗：不。豫：安。⑤二公：太公望和召公奭。⑥其：将。穆卜：占卜，"穆"字表敬重。⑦周公：周武王弟，名旦。⑧戚：使感动。

[译文]

灭商之后二年，武王生了病，很不舒服。太公和召公说："我们替王卜筮吧！"周公道："这不能感动我们先王。"

公乃自以为功①：为三坛②，同墠③；为坛于南方，北面，周公立焉，植璧秉珪④，乃告太王、王季、文王⑤。史乃册祝曰⑥：

[注释]

①公：周公。功：人质。②坛：祭坛。③墠（shàn）：祭祀用的场地。④植：同"置"，放。璧：环状的扁平圆玉块。秉：执。珪：上为三角状，下为长条矩形的玉块。⑤太王、王季、文王：给周王朝的建立打下基础的三位

"先王"。太王即古公亶父，王季的父亲，文王的祖父，他率领周族从豳地迁到岐山下称为周原的地方，定居下来，从事农业生产，并建立国家政权。其子季历即位，继续发展，与商王朝发生矛盾。到周文王时势力日益强大，遂称"王"，并追尊古公为"太王"，公季为"王季"。⑥史：史官中担任"作册"的史官，或称"内史"。册：简书。祝：读简书告神灵。

[译文]

于是周公以自己的身体作抵押，在一个场上筑成三座坛，又在南面起了一座坛，朝着北方，周公站在上面，陈设好了璧，手捧着珪，向太王、王季、文王祝告。史官拿着册子，阅读祝文道：

"惟尔元孙某遘厉虐疾①；若尔三王是有丕子之责于天②，以旦代某之身。予仁若考能③，能多材多艺④，能事鬼神⑤。乃元孙不若旦多材多艺，不能事鬼神。

[注释]

①元孙：长孙。某：指武王姬发。遘（gòu）：遇。厉：利。虐：恶。②丕子之责：《书经传说汇纂》引晁以道说："犹史传中'责其侍子'之'责'。盖云上帝责三王之侍子。侍子，指武王也。上帝责其未来服事左右，故周公乞代其死。"丕子，大儿子。③仁若：柔顺。考：巧。④能：且。⑤事：服侍。

[译文]

"你们的长孙某人得了很严重的病，如果你们三王在天之灵需要召他去服侍你们，那就请让我小子姬旦来代替吧。我很柔顺，又很灵巧，而且多才多艺，能够服侍鬼神。你们的长孙并不像我这般多才多艺，不能够服侍鬼神。

"乃命于帝庭①，敷佑四方②，用能定尔子孙于下地③，四方之民罔不祗畏④。呜呼！无坠天之降宝命，我先王亦永有依归⑤！

[注释]

①乃命于帝庭：你们在帝庭里承受的天命。乃，你们的。②敷佑：即"抚有"，同音假借。③用：因此。④祗：敬。⑤依归：指宗庙。

[译文]

"你们在上帝那里承受了大命，拥有天下四方，能够安定你们的子孙，四方民众无不敬畏。唉！只要保有上天的大命，先王的神灵也就永远可以安享于宗庙。

"今我即命于元龟①。尔之许我②，我其以璧与珪③，归俟尔命，尔不许我，我乃屏璧与珪④。"

[注释]

①即：将。命：受命。元龟：大龟。②之：若。③其：则。④屏(bǐng)：收藏。

[译文]

"现在我根据大龟来接受你们的命令了。如果答应我，我就把璧和珪献给你们，回去等候你们的命令。如果不答应，我就要把璧和珪收起来，不再请求了。"

乃卜三龟①，一习吉②。启籥见书③，乃并是吉④。公曰："体⑤，王其罔害⑥！予小子新命于三王⑦，惟永终是图⑧。兹攸俟⑨，能念予一人。"

[注释]

①乃卜三龟：在三王灵前各摆一只龟，进行占卜。②习：重复，因袭。③籥(yuè)：简书。④乃并是吉：指武王和周公都呈现吉兆。⑤体：幸。⑥其：大概。罔：无。⑦新命：新受命。⑧永：长。图：谋划。⑨兹：此。攸：助词，宾语前置时用之。俟：等。

[译文]

于是他在三王灵前各摆了一只龟，进行占卜，全部得到吉兆。

打开简册,把卜兆的话翻出来一看,乃是王和周公一并得到了吉兆。周公说:"真幸运!君王的病是不要紧的了。我新受三王的命令,也可以永久替国家谋划。现在我就等着这个吧!三王一定是记挂、关心我的。"

公归,乃纳册于金縢之匮中①。王翼日乃瘳②。
[注释]
①縢:封缄用的丝。匮:匣。②翼日:第二天。翼,通"翌"。瘳(chōu):病愈。
[译文]
周公回去,把这篇祝文安放在以金属带封固的柜子里。武王的病第二天就好了。

武王既丧①,管叔及其群弟乃流言于国曰②:"公将不利于孺子③!"
[注释]
①既丧:死后。②管叔:名鲜,周文王之子,武王弟,周公之兄,其封地在今郑州附近。流言:造谣。③孺子:儿童,古代作为天子诸侯嫡长子承位者的专称。这里指武王之子成王。
[译文]
后来武王死了,管叔和他几个弟弟在国内造谣说:"周公对这个小主人要不怀好意了。"

周公乃告二公曰:"我之弗辟①,我无以告我先王。"周公居东二年②,则罪人斯得③。于后④,公乃为诗以贻王⑤,名之曰《鸱鸮》⑥。王亦未敢诮公⑦。
[注释]
①弗:不。②居东:居国之东,指周公为逃避嫌疑,离开国都,暂居东

方某地。③罪人：造谣的人。斯：乃。④于后：其后。⑤贻：赠送。⑥鸱（chī）鸮（xiāo）：一种小鸟。《毛诗·豳风·鸱鸮》序说："《鸱鸮》，周公救乱也。成王未知周公之志，公乃为诗以遗王。"⑦诮（qiào）：责备。

[译文]

周公就对二公说："如果现在我不回避，怎能对得住先王？"他避到东方住了两年，几个造谣言的人最终被抓获。后来，周公写了一首诗送给成王，题目叫《鸱鸮》。成王也没有责备他。

秋①，大熟②，未获③，天大雷电以风④，禾尽偃⑤，大木斯拔⑥。邦人大恐，王与大夫尽弁⑦，以启金縢之书，乃得周公所自以为功代武王之说⑧。

[注释]

①秋：居东二年之秋。②大熟：农作物大熟。③未获：尚未收割。④以：与。⑤偃（yǎn）：倒伏。⑥斯：尽。⑦弁（biàn）：爵弁，礼服。⑧说：祝册中周公祷告的祝辞。

[译文]

那一年秋天，庄稼长得很好，还没有收割，忽然起了大雷电，还有大风，把许多禾黍都刮倒了，很大的树木都被连根拔起。国内的民众大为惊慌，王和卿大夫们都穿戴朝服准备占卜，打开贮放占卜祝册的金质封固的柜子，于是看到了周公把自己做抵押替代武王死的祝辞。

二公及王乃问诸史与百执事①。对曰："信②。噫③！公命，我勿敢言。"王执书以泣曰："其勿穆卜！昔公勤劳王家，惟予冲人弗及知④。今天动威以彰周公之德⑤，惟朕小子其新逆⑥，我国家礼亦宜之。"

[注释]

①史：即上文读祝册之史。百执事：掌管卜筮册祝及典藏金縢之匮的各

执事官员。②信：确有此事。③噫：叹词。④予冲人：即"予小子"，君王自称。冲，通"童"。⑤彰：表明，彰显。⑥新：通"亲"。逆：迎。

[译文]

二公和成王就这件事询问祝史和各执事之官，他们回答说："是这样的。但这是周公的命令，我们一直没敢说。"王手里拿着祝册，流着泪说："不要占卜了。以前周公替王室出了那么多力，我这个幼年人全都不知道。现在上天发威，彰显周公的德行，我小子应当亲自去迎接，这在国家礼制上也是适宜的。"

王出郊①，天乃雨，反风②，禾则尽起。二公命邦人，凡大木所偃，尽起而筑之③，岁则大熟。

[注释]

①郊：国都郊外。②反风：风转向倒吹了。反，同"返"。③筑：用土培根。

[译文]

成王出了郊，天下雨了，风也倒吹了，禾黍都竖起来了。二公吩咐国内人民，把被大树压着的禾黍扶起来，用土培好根。这一年仍然获得了一个好收成。

大 诰①

王若曰②：猷大诰尔多邦越尔御事③：弗吊天降割于我家④，不少延⑤。洪惟我幼冲人嗣无疆大历服⑥，弗造哲⑦，迪民康⑧，矧曰其有能格知天命⑨！

[注释]

①大诰：广泛告导之意。《大诰》讲述武王死后，成王年纪小，周公摄

政。管叔、蔡叔嫉恨周公，勾结殷王武庚发动了一场叛乱。周公为了动员周人出兵征伐，以成王名义发表了诰词，反复强调平乱、东征的意义，希望各诸侯国同心同德，顺应天命。最终完成了动员，讨平了叛乱，巩固了周王朝。史臣将周公这一次动员讲话记录下来，成为本篇。《史记·周本纪》说："初，管、蔡畔周，周公讨之，三年而毕定，故初作《大诰》，次作《微子之命》，次《归禾》，次《嘉禾》，次《康诰》、《酒诰》、《梓材》。"可见其成篇在周公摄政、管蔡叛乱之后。②王若曰：王这样说。此时周公已称王，借成王名义说话，此"王"实指周公。③猷（yóu）大诰：即"诰"，指天子对臣下的训导。"猷"是发语词，"大"是语气助词，加重语气。尔：你。越：与，及。御事：朝廷百官。④弗吊天：即"不淑天"，不善的天，降灾害的天。割：同"害"。我家：周的王家。⑤少：稍。延：延缓。⑥洪惟：发语词。幼冲人：指年纪尚轻的成王。嗣：继承。大历服：即"大历"与"大服"，长久的年代和伟大的禄命。⑦造：遭。哲：吉。⑧迪：引导。康：安康。⑨矧（shěn）：何况。有：又。格：至。

[译文]

成王这样说：现在我告诉你们各位邦君和政府官员们，严厉的老天爷正给我们王家降下灾难，我小子继承了这千秋大业，偏偏很不顺利，还不能使百姓安乐，更谈不上什么能知天命！

已①！予惟小子若涉渊水②，予惟往求朕攸济③。敷贲④，敷前人受命⑤，兹不忘大功⑥；予不敢于闭⑦。

[注释]

①已：唉，发端叹词。②予惟小子：即"予小子"，周公代成王自称。渊：深。③朕：我。攸：所以。济：渡过。④敷：陈列，开展。贲：龟。⑤前人：前代君王。⑥兹：此。忘：同"亡"，失去。⑦闭：壅塞。

[译文]

唉！我小子好像准备渡过大河一样，必须寻求可以安全渡过的地方。我要广泛运用龟卜方式，发扬光大我们祖宗所接受的天命，这才能守住先王功业。我可不敢自取停滞。

天降威,用文王遗我大宝龟绍天明①,即命曰②:"有大艰于西土,西土人亦不静③,越兹蠢殷小腆④,诞敢纪其叙⑤;天降威,知我国有疵⑥,民不康。曰:'予复⑦!'反鄙我周邦⑧,今蠢今翼⑨。日民献有十夫予翼⑩,以于敉宁、武图功⑪。我有大事⑫!休⑬?"朕卜并吉⑭!

[注释]

①绍:卜问。明:通"命"。②命曰:占卜前要将所占之事向鬼神提出,称为"命龟",即此。③西土人:指周朝派往东土的管叔、蔡叔等一班监视武庚的人。西土指周都镐京,在今陕西西安市的西面。④越:同"惟",语气助词。兹:此。蠢:蠢动,不安分。小腆:小主,指武庚。腆,通"掜",主。⑤诞:发语词,无义。纪:整理。叙:通"绪",旧的法纪传统。⑥疵:毛病,这里指周室内部的不团结。⑦予复:恢复旧邦。此引武庚之言。⑧鄙:使成为边鄙。⑨今蠢今翼:(武庚他们)像害虫蠢动、恶鸟飞扑一样。蠢,虫子蠕动的样子。翼,通"翊",鸟飞的样子。⑩日:近日。民献:臣服于征服者而仍统治本族的贵族。十夫:一群人。予翼:倒文,即"翼予",辅佐我。⑪于:往。敉:黄式三《尚书启蒙》说:"'敉''弥'通,终也。"这里指完成。图:大。⑫大事:指东征的军事行动。⑬休:美好。⑭卜并吉:殷周进行占卜时,用三个卜人进行占卜,这里就是说三个龟壳都显示了吉兆。

[译文]

自从老天降下威严,我就用文王传下来的大宝龟来卜问天命。我祷告说:"我们西土之人有大灾难落到头上来了,就连我们派出去的人员也不老实了,不安分的殷人小主武庚,妄想恢复旧业!他们趁老天爷降下威严,知道我国出了些问题,百姓也不安起来,就叫嚣说:'我们要借此光复旧业!'妄想把我周邦作为他们的属地。现在他们就像鸟虫一样蠢动飞扑。近来,幸好在归顺我们的殷人里,有一批贵族辅助我们,一同去完成文王和武王的大功业。现在我准备发兵东征了。请问这次是吉还是凶?"结果,三个龟版全都呈现出吉兆。

肆予告我有邦君越尹氏、庶士、御事曰①:予得吉卜,以惟以尔庶邦②,于伐殷逋播臣③!

[注释]

①肆:所以现在。尹氏:周王朝的史官,职掌书写王命。庶士:众多官员。②以:用。庶邦:许多属邦。③于伐:去征伐。逋(bū)播:逃亡。

[译文]

现在我明白告知你们各位邦君和各级官员:我已得到了很吉利的卜兆,我要带领你们去讨伐殷商叛乱集团的那些亡命之徒!

尔庶邦君越庶士、御事罔不反曰①:"艰大②,民不静,亦惟在王宫、邦君室③,越予小子考翼④,不可征。王害不违卜⑤?"

[注释]

①罔:无。反:同"返",复命,回答上级。②艰:困难。③王宫:管叔、蔡叔是周朝亲族,所以这样说。邦君室:管叔、蔡叔是分封土地的诸侯,所以这样说。④越:发语词,无义。考翼:当作"孝友",指父兄。⑤害:同"曷",何。

[译文]

但是你们许多邦君和各级官员倒回答我:"困难很大呀!人民也不老实,而且这些乱子就出在我们王朝的宫廷和王族诸侯的室家之间,我们本于孝友的原则,可不能大行征伐啊!王啊,您为什么不违背卜兆呢?"

肆予冲人永思艰,曰:呜呼!允蠢鳏寡①,哀哉!予造天役②,遗大投艰于朕身③。越予冲人不卬自恤④,义尔邦君越尔多

大诰 171

士、尹氏、御事绥予曰⑤:"无毖于恤⑥!不可不成乃宁考图功⑦!"

[注释]

①允:实在。蠢:扰乱。鳏寡:指无家可归的孤独之人。②造:遭。役:役使。③遗:通"惟"。大:语气助词,无义。④卬(áng):我。恤(xù):忧。⑤义:宜,应当。绥:安慰,劝告。⑥无:发语词,无义。毖(bì):谨慎,勤劳。⑦宁考:即"文考",指周文王。

[译文]

因此,我对这些困难作了深沉的思考,我要对你们说:唉!确实扰乱了苦难的人民,真痛心啊!我受老天爷的差遣,艰难困苦压到了我的身上。如果我小子对这样的大事还不知忧苦,你们各个邦君和各级官员正该劝谏我说:"您为什么不仔细地考虑呢?您的先人文王的大功不能不由您去完成啊!"

已!予惟小子不敢僭上帝命①。天休于宁王②,与我小邦周。文王惟卜用③,克绥受兹命④。今天其相民⑤,矧亦惟卜用⑥。呜呼!天明畏⑦,弼我丕丕基⑧。

[注释]

①僭:不信。②休:嘉惠,庇护。③卜用:用占卜。④克:能。绥:继承。⑤相:帮助。⑥矧:又。⑦天明畏:即"畏天命"。⑧弼:辅佐。丕:大。

[译文]

唉!我小子决不敢不信天命。老天爷庇佑着文王,使我们小小周邦兴盛了起来。文王就是由于懂得遵照占卜行事,才能继承大命。老天爷还会给我们降福的,只要我们还能依照占卜行事。啊!天命威严可畏啊!大家一同来辅佐我成就基业吧!

王曰：尔惟旧人①，尔丕克远省②？尔知宁王若勤哉③！天闳毖我成功所④，予不敢不极卒宁王图事⑤。肆予大化诱我友邦君⑥：天棐忱辞⑦，其考我民⑧，予害其不于前文人图功攸终⑨！天亦惟用勤毖我民⑩，若有疾⑪，予害敢不于前文人攸受休毕⑫！

[注释]

①尔：你们。惟：乃，是。旧人：旧臣。②丕：大。克：能。远省：当作"遹省"，遵循。③若：如此。④闳（bì）毖（bì）：谨慎诰教。所：所在，所由。⑤极卒：赶快完成。极，通"亟"。卒，完成。⑥化诱：教导。⑦棐（fěi）忱（chén）：不信。棐，通"匪"，非，不。忱，通"谌"，相信。辞：当依《唐石经》作"辞"，同"台（yí）"，我。⑧考：成全，安定。⑨害：通"曷"。其：语气助词，无义。攸：是。⑩勤：劳，征伐之役。⑪有：为，治疗。⑫攸受休：所受上天的庇佑。毕：祛除（疾病）。

[译文]

王接着说：你们这些人，很多是我先文王的旧臣，你们能够很好地遵循文王的遗轨吗？你们知道文王曾多么勤劳于王事吗？现在老天爷已经把成功的道理教给我了，我实在不敢不尽快完成文王的大事。所以我深切地告诫各位邦君，老天爷并不是随便信任我的，它只是为了安定我们的人民才这样的。我怎么敢不为先王遗下的伟大功业争取最后胜利呢？现在老天爷又要派我们的人民从事东征了，正像治病一样，我哪敢不为先王所受天命而不去彻底清除它！

王曰：若昔朕其逝①。朕言艰日思②。若考作室③，既厎法④，厥子乃弗肯堂⑤，矧肯构⑥；厥父菑⑦，厥子乃弗肯播，矧肯获。厥考翼其肯曰⑧："予有后弗弃基？"肆予害敢不越卬敉宁王大命⑨！

[注释]

①若：如。昔：前面。其：之。逝：通"誓"，诰教。②言：于。③考：

父。④厎：定。法：指造房屋的构图尺寸规定。⑤乃：尚且。堂：高出地面四方形土台，这里用作动词，指堆土以奠定房基。⑥矧：何况。构：屋架。⑦菑(zī)：田中除草和翻土的工作。⑧翼：通"繄"，语气助词，无义。其：哪里会。⑨越印：于我，即趁我这一生。

[译文]

王又说：像前面我对你们所宣讲过的，我正天天深长地思考这件困难的工作。打个比方吧，就像一位父亲想造房子，已经定好了建筑的规划，他的儿子却连堆土夯房基的工作都不能做，更何况去搭架梁椽呢？又如一位父亲在田地里已经翻好土地，他儿子连播种都不干，更不用说收割了。这时父亲难道还能说"我有好后代，不会抛弃我的基业"吗？所以我才不敢不及早努力继承、完成文王所承受的伟大天命。

若兄考①，乃有友伐厥子②，民养其观弗救③？

[注释]

①考：终。②友：群。伐：侵伐，欺侮。③民养：指奴隶，仆人，这里可理解为周室官员。观：观望。

[译文]

又好比兄长死了，坏人成群来欺侮攻伐他的儿子，长官们可以袖手旁观不去救援吗？

王曰：呜呼！肆我告尔庶邦君①，越尔御事：爽邦由哲②，亦惟十人迪知上帝命越天棐忱③，尔时罔敢易法④；矧今天降戾于周邦⑤，惟大艰人诞以胥伐于厥室⑥；尔亦不知天命不易⑦。

[注释]

①肆：今。②爽：尚且。由哲：亦作"迪哲"，昌明顺利，指文王、武王之时。③十人：指一批大臣，十是虚数。迪知：用知。越：及。棐：匪。

忧:信。④易法:废弃。⑤矧:何况。庚:定,上天的命令。⑥大艰人:指武庚、管叔、蔡叔等叛徒。诞:语气助词,无义。胥:相。厥室:叛周者的家室。⑦不易:不变。

[译文]

王又说:啊!现在我要告诉你们各个邦君和官员们:本来我们周邦国势昌明顺利,那是由于有一批贤臣,他们能认识到不可无条件地一味依赖天命。你们不能轻视这些事,何况现在老天爷又把定命降给我们周邦,注定了那些发难的叛乱之徒到头只会相互毁掉自己的家室。难道你们还不知道上帝的命令是根本不会改变的吗?

予永念曰:天惟丧殷,若穑夫①,予曷敢不终朕亩!天亦惟休于前宁人,予曷其极卜②?敢弗于从率宁人有旨疆土③,矧今卜并吉。肆朕诞以尔东征④!天命不僭⑤,卜陈惟若兹⑥。

[注释]

①穑夫:农夫。穑,耕稼。②曷:为什么不。极:通"亟",赶快。③于:往。从:遵守。率:语气助词,无义。宁人:即文王。旨:美好。④肆:所以。⑤僭:不信。⑥陈:陈列。惟:有。若兹:像这样。

[译文]

我经过了深长的思考,认为老天爷早已决定要灭绝殷商。好像农夫种地一样,我哪敢不顺着天时把自己的农活善始善终地都干完呢?从前上天降福于文王,我为什么不能像先王那样抓紧进行占卜?就是为了不敢不守住文王开创的大好疆土。何况现在占卜都已得到吉兆!所以我就要带领大家东征了!天命不可不信,试看占卜的兆象何等清楚!

微子之命①

王若曰②:"猷③,殷王元子④!惟稽古崇德象贤⑤,统承先王⑥,修其礼物⑦,作宾于王家⑧,与国咸休⑨,永世无穷。

[注释]

①微子之命:本篇记载了周成王分封殷遗臣微子,建立宋国的命辞。微子对于纣王的淫乱多次进谏而无效,只能逃走。(见上文《微子》篇)武王灭商后,微子归顺周人。周公平息管、蔡叛乱后,策命微子代替武庚统治商遗民,建立宋国。事见《史记·殷本纪》、《宋微子世家》。《微子之命》属梅赜《古文尚书》。②王若曰:王这样说。③猷:语气助词,无义。④殷王:帝乙。元子:长子,指微子。⑤稽古:察考古代。崇:尊崇。象:效法。⑥先王:指商朝先代贤王。⑦礼:典礼。物:文物。⑧宾:宾客。王家:指周王朝。⑨咸:都。休:美。

[译文]

周成王这样说道:"唉,殷王帝乙的长子!考察古代殷商的历史,尊崇圣德,效法贤人。你要继承殷先王的传统,完善他们的典礼文物。作为我们周王室的宾客,你和王朝共同荣耀,世世代代没有穷尽。

"呜呼!乃祖成汤克齐圣广渊①,皇天眷佑,诞受厥命②。抚民以宽,除其邪虐。功加于时③,德垂后裔。

[注释]

①克:能。齐:敬肃。渊:深邃。②诞:乃。③时:当时。

[译文]

"哎呀!你的祖先成汤能具备敬肃、圣明、广大、深远的品德,上天保佑他,于是受了大命。他以宽政抚爱民众,除去凶恶之徒。他在当时建立功勋,圣德流传到子孙后代。

"尔惟践修厥猷①,旧有令闻②。恪慎克孝③,肃恭神人。予嘉乃德。曰笃不忘④。上帝时歆⑤,下民祇协⑥,庸建尔于上公⑦，尹兹东夏⑧。

[注释]

①尔：微子。践：履行。猷：大道。②旧：过去。令闻：美誉。③恪：恭敬。克：能。④笃：厚。⑤歆（xīn）：享受。⑥祗：敬。协：和。⑦庸：用。建：建立。上公：蔡沈《书集传》说："王者之后称公，故曰上公。"⑧尹：治理。兹：此。东夏：《孔传》说："东方华夏之国，宋在京师东。"宋都在今河南商丘，处于中原地区。

[译文]

"你履行成汤的事业，过去就有美誉。恭而能孝，严敬神灵和民众。我欣赏你的美德，永不忘怀。上帝时常享受你的祭祀，民众也恭敬和睦，因此封你为上公，统治东方地区。

"钦哉①！往敷乃训②，慎乃服命③，率由典常④，以蕃王室⑤。弘乃烈祖⑥，律乃有民⑦，永绥厥位⑧，毗予一人⑨；世世享德，万邦作式⑩；俾我有周无斁⑪。

[注释]

①钦：敬。②敷：布。乃：你的。训：训诫。③服：职事。命：使命。④率：循。由：用。⑤蕃：通"藩"，藩卫，屏障。王室：周王朝。⑥弘：发扬光大。烈祖：功绩显赫的先祖。⑦律：管理，管束。⑧绥：安。⑨毗（pí）：辅助。予一人：周成王自称。⑩式：楷模。⑪俾：使。这里用作被动，指服从、服务于周。斁（yì）：懈怠。

[译文]

"慎重啊！去发布你的教导，要谨慎履行你的职事和使命，一切要遵循旧法，成为周王室的屏藩。弘扬你功绩显赫的先祖的功绩，约束管理你的人民，长久安定你的上公之位，辅弼我这个君王。这样，子孙后代就可以世代享受你的功德，四方也会以你为楷模，服从我们周朝，永无懈怠。

"呜呼！往哉惟休①，无替朕命②。"

[注释]

①休：美。②无：通"毋"。替：废弃。

[译文]

"啊！去吧，一切顺利，不要废弃我的教命。"

康　诰①

惟三月哉生魄②，周公初基作新大邑于东国洛③，四方民大和会④，侯、甸、男邦⑤，采、卫、百工、播民⑥，和见士于周⑦。周公咸勤⑧，乃洪大诰治⑨。

[注释]

①康诰：本篇是周王朝册封文王之子康叔于卫国时的诰辞。《史记·卫康叔世家》载："卫康叔名封，周武王同母少弟也。……周公旦以成王命兴师伐殷，杀武庚禄父、管叔，放蔡叔。以武庚殷余民封康叔为卫君，居河淇间故商墟。周公旦惧康叔齿少，乃申告康叔曰，必求殷之贤人君子长者，问其先殷所以兴所以亡，而务爱民。"篇中反复告诫康叔要明德慎罚，爱护殷民。②哉生魄：月初。哉，始。魄，月光。③初基：于省吾《尚书新证》说"基"通"其"，"初其，犹金文之言'启其'、'肇其'，乃周人语例。周公初基作新大邑于东国洛者，周公始其作新大邑于东国洛也'。大邑：国都。洛：《史记》作"雒"，今洛阳。④四方民大和会：四方诸侯朝觐周天子的会同之礼。⑤侯、甸、男邦：即侯邦、甸邦、男邦。⑥采、卫：这里指与侯、甸、男并立的附庸小国。百工：百官。播民：指一些侯、甸、男邦及采卫中所领有之殷余民，但主要当是迁至洛邑的殷余民。⑦和：合，会。见士：即"见事"，效力，做事。⑧咸：都。勤：劳，慰劳。⑨洪：语气助词，无义。治：通"辞"。

[译文]

三月初，周公在东方的洛阳开始营建新的大城市，四方的臣民都来朝觐。侯、甸、男、采、卫诸邦邑的百官和迁徙来的殷余民都来为周王朝效力。周公一一慰劳他们，发表了一篇告诫他们的训辞。

王若曰①："孟侯②，朕其弟小子封③。惟乃丕显考文王克明德慎罚④，不敢侮鳏寡⑤，庸庸祗祗威威显民⑥。用肇造我区夏⑦，越我一二邦⑧，以修我西土⑨。惟时怙冒闻于上帝⑩，帝休⑪。天乃大命文王殪戎殷⑫，诞受厥命越厥邦厥民⑬，惟时叙乃寡兄勖⑭，肆汝小子封在兹东土⑮。"

[注释]

①王若曰：王这样说。是史臣代宣王命时的开头用语。②孟侯：康叔的另一称呼。③其：之。小子：对宗亲中男性同辈年轻者及下辈的一种亲昵的称呼，这里指康叔。封：康叔名。康叔为周文王之子，武王和周公之弟，成王之叔。④乃：你的。丕：大。显：光辉。考：父。克：能。明：通"勉"。⑤鳏寡：古人成语，指下层孤独无靠的人民。⑥庸庸祗祗威威显民：据于省吾《尚书新证》说，当读为"庸祗威，庸祗威显民"。庸，用。祗，敬。威，通"畏"。显民，有声望的人。⑦用：以。肇：始。区夏：华夏地区。⑧越：与，及。一二邦：指周王朝统治下的一些分封诸侯。⑨修：长。西土：指周族原居地今陕西一带。⑩时：通"是"。怙：故。冒：上。帝：上帝。⑪休：赞美。⑫命：降命。殪（yì）戎殷：灭掉这大殷。殪，死。戎，大。⑬诞：语气助词。越：与。厥：其。⑭惟：语气助词。时叙：承顺，延续。乃：你的。寡兄：大兄。勖：勉。⑮肆：语气助词，无义。东土：指康叔新受封的卫地，即今河南淇县一带。

[译文]

王这样说："孟侯！我的弟弟，封呀！你的伟大父亲文王最能英明地施行赏赐和谨慎地实行刑罚，又不欺侮那些孤独无依的小民，而且还敬畏那些有声望的人，所以他能缔造我华夏地区，包括我们好几个小邦，还扩展了西边的领土，由此他的德业上闻于天帝。上帝十分赞美，就降大命给文王，要他灭掉这强大的殷国，承受殷家原有的天命和土地、人民。现在为了延续你大哥武王所奋勉的大业，所以才把你封到东方这块土地上。"

王曰："呜呼！封，汝念哉①！今民将在②！祗遹乃文考③，绍闻衣德言④，往敷求于殷先哲王⑤，用保乂民⑥；汝丕远惟商耇成人⑦，宅心知训⑧；别求闻由古先哲王⑨，用康保民⑩。弘于天若德，裕乃身不废在王命⑪。"

[注释]

①念：思考。②将在：即"伤哉"，古音通假。③祗：敬。遹（yù）：述，循。④绍：继。衣：通"殷"。⑤敷：广。⑥用：以。保乂：即"俾乂"，保有和治理。⑦丕：不。惟：语气助词。商：殷商。耇（gǒu）：老。⑧宅心：放在心里。宅，度，居。知训：知道听取教训。⑨别：遍。闻：遗闻。由：于。⑩康：安。⑪裕：同"欲"。

[译文]

王说："啊呀！封呀，你想想吧！现在人民是多么痛苦啊！你应当敬重遵循父亲文王的德业，还要继承殷人好的文化。这次要广泛寻求殷家古先圣王的治国之道，用来安定和治理那里的人民；在那里有许多殷商德高望重的人离你不远，要把他们放在心里，知道去听他们的教导；再普遍寻求古先圣王的遗闻旧政，使人民生活安乐。你应该发扬上天的大德，就是要你不废弃王朝给你的宠命。"

王曰："呜呼！小子封，恫瘝乃身①，敬哉②！天畏棐忱③，民情大可见④，小人难保⑤。往尽乃心，无康好逸豫⑥，乃其乂民⑦。我闻曰：'怨不在大，亦不在小。'惠不惠⑧，懋不懋⑨。已⑩！汝惟小子⑪，乃服惟弘⑫，王应保殷民⑬，亦惟助王宅天命⑭，作新民。

[注释]

①恫(tōng)：痛。瘝(guān)：病。②敬：通"警"，警觉。③畏：通"威"。棐：不。忱：可信，可知。④大：语气助词，用于加强语气。⑤小人：小民。保：安抚。⑥康：一作"佴"，通"侗"，长久。豫：乐。⑦乃其：乃可。乂：治理。⑧惠不惠：施恩惠于不驯顺的人。前一"惠"字作动词，施惠。后一"惠"字释为驯顺。⑨懋不懋：劝勉不勤勉的人。⑩已：叹词。⑪惟：同"虽"。⑫乃：你的。服：官事，职务。弘：宏大。⑬应：受。⑭宅：安定。

[译文]

王说："啊！封呀！人民的痛苦像缠在你的身上一样，你要注意啊！老天的威严不可测知，可是民情却是很容易见到的，要知道老百姓是难于安抚的。你去了之后，要尽心尽力办事，不要老是贪图安逸，爱好享乐，这才能治理好人民。我听说：'人民的怨恨不一定出在大事上，也不一定出在小事上。'因此你要小心，善于施惠于那些不驯顺的人使之柔顺，劝勉那些不勤勉的人使之勤于职事。唉！你虽年轻，担当的职务可非常重大啊。我周王已承受了天令来保养殷民，你要助我王家安定好这天命，把这些殷民改造成新的人民。"

王曰："呜呼！封，敬明乃罚。人有小罪，非眚①，乃惟终②，自作不典③，式尔④；有厥罪小⑤，乃不可不杀。乃有大罪，非终，乃惟眚灾，适尔⑥，既道极厥辜⑦，时乃不可杀⑧。"

[注释]

①眚(shěng)：察。②乃惟终：犹云"怙恶不悛"，坏到底。③不典：不法。④式尔：故意常犯罪。⑤有：虽。⑥适尔：偶然犯罪。⑦道：当作"迪"，用。极：责罚。辜：罪。⑧乃：却。

[译文]

王说："啊！封呀！你要谨慎使用刑罚。有人犯的是小罪，但

康诰 181

他自己不承认,坚持错到底,主动违法犯纪,故意常常犯罪。那么虽然罪小,不可不杀。有的犯有大罪,但不是坚持错到底,而能认罪悔过,这是偶然犯罪,既已对他用了适当的责罚,这就不该杀了。"

王曰:"呜呼!封,有叙时①,乃大明服②,惟民其敕懋和③。若有疾,惟民其毕弃咎④。若保赤子⑤,惟民其康乂⑥。非汝封刑人杀人⑦,无或刑人杀人⑧;非汝封又曰劓刵人⑨,无或劓刵人。"

[注释]

①叙时:承叙,承顺。此从王引之《经义述闻》之说。②服:使……心服。③惟:则。敕:告诫。懋:勉。④毕:攘除疾病。弃:通"祓",除恶。咎:疾。⑤赤子:婴孩。⑥惟:则。康:安,保。乂:治。⑦非:除非。⑧无或:没有谁。⑨又:有。劓(yì):割鼻之刑。刵(èr):截耳之刑。

[译文]

王说:"啊!封呀!如果你能照着这样做,就显示出你的公正严明,自然能服众。人民也会相会告诫,和顺相处。就像疾病时,人民会以祓祭攘除它一样,去掉所有过失。只要像保育婴孩一样,人民自然会因安乐而被治理得很好。除非你封自己要施人刑罚或杀人,没有谁可以这样做;除非你封说要割人的鼻子或耳朵,没有谁可以这样做。"

王曰:"外事①,汝陈时臬司②,师兹殷罚有伦③。"又曰:"要囚④,服念五六日⑤,至于旬时⑥,丕蔽要囚⑦。"

[注释]

①外事:外朝听狱之事。②陈:列。时:通"是"。臬:法。③师:效法。罚:通"法"。伦:条理。④要(yāo)囚:通"幽囚",监禁犯人。

⑤服：思。念：思。⑥旬时：殷代历法，一月分三旬。⑦丕：乃。蔽：又作"弊"，断。

[译文]

王说："外朝审问案件，你要安排好司法人员，按照殷代的刑罚来治理，自会有条理。"又说："对于囚禁的犯人，要仔细审理五六天，甚至十天到一个季度，直到确定没有冤屈，再去量定刑罚。"

王曰："汝陈时臬事①，罚蔽殷彝②，用其义刑义杀③，勿庸以次汝封④。乃汝尽逊⑤，曰时叙⑥，惟曰未有逊事。已！汝惟小子，未其有若汝封之心⑦，朕心朕德，惟乃知⑧。凡民自得罪，寇攘奸宄⑨，杀越人于货⑩，暋不畏死⑪，罔弗憝⑫。"

[注释]

①事：指司法办事人员。②彝：常法。③义：适宜。④次：迁就。⑤乃：若。逊：顺。⑥曰：语气助词。时叙：承顺。⑦若：顺。⑧乃：你。⑨寇：抢劫。攘：盗取。奸宄：邪恶行为。⑩越：其义不详。于：取。⑪暋（mǐn）：强横。⑫憝（duì）：怨恨。

[译文]

王说："你安排好司法人员，用殷代常法来断狱，该判刑的要判刑，该杀的就要杀，切不可迁就个人意志。如果你迁就个人意志，还说是承顺上帝旨意，就不能说断案顺利。你这年轻人，切不可顺从个人意志啊。我的心意，我的做法，只有你理解啊！至于自取罪行的人，像抢劫、盗窃、奸邪之徒，他们惯于杀人越货，强悍而不怕死，没有人不痛恨而希望他们死的。"

王曰："封！元恶大憝①，矧惟不孝不友②，子弗祗服厥父事③，大伤厥考心④；于父不能字厥子⑤，乃疾厥子⑥。于弟弗念天显⑦，乃弗克恭厥兄；兄亦不念鞠子哀⑧，大不友于弟。惟吊兹不于我政人得罪⑨，天惟与我民彝大泯乱⑩。曰：乃其速由文王作罚，刑兹无赦。

[注释]

①元：大。憝（duì）：恶。②矧：亦。③祗：敬。④考：父。⑤于：为。字：爱。⑥疾：憎恶。⑦天显：上天规定的伦理常道。⑧鞠：稚子。⑨惟：有。吊：善，好。于：为。政：通"正"，官长。⑩惟：语气助词。与：给予。彝：常，法。泯：乱。

[译文]

王说："封啊！罪大恶极的人让人痛恨，但还有不孝不友的人更可恶。做儿子的不恭敬服侍他的父亲，大伤他父亲的心；做父亲的不疼爱他的儿子，反而憎恶。做弟弟的不顾天伦之道，不敬重哥哥；做哥哥的也不考虑幼小的弟弟未离教养的可怜，反而不加爱护。如果宽容这些恶行而不被我们长官判罪的话，上天所定下的伦理就将陷于紊乱。所以，要赶紧按照文王的刑法来严惩这些恶行。

"不率大戛①，矧惟外庶子、训人、惟厥正人越小臣诸节②，乃别播敷③，造民大誉④，弗念弗庸，瘝厥君⑤，时乃引恶⑥，惟朕憝⑦。已⑧！汝乃其速由兹义率杀⑨。亦惟君惟长不能厥家人越厥小臣、外正⑩，惟威惟虐，大放王命⑪，乃非德用乂⑫，汝亦罔不克敬典乃由⑬。裕民惟文王之敬忌⑭，乃裕民曰'我惟有及'⑮，则予一人以怿⑯。"

[注释]

①率：遵守。戛：楷，常法。②矧：亦。外庶子、训人：诸侯国掌管教化的官员。外庶子专门负责贵族子弟的教育。正人：某项官职之长。越：与。小臣：官名。甲骨文中常见，主要从事占卜、祭祀、征伐等大事。西周中期以后地位降低为小吏。诸节：持有符节的官。③别：另外。④造：迎合。⑤瘝：病，这里指损害。⑥时：是，此。引：助长。⑦憝：痛恨。⑧已：叹词。

⑨速：请求、寻找。义：宜。率：通"司"，治。⑩君：封国之君。长：百官之长。能：善，这里作动词，使……善良。越：与。小臣、外正：各封国中的官员。⑪放：背弃。⑫义：治。⑬罔：通"毋"。典：法。由：行。⑭裕：同"欲"。敬忌：敬畏。⑮我：民众自称。及：追随。⑯怿：高兴。

[译文]

"还有不遵守王朝大法的，就是那些侯国掌教之官、各种政务长官及他们部下的小吏们。他们往往擅自发布条令，迎合百姓，不考虑对不对，损害君主的利益，助长下面的罪恶。这种人是我最痛恨的。哎！你应该赶快找理由把他们杀掉。还有分封的诸侯、贵族率众作恶，作威作福，背弃王命，这用德教是不管用的，你切不可不用你的法律去制裁他们。我们常对文王保有敬畏之心，要人民都能自己说愿意追随文王遗教，那我就高兴了。"

王曰："封！爽惟民迪吉康①，我时其惟殷先哲王德用康义民作求②。矧今民罔迪③，不适不迪④，则罔政在厥邦。"

[注释]

①爽：尚且。迪：善。康：安。②时：通"是"。其：将。哲：智。义：治。作：为。求：通"逑"，匹、等。③矧：何况。④适：归。

[译文]

王说："封啊！人民的境遇能够改善时，我们尚且要学习殷代圣王治民之方，而且希望运用得和他们一样；何况现在人民境况并不好，简直无所归附，这个国家还有什么政治可言呢？"

王曰："封！予惟不可不监①，告汝德之说于罚之行②。今惟民不静，未戾厥心③，迪屡未同④；爽惟天其罚殛我⑤，我其不怨，惟厥罪无在大⑥，亦无在多，矧曰其尚显闻于天⑦？"

[注释]

①监：借鉴。②于：与。行：道理。③戾：定。④迪：进，作。屡：数

次,多次。同:和谐。⑤爽:尚且。惟:虽。殛:罚。⑥惟:虽。⑦矧:何况。尚:上。显:明。

[译文]

王说:"封啊!不可不借鉴历史,我来告诉你一些正确运用刑德的道理。现在殷民还没有安分,还有对立情绪,屡次发生不和谐的事件。上帝已经在惩罚我们了,我承受而无怨言,虽说罪行不大,也不多,但现在的罪恶已明显地上达于天呢!"

王曰:"呜呼!封,敬哉!无作怨①,勿用非谋非彝蔽时忱②,丕则敏德③。用康乃心④,顾乃德,远乃猷⑤,裕乃以民宁⑥,不汝瑕殄⑦。"

[注释]

①怨:引起怨恨的事情。②彝:常法。蔽:败。时:是。忱:信。③丕则:于是。敏德:勉行政教。④康:安好。乃:你的。⑤猷:谋略。⑥裕:同"欲"。以:给予。⑦不汝瑕殄:不以你传世久远而灭绝。瑕,通"遐",远。殄,绝。

[译文]

王说:"唉!封呀,你要注意啊!不要做引起人民怨恨的事,不要让错误谋划和法令败坏了你的威信,要能勤勉政教。稳定你的思想,省察你的德行,使你的谋虑深远,要能给予人民安宁,你的国祚才会一直传世久远,不遭灭绝。"

王曰:"呜呼!肆汝小子封①,惟命不于常②,汝念哉!无我殄享③。明乃服命④,高乃听⑤,用康乂民。"

[注释]

①肆:因此,所以。②惟:语气助词。命:天命。于:为。③享:享祀,这里指宗庙社稷。④明:勉。乃:你的。服命:王朝授予的官位职事。⑤高:

使……广阔高远。

[译文]

王说:"唉,封啊!天命无常,你须时刻牢记。切毋自绝宗庙社稷。你应该勤勉职事,深远地听取各方意见,以此治理好你的人民。"

王若曰:"往哉!封!勿替敬①,典听朕诰②,汝乃以殷民世享。"

[注释]

①替:废。②典:常。

[译文]

王说:"去吧!封!不要废弃敬畏之心,要常听我的教导,你就可以拥有这些殷民,维系你绵绵不绝的国祚。"

酒 诰①

王若曰②:"明大命于妹邦③。乃穆考文王肇国在西土④,厥诰毖庶邦庶士越少正御事⑤,朝夕曰:'祀兹酒⑥。惟天降命,肇我民,惟元祀⑦。天降威,我民用大乱丧德,亦罔非酒惟行⑧;越小大邦用丧⑨,亦罔非酒惟辜⑩。'

[注释]

①酒诰:本篇是周公告诫康叔不要重蹈殷人酗酒亡国的覆辙。《史记·卫康叔世家》载:"周公旦惧康叔齿少……告以纣所以亡者,以淫于酒。酒之失,妇人是用,故纣之乱自此始。……故谓之《酒诰》以命之。"康叔封于殷故地卫,周公怕他年少不懂事,于是讲了一番话告诫康叔不能重蹈殷人的覆辙,史臣记载成为本篇。②王:实指周公,非成王。③明:宣布。妹邦:也叫

沬邑。商都所处牧野之地，封给康叔为卫国首邑，在今河南淇县境内。④穆考：对父亲的敬称。肇：始。⑤诰毖：诰教。庶邦：众多国君。庶士：朝臣。越：与。少正：官名。御事：掌管王室事务的官职。杨树达《积微居读书记》说："此篇下文分外服、内服为言，其实全篇文字莫不分别言之。此文'庶邦庶士'，外服也；'少正御事'，内服也。"⑥祀兹酒：曾运乾《尚书正读》云："祀兹酒，犹云祀则酒，即下文诰教小子饮惟祀也。"意思是只有祭祀的时候才能用酒。⑦元祀：指文王受命改元之事。⑧亦罔非酒惟行：《孔传》说："亦无非以酒为行。"⑨越：及。⑩亦罔非酒惟辜：《孔传》说："亦无不以酒为罪。"

[译文]

王这样说："把我的命令宣布给沬邑的人民吧！敬爱的父亲文王建立西岐的时候，就开始早晚告诫许多属国和官吏以及其他内庭官长办事人员说：'只有在祭祀的时候才能用酒啊！上天降我大命，自改元之日起，人民该过新生活了。天命威严，人民大乱而丧失德行，无非是喝酒造成的过错；以至于大大小小国家的丧亡，也无非是喝酒造成的罪恶。'

"文王诰教小子①：'有正、有事②，无彝酒③；越庶国④，饮惟祀⑤，德将无醉⑥；惟曰我民迪⑦。'小子⑧！惟土物爱⑨，厥心臧⑩，聪听祖考之彝训⑪，越小大德⑫。小子！惟一妹土⑬，嗣尔股肱⑭，纯其艺黍稷⑮，奔走事厥考厥长⑯；肇牵车牛远服贾⑰，用孝养厥父母。厥父母庆⑱，自洗腆致用酒⑲。

[注释]

①小子：晚辈、年轻人。②有正、有事：指群臣，属内服。③彝酒：经常喝酒。④越：与。庶国：所属各国统治者。属外服。⑤饮惟祀：即上文"祀兹酒"。⑥德将无醉：饮酒要以德自持。将，扶持。⑦惟：发语词。曰：通"越"，于是。迪：正。⑧小子：指康叔。下"小子"同。⑨土物：黍稷，庄稼。⑩臧：善。⑪聪听：仔细地听。祖考：指文王。彝：常。⑫越：与。

⑬惟：语气助词，无义。一：乃。妹土：妹邦、沫邑。⑭嗣：继承。股肱：犹如"手足"，指辅佐力量。⑮纯：专一。艺：通"蓺"，种植。黍稷：泛指粮食作物。⑯事：服侍。⑰肇：始。服：从事。贾：经商。⑱庆：喜庆欢乐。⑲洗腆：清洁丰厚。

[译文]

"文王告诫一班年轻人：'各部门的官员干部不许经常喝酒，当和许多国君聚会时，按礼虽不得不喝，须以德自持，不致大醉。这样我们的人民也会归于正道。'周公又对康叔说：封啊！要热爱庄稼，勤修善政，敬尊祖宗遗训及其品德。封啊！沫邑人民继承你的事业并成为辅助力量，应当专力于农事，为他们的父亲和兄长们尽心服务。或者牵了牛马乘车出去经商，以此孝敬他们的父母，那时父母必然欢喜。做儿子的就可以趁着这好机会，备上丰盛洁净的酒席，阖家喝一回酒了。

"庶士、有正越庶伯、君子①！其尔典听朕教②！尔大克羞耇惟君③，尔乃饮食醉饱④。丕惟曰⑤：尔克永观省⑥，作稽中德⑦。尔尚克羞馈祀⑧，尔乃自介用逸⑨。兹乃允惟王正、事之臣⑩，兹亦惟天若元德⑪，永不忘在王家⑫！"

[注释]

①庶士：众士，指朝臣。有正：即"正"，指官长。以上属内服。越：与。庶伯：众氏族之长。君子：指当时的统治阶级。以上属外服。②其尔："尔其"的倒装，你们将。典：常。③尔：加重语气。大：语气助词，无义。克：能。羞：进献。耇：老。惟：与。④乃：才。⑤丕：语气助词。惟：语气助词。⑥永：长久。观：顾。省：察。⑦作稽中德：所作所止都能合于道德。稽，止。⑧尚克：还能。馈祀：以熟食进献鬼神。⑨介：乞。逸：安乐。⑩允：信。正、事之臣：即上文"有正、有事"。⑪若：同"诺"，允诺。元：善。⑫忘：同"亡"，丧失功业禄位。

[译文]

"朝廷大臣、官员以及各氏族的贵族、领袖们,你们要常听我的教导!你们要先能孝敬你们的父兄长老,自己才能大吃大喝。你们要能长期地观察自省,所作所为就都能合于道德。如果你们还能在祭祀时供上祭品,就可以祈祷安乐于神明了。只有这样你们才配奉行上天所承诺的善德,才能保有周天子所赐的禄位和功业!"

王曰:"封!我西土棐徂①,邦君、御事、小子②,尚克用文王教,不腆于酒,故我至于今,克受殷之命。"

[注释]

①西土:指周人原居地岐周一带。棐徂:犹云"非自今日始"。棐,通"匪",非。徂,通"且",此。②小子:对下属亲昵的称呼。

[译文]

王又说:"封啊!因为我们西土国君和管事的年轻人早就接受了文王的教令,不贪图喝酒,所以到现在还能够继承殷家的天命。"

王曰:"封!我闻惟曰①:在昔殷先哲王,迪畏天显、小民②,经德秉哲③。自成汤咸至于帝乙④,成王畏相⑤。惟御事厥棐有恭⑥,不敢自暇自逸,矧曰其敢崇饮。越在外服:侯、甸、男、卫、邦伯;越在内服:百僚、庶尹⑦、惟亚、惟服⑧、宗工⑨,越百姓、里君⑩:罔敢湎于酒。不惟不敢,亦不暇。惟助成王德显⑪,越尹人、祗辟⑫。

[注释]

①惟:有。②迪:用。天显:古成语,指在上的一种尊贵力量。③经德:周人常用语,常德。秉哲:保持明智。④咸:成汤之名。帝乙:殷商倒数第二代君主。⑤成王:成就王业。畏相:敬畏自省。⑥棐:通"匪",非。恭:通"共",供职。⑦百僚、庶尹:即上文之"有正"。僚,即"寮",《毛公鼎》

记载有"卿事寮"、"太史寮",地位极高。⑧惟亚、惟服:即上文之"有事"。⑨宗工:宗人之官。⑩越:与。百姓:百官族姓。里君:地方官长。⑪德显:明德。⑫越:与。尹人:治民。祗辟:敬法。

[译文]

王说:"封啊!我听说从前殷家先代圣王因为惧怕上天和小民的力量,而长久保持他们的德行和明智。从成汤咸一直到帝乙,没有不达成王业还能严肃自省的。那时管事的臣子就是休假没有职事时,也不敢趁着闲暇去寻乐,何况说放肆喝酒。那时的官吏,地方上有侯、甸、男、卫各个国君,朝廷内有大僚和首长、任事的官员、管理王族的宗工以及无数氏族和地方官长,一概不敢酗酒。非但不敢,也没有空,他们只是帮助殷王成就王业、治理人民和谨守法度。

"我闻亦惟曰:在今后嗣王酣身厥命①,罔显于民祗②,保越怨不易③。诞惟厥纵淫泆于非彝,用燕丧威仪④,民罔不蠹伤心⑤。惟荒腆于酒,不惟自息乃逸⑥。厥心疾很⑦,不克畏死。辜在商邑越殷国灭无罹⑧。弗惟德馨香祀登闻于天⑨,诞惟民怨,庶群自酒,腥闻在上。故天降丧于殷,罔爱于殷,惟逸。天非虐,惟民自速辜⑩!"

[注释]

①嗣王:继帝乙之后的王,纣王。酣身厥命:强申命令,意谓好以威权凌驾人民。酣,通"酐"。②罔:无。祗:通"哉"。③保:安。越怨不易:与百姓的怨恨不可改变。④燕:乐。⑤蠹(xì):伤痛。⑥息:停息。⑦疾:害。很:戾。⑧辜:作恶。越:与。罹:忧。⑨祀:通"巳",以。登:上。⑩速:招致。辜:罪。

[译文]

"我又听说:到了后来,他们的末代君王尽喜欢用威权压迫百姓，没有什么行为可以使人民欢喜的，他得到的只是不可改变的怨恨。他又纵肆种种无法无天的淫乱，在享乐中丧尽了威仪，人民没有不伤心的。然而他还是贪酒，无休无歇地享乐。他的心又凶狠，不怕死。他在商都里作恶犯罪，到殷商灭亡的时候，还无忧无虑。他根本没有德行上闻于天，只有人民的怨恨和百官群臣酗酒的腥臭升到天空。所以，老天就把丧亡之祸降给他们，不再留一丝眷爱，这就是他过度淫乐的结局！老天哪里会故作暴虐，只是殷人自己招来的罪过！"

王曰："封！予不惟若兹多诰。古人有言曰：'人无于水监，当于民监①。'今惟殷坠厥命，我其可不大监抚于时②！

[注释]

①监：同"鉴"，照镜子。②抚：据。时：是。

[译文]

王说："封啊！我不想这样多话。古人说得好：'要观察自己，不必对着水照，应该对人民的心去照。'现在殷家已经为此失掉了天命，我们怎能不拿这个作为深刻的警戒！

"予惟曰：汝劼毖殷献臣①，侯、甸、男、卫，矧太史友、内史友越献臣百宗工②，矧惟尔事，服休、服采③，矧惟若畴④，圻父薄违⑤，农父若保⑥，宏父定辟⑦，矧汝刚制于酒⑧。

[注释]

①劼毖：当作"诰毖"，诰教之意。献臣：遗臣。②矧：与。友：即"寮"。越：与。宗工：管理殷遗民的尊贵官员。③服休：伺候燕息的近臣。服采：掌管朝祭服装的近臣。④畴：通"寿"，金文中地位相当于"三公"之"公"。⑤圻（qí）父：掌管军事行政。薄违：讨伐叛逆。薄，迫。违，邪行。⑥农父：掌管农事。若：顺。保：安。⑦宏父：掌管司法。辟：法。⑧矧：语

气助词。刚：强。制：断。

[译文]

"我说：你应当去告导殷的遗臣和侯、甸、男、卫诸国君，太史、内史、管理遗臣氏族的宗官，治事官员，侍候燕息的近臣和掌管朝祭之服的从臣，还有负责讨伐叛逆的圻父、安保君民的农父、执行法律的宏父三位尊官，还有你自己，要坚决戒绝饮酒啊！

"厥或诰曰'群饮'①，汝勿佚②，尽执拘以归于周③，予其杀。又惟殷之迪诸臣惟工乃湎于酒④，勿庸杀之，姑惟教之⑤。有斯明享⑥，乃不用我教⑦，辞惟我一人弗恤、弗蠲乃事⑧，时同于杀⑨。"

[注释]

①诰：告。②佚：使……逃逸。③执拘：抓获。④迪：引导。诸臣惟工：泛指百官。惟，与。⑤姑：暂且。⑥享：劝导。⑦用：遵从。⑧辞：语气助词。恤：怜悯。蠲（juān）：赦免。⑨时：是。同：立刻。

[译文]

"假如有人来报告你说'有人聚众饮酒'，你就该一个都不漏地捆绑了送到周都，我定他们死罪。如有殷家所进用的旧臣百官，因为一时难改旧习，还在喝酒，可不必杀他们，暂且去教育他们。他们受了这些明白的教导，如果还不肯听从教训，我将不再怜悯、宽恕这种行为，一概马上杀掉。"

王曰："封！汝典听朕毖①，勿辩乃司民湎于酒②！"

[注释]

①典：常。毖：诰，教导。②辩：通"俾"，使。司：治。

[译文]

王说："封啊！你应当经常听我教导，切不要让你治下的民众官吏沉湎于酒呀!"

梓 材[1]

王曰:"封,以厥庶民暨厥臣达大家[2],以厥臣达王惟邦君[3]。

[注释]

①梓(zǐ)材:本义是上等的木材。本篇是周公教导康叔如何治理殷商故地的一篇训话,其中制定了对待殷遗民的一些宽大政策。《史记·卫康叔世家》记载:"周公旦惧康叔齿少……为《梓材》,示君子可法则。"篇中有"若作梓材"之语,比喻治国要不断努力,史官因以"梓材"名篇。②以厥庶民暨厥臣达大家:此句是"以大家达厥庶民暨厥臣"的倒装。以,由。庶民,老百姓。臣,卿大夫以下的官员。达,通。大家,指卿大夫。③以厥臣达王惟邦君:是"以王惟邦君达厥臣"的倒装。王,天子。惟,与。邦君,诸侯王。

[译文]

王说:"封啊!由卿大夫们通达至下属官吏和广大民众,由周天子和诸侯国君通达至下属官吏。

"汝若恒越曰[1]:'我有师师[2]:司徒、司马、司空、尹、旅[3]!'曰:'予罔厉杀人[4]!亦厥君先敬劳[5],肆徂厥敬劳[6]。肆往奸宄、杀人历人宥[7],肆亦见厥君事戕败人宥[8]。'"

[注释]

①若:顺。恒:常。越:语气助词。②师师:众位高级长官。前"师"字释为"众",后一"师"释作官长。③尹:正。旅:众官。④罔:无。厉:杀害无辜。⑤亦厥君先敬劳:是"亦先厥君敬劳"的倒装。厥,其。敬劳,慰劳。⑥肆:极。徂:往。⑦肆往:过去。奸宄:恶行之人。杀人历人:杀奴隶的人。人历,即"人鬲",奴隶。宥:宽恕。⑧肆亦:同"肆往"。见:同

"倪",刺探。戕(qiāng):残害人的肢体。

[译文]

"你该常常唤着:'我的许多长官:司徒、司马、司空,各部门的主管人员和许多士大夫啊!'还要对他们说:'我不敢杀害无辜!你要先于国君对他们表示慰劳,赶快去表示吧。对以前那些内外作乱的人、杀奴隶的人要给予宽恕,对过去那些刺探国君大事的人、伤残他人肢体的人,也要宽恕啊。'"

王启监①,厥乱为民②。曰:"无胥戕③!无胥虐④!至于敬寡⑤,至于属妇⑥,合由以容⑦。王其效邦君越御事⑧,厥命曷以引养、引恬⑨。自古王若兹监⑩,罔攸辟⑪。"

[注释]

①启监:设立诸侯。周初在殷地设"三监"。②厥:其。乱:通"率",都。③胥:相。戕(qiāng):残害。④虐:暴虐。⑤敬寡:即"鳏寡",指孤独无依的人。⑥属妇:低贱的妻妾。⑦合:同。由:道。⑧效:考。越:与。⑨引:长。恬:安。⑩监:治理。⑪罔:无。攸:所。辟:邪辟,叛乱。

[译文]

周王分封诸侯,都是为了教化民众。王说:"不要互相残害!不要互相压迫!包括鳏寡无依的以及低下的贱妾,都要宽容他们。君王要考验诸侯王和近臣:天命如何长久安定?从古以来的君王都是这样治理国家的,没有犯上作乱的事。"

惟曰:"若稽田①,既勤敷菑②,惟其陈修③,为厥疆畎④。若作室家,既勤垣墉⑤,惟其涂塈茨⑥。若作梓材⑦,既勤朴斫⑧,惟其涂丹雘⑨。"

[注释]

①若:比如。稽田:耕种治理田地。②敷:播种。菑(zī):新开垦的田

地。③惟：思。陈：治。④疆：界。畎（quǎn）：田间水道。⑤垣墉：墙。矮的叫垣，高的叫墉。⑥涂：涂上白垩。墍（jì）：涂屋顶。茨：用茅草盖屋。⑦梓材：良才。⑧朴：原材料。斫（zhuó）：加工修治。⑨丹雘（huò）：颜料。丹，红色。雘，青色。

[译文]

又说："好像耕田，先已尽力开垦播种了，就该计划如何整治田岸和水沟。又像建筑房屋，先已辛苦打好了墙头，就该想怎样涂上白垩和盖上茅草。又像制造优良的木器，先已费劲锯削好了白胚，就该设计如何髹漆。"

今王惟曰①："先王既勤用明德怀②，为夹庶邦享作③。兄弟方来④，亦既用明德，后式典集⑤，庶邦丕享⑥。

[注释]

①今王：成王，但由周公代替训话。②明：勉。③夹：辅。享：献，即纳贡。④兄弟方：兄弟国家，指姬姓诸侯。方，方国。⑤后：诸侯王。式：因此。典：常。集：朝会。⑥丕：大。

[译文]

成王认为："先王已经勤劳地发挥德行去感召人心，使无数邦国纳贡和勤王。姬姓诸侯纷纷前来，也是因为我们的德政。诸侯王常来会同朝觐，带来各国的贡品。

"皇天既付中国民越厥疆土于先王①，肆王惟德用和怿先后迷民②，用怿先王受命③。已④，若兹监！"

[注释]

①越：与。②肆：今。和怿（yì）：使……心悦诚服。迷民：指殷之顽民。③怿：通"斁"，终，完成。④已：叹词。

[译文]

"上天已把中国臣民和广大土地付与我们先王，所以我王也要用德行来使那些先后受了迷惑的殷顽民心悦诚服，好完成先王所受的天命。啊！就这样统治。"

惟曰："欲至于万年，惟王子子孙孙永保民。"

[译文]

又说："希望我们的国祚绵延万年，周王子孙永远保有他的人民啊。"

召 诰①

惟二月既望，越六日乙未，②王朝步自周③，则至于丰④。

[注释]

①召（shào）诰：召指召公奭。《史记·周本纪》载："成王在丰，使召公复营洛邑，如武王之意。周公复卜申视，卒营筑，居九鼎焉。曰：'此天下之中，四方入贡道里均。'作《召诰》、《洛诰》。"本篇讲述周公平定武庚叛乱后，迁殷遗民于洛邑，决定营建洛邑为东都来加强统治。这个建议得到了成王的同意。周公、召公赞美成王的伟大决定，进而勉励成王敬重贤人，施行德教，爱护百姓，以发扬光大文王、武王的业绩。此篇大部分为周公之言，最后有一小段是召公所说。②惟：语气助词。二月既望，越六日乙未：曾运乾《尚书正读》说："依三统历及周历，并推得是年二月小，乙亥朔、己丑望。庚寅既望，为月之十六日。越六日为廿一日，得乙未。"望，《释名》："月满之名，月大十六日，月小十五日。"③朝：早。步：行。周：镐京。④丰：文王所作都邑。

[译文]

二月十六日后的第六天，是乙未日，这一天周成王为了要营建东都洛邑，早晨从镐京出发，到丰邑去祭告文王。

惟太保先周公相宅①。越若来三月②,惟丙午朏③,越三日戊申④,太保朝至于洛,卜宅;厥既得卜⑤,则经营⑥。越三日庚戌⑦,太保乃以庶殷攻位于洛汭⑧。越五日甲寅⑨,位成。

[注释]

①太保:官名,辅弼周王。先:在……之前。相:视。②越若:语气助词。来:至。③惟:语气助词。朏:《说文》:"朏,月未盛之明也。"谓每月的第二日或者第三日。由下文知,此指三月初三,丙午日。④戊申:三月初五。⑤得卜:得到吉兆。⑥经营:勘定方位,营建都城。⑦庚戌:三月初七。⑧庶:众。殷:殷民。攻:治。位:城郭、宗庙、朝市的方位。洛汭(ruì):洛水入黄河之处。汭,河流汇合的弯曲处。⑨甲寅:三月十一。

[译文]

太保召公在周公之前先去察看、规划。到了三月,初三月亮初出,是丙午日,隔了三天是戊申日,太保早上到了洛邑,占卜营建的地方;他得了吉兆,就开始丈量勘查。又隔了三天到庚戌日,太保便带领众多殷商遗民在洛水转弯处量定了墙垣和宫室的基址。又隔了五天,到了甲寅日,勘查规划工作结束了。

若翼日乙卯①,周公朝至于洛,则达观于新邑营②。越三日丁巳③,用牲于郊④,牛二。越翼日戊午⑤,乃社于新邑⑥,牛一,羊一,豕一⑦。越七日甲子⑧,周公乃朝用书⑨,命庶殷侯、甸、男邦伯。厥既命殷庶,庶殷丕作⑩。

[注释]

①若:及。翼日:即"翌日",第二天,即三月十二日。②达:通。观:观测。营:区域,工地。③丁巳:三月十四。④用牲于郊:在郊外祭祀天神。⑤戊午:三月十五。⑥社:设祭坛祭祀地祇。⑦豕(shǐ):猪。⑧甲子:三月二十一。⑨书:这里指有关工程的文件。⑩丕:大。作:劳动。

[译文]

第二天乙卯日,周公早上来到洛邑,把新都工地统统审查了一遍。隔了三天,到了丁巳日,他用两头牛祭祀了上天。再过一天是戊午日,又用牛、羊、猪各一头祭了土地神。隔了七天,甲子日的早晨,周公把详细的工程计划书写成文件交与殷家的侯、甸、男众位诸侯。命令下达给广大殷民后,营建新都就大举动工了。

太保乃以庶邦冢君出取币①,乃复入锡周公②。周公曰:

[注释]

①以:和。庶邦冢君:诸侯国君。币:玄纁束帛等赠礼。②锡:献。

[译文]

太保于是偕同许多诸侯国君取了币物,进来赠给周公。周公说:

"拜手稽首,旅王若公①,诰告庶殷越自乃御事②:呜呼,皇天上帝改厥元子③,兹大国殷之命,惟王受命,无疆惟休④,亦无疆惟恤⑤。呜呼,曷其奈何弗敬!

[注释]

①旅:嘉。若:与。②越:与。③元子:天子。④惟:语气助词。休:美。⑤恤:忧。

[译文]

"我谨跪拜叩头,感激我王和召公的美意。广大殷民还有周家自己的官员们:啊!老天更换了天子,这大殷的天命就由我们周家的王接受了,这固然是无穷的美好,可也是无穷的忧患。唉!我们怎能不加敬慎警惕呢!

"天既遐终大邦殷之命①,兹殷多先哲王在天。越厥后王后民②,兹服厥命③,厥终,智藏,瘝在④!夫知保抱携持厥妇子以哀吁天⑤,徂厥亡⑥,出执⑦。呜呼,天亦哀于四方民,其眷命用懋⑧!王其疾敬德!

[注释]

①遲终:长久延续。旧释为终止,今不从。②厥:及。③服:服侍。④瘝:通"鰥",病。在:通"哉"。⑤夫:丈夫。知:语气助词。保:同"褓",小儿衣物。妇子:妻妾之属。吁:呼告。⑥徂:通"诅"。厥:其,指商纣王。⑦出执:通"怵惕",不安的样子。⑧眷:顾。懋:勉。

[译文]

"上天以前曾长久延续大殷的天命,许多殷家圣王的神灵都在天上。等到了他们末代君王和人民的手里,开始还能服事其禄位和天命,可最终,所有贤人都隐藏起来了,多么大的痛苦啊!那时丈夫们怀抱了孩子,挽扶了妻妾,哀号着呼告苍天,诅咒纣王灭亡,痛苦不安啊!唉,老天也怜惜这四方民众,所以顾视天下寻觅一位勤勉有德之人交付天命。我王应该多行德教才行啊。

"相古先民有夏①,天迪从子保②;面稽天若③,今时既坠厥命。今相有殷,天迪格保④;面稽天若,今时既坠厥命。今冲子嗣则无遗寿耇⑤,曰其稽我古人之德,矧曰其有能稽谋自天⑥。

[注释]

①相:视。②迪:用。子:通"慈"。③面:通"偭",背。天若:指天道。若,顺,道。④格保:嘉保。⑤冲子:年幼的人,指成王。嗣:继承。寿耇(gǒu):年高德劭之人。⑥矧:何况。

[译文]

"我们看:古代先民夏人建立夏国,因为顺从天命而受到老天的慈护;可到后来他们违背天道,结果失去了天命。再看殷国,他们本来也是受到老天佑护的,后来也违背了天道,所以今天也失去了天命。现在我们的王年少嗣位,先王没有留下年高德劭的辅助大臣,还不能说可以寻求古人的德政,更不必说能上窥天道了。

"呜呼，有王虽小，元子哉！其丕能諴于小民①！今休②，王不敢后，用顾畏于民嵒③。

[注释]

①丕：大。諴（xián）：和。②休：美。③嵒：即"岩"，险。

[译文]

"啊！王虽幼小，却是天子。他和人民搞得非常和谐。现在一切顺利，我王不敢延缓营建洛邑之事，也由于顾忌殷民难以统治的隐患。

"王来绍上帝①，自服于土中②。旦曰③：'其作大邑，其自时配皇天④。毖祀于上下⑤，其自时中乂⑥。'王厥有成命治民⑦，今休。

[注释]

①绍：曾运乾《尚书正读》说："读为'卟'，卜问也。"可从。②服：治。土中：即"中土"，指洛邑。③旦：周公自称。④时：是。配：配享，祭祀时以周的祖先配享上帝。⑤毖：告。⑥中乂：治理于中土洛邑。⑦厥：其。成命：定命，上天之命。

[译文]

"王前往卜问了上帝旨意，到这中土洛邑来统治。我小臣旦曾经说过：'要建造一个大都，从此以周的先祖配享皇天上帝，谨慎地祭祀上下的神祇，在这中土安治天下。'我王得着上天大命来治理人民，现在一切都顺利了。

"王先服殷御事①，比介于我有周御事②，节性惟日其迈③。王敬作所④，不可不敬德！

[注释]

①服：用。御事：泛指治事大臣。②比：接近。介：当作"尔"，同

"迹",近。③节:节制,改造。迈:进。④所:当作"匹",形讹,配的意思。

[译文]

"王重视任用殷家旧臣,使他们亲近周家的治事大臣,互相得到劝勉,天天都在进步之中。我王德配上帝,不可以不谨慎于德行啊!

"我不可不监于有夏①,亦不可不监于有殷。我不敢知曰有夏服天命惟有历年②,我不敢知曰不其延③,惟不敬厥德乃早坠厥命。我不敢知曰有殷受天命惟有历年,我不敢知曰不其延,惟不敬厥德乃早坠厥命。今王嗣受厥命④,我亦惟兹二国命⑤,嗣若功。

[注释]

①监:同"鉴"。②知:语气助词。服:受。历:久。③延:长久。④嗣:继。⑤惟:思。

[译文]

"我们不可不以夏代为鉴,也不可不以殷朝为鉴。我不敢说夏王受天命的年数有多长,也不敢说不长久,只知道他们不谨慎德行才早早失掉了天命。我不敢说殷王受天命的年数有多长,也不敢说不长久,只知道他们不谨慎德行才早早失掉了天命。现在我王继承了天命,我们也该思考夏、商两国受命、失命的原因,从而继承他们先王的功业。

"王乃初服①!呜呼,若生子②,罔不在厥初生,自贻哲命③!今天其命哲④,命吉凶,命历年。知今我初服,宅新邑,肆惟王其疾敬德⑤!王其德之,用祈天永命!

[注释]

①服:指受天禄命。②生子:养育孩子。③贻:传。哲:明。④命:赐

予。⑤肆：所以。疾：快。

[译文]

"我王可是初受天命啊！唉，像生养孩子一样，没有不从他幼年开始就传授他明智的德行的。现在上天赐予大命，赐予吉祥，赐予了长久的国祚。上帝知道我王初受天命，规划新都，我王得赶快谨慎德行才是啊！希望我王能施行德治，好请上天赐予永久的大命。

"其惟王勿以小民淫用非彝①，亦敢殄戮②，用乂民若有功③。其惟王位在德元，小民乃惟刑用于天下④，越王显⑤。上下勤恤⑥，其曰我受天命⑦，丕若有夏历年⑧，式勿替有殷历年⑨！欲王以小民受天永命！"

[注释]

①淫：放纵，过度。彝：法。②殄：绝灭。戮：杀。③乂：治。功：功效。④惟：语气助词。刑：法。⑤越：扬。显：彰显。⑥上下：指君臣。⑦其：差不多，大概。⑧丕：乃。⑨式：用。替：废。

[译文]

"王不要因为民众有放纵违法的行为，就杀戮灭绝他们，治理人民必须要有实效。王的道德地位垂范天下，小民们常以为法，才能发扬彰显王的光辉。所以，君臣上下应该相互体恤，才能说我们受了天命，才能期望像夏代享年的长久，不要像殷国年数虽长而突然废弃了！希望我王能依赖广大民众的力量去承受永久的天命！"

拜手稽首曰："予小臣敢以王之雠民、百君子越友民保受王威命明德①！王末有成命②，王亦显。我非敢勤③，惟恭奉币④，用供王能祈天永命！"

[注释]

①予小臣：指召公。雠民：指殷顽民，商亡后，仍与周为敌。百君子：

泛指殷商旧臣。越：与。友民：亲附于周的殷民。②末：终。成命：上天的定命。③勤：劳。④币：赠礼。

[译文]

召公跪拜叩头说："我小臣率曾经敌对我们的殷民、殷商旧臣以及拥护我们的殷民，来共同承受周王的威严和德行。我王终得上天定命，营建洛邑，可谓显赫。我不敢说什么辛苦，唯有敬献微薄的币礼，以供我周王祈求上天赐给我们永远的天命。"

洛 诰①

周公拜手稽首曰："朕复子明辟②：王如弗敢及天基命定命③，予乃胤保大相东土④，其基作民明辟⑤。

[注释]

①洛诰：周公营建洛邑完工后，请求周成王到洛邑举行祀典、主持国政。成王针对当时民心不稳的情况，决定留下周公继续居洛，以治理东土。在周公摄政七年冬祭祀典中，成王宣布了决定。史官作册逸将周公、成王讨论告答之辞记录成文，即成为本篇。②复：复命。子：成王。辟：君主。③基：始。④胤：继。保：太保，指召公。⑤其：副词，表希望。基：始。

[译文]

周公跪拜叩头，遣使转告成王说："我复命给您这位贤明的君主，您如果还自谦推辞上天早就确定给予您的大命，我继召公后勘查了东都洛邑，我王其实就要开始作为万民的贤明君主了。

"予惟乙卯朝至于洛师①。我卜河朔黎水②。我乃卜涧水东③、瀍水西④，惟洛食⑤。我又卜瀍水东，亦惟洛食。伻来以图及献卜⑥。"

[注释]

①乙卯：据《召诰》，为成王五年三月十二日。洛师：指洛邑京师。②河：黄河。朔：北岸。黎水：距离洛水不远的黄河北岸。③涧水：在洛水西北，发源于今河南省渑池县东北白石山，东流经新安、洛阳而入洛水。④瀍水：在洛水北，发源于今河南省孟津县西北谷城山，向东入洛水。⑤惟洛食：洛水边吉兆。西周营造洛邑分两处，涧水东、瀍水西的是王城，也叫郏鄏、东周，在今洛阳市王城公园一带。瀍水东的叫成周，在近洛阳白马寺一带。⑥伻(bēng)：通"抨"，使。图：地图。

[译文]

"我是乙卯那天早晨来到洛邑。我先占卜了大河以北的黎水地方，又占卜涧水之东、瀍水之西中间那片土地，只有这洛水之地得到吉兆；我又占卜瀍水以东的地方，也还是这洛水之地得到吉兆。特遣使来把新邑地图及占卜的吉兆献上。"

王拜手稽首曰："公不敢不敬天之休，来相宅①，其作周匹②。休公既定宅③，伻来，来视予卜休恒吉④，我二人共贞⑤。公其以予万亿年敬天之休⑥！拜手稽首诲言⑦。"

[注释]

①宅：基址。②匹：配。③休：褒美。此字旧说皆属上句，今从裘锡圭《〈洛诰〉"其作周匹休……"新解》之说，"休"下属为句，作为动词，褒美周公定宅、献图等行为。④恒：常。⑤共贞：共当此吉。⑥以：与。⑦诲：教诲。

[译文]

成王跪拜叩头说："您敬奉上天美命，来到洛地勘查新邑的基址，您是我周邦辅佐元勋。我特褒美您勘定都邑、献图献卜的行为，您既勘定洛邑，遣使到来，让我看到卜兆的美好吉祥，那么是您和我二人共同承当此美好。但愿您与我永久敬奉天的美命。谨跪拜叩头，感谢您的教诲。"

周公曰："王肇称殷礼①，祀于新邑，咸秩无文②。予齐百工③，伻从王于周④，予惟曰：'庶有事⑤。'今王即命曰：'记功宗⑥，以功作元祀⑦。'惟命曰：'汝受命笃弼⑧，丕视功载⑨，乃汝其悉自教工⑩。'

[注释]

①肇：始。称：举。殷礼：祭天改元的大礼。②咸：皆。秩：有序。文：通"紊"，乱。③齐：齐同。百工：百官。④伻：同"抨"，使。⑤庶：百官众庶。⑥记：当作"祀"，形讹。功宗：宗神。⑦以功作元祀：王国维《洛诰解》说："'记功宗'以下，周公述成王之言也。'功'，谓成洛邑之功。殷人谓年为祀，'元祀'者，因祀天而改元，因谓是年曰'元祀'矣。时洛邑既成，天下大定，周公欲王行祀天建元之礼于宗周。王则归功于洛邑之成，故即命曰'记功宗，以功作元祀'，意欲于洛邑行之也。"元祀，大祀。⑧笃：通"督"。弼：辅佐。⑨丕视功载：于省吾《尚书新证》说即"斯视事哉"，可从。⑩教工：王国维《洛诰解》说："《大传》作'学功'。学，效也。欲令周公效雒邑之功，以示天下也。"

[译文]

周公回到宗周镐京说："我王在新邑开始举行祀天改元的殷祭大典，应按礼法对天地神祇一一奉祀，不要紊乱。我召集百官，使他们迎接大王去洛邑。我对他们说：'你们百官将有祭祀大事。'现在我王可以请命于神说：'祭祀于宗神，以有功者告庙，举行开国大典式的元祀。'还可以命令我说：'你受先王遗命督促辅助我，这就履行你的职事吧，可自宣其功，以示天下。'

"孺子其朋①，孺子其朋，其往！无若火始炎炎②，厥攸灼③，叙弗其绝厥若④。彝及抚事如⑤。予惟以在周工往新邑⑥，伻向即有僚⑦，明作有功⑧，惇大成裕⑨，汝永有辞⑩。"

[注释]

①孺子：幼子，指成王。朋：群。②炎炎：又作"庸庸"，微小的样子。③厥：其。攸：所。灼：烧。④叙弗其绝：不能失去秩序。厥若：不详。⑤彝：常。抚：顺。如：通"汝"。⑥工：百官。⑦伻：通"抨"，使。向：各有方向，归属。有僚：即"僚"、"寮"。⑧明：勉。⑨惇：厚。裕：宽裕之治。⑩辞：声誉。

[译文]

"年轻的王啊，你还是和群臣一起去吧！和群臣一起去吧！不要像点火那样，开始微小的火星，后来逐渐烧大，君臣一起前去，不要前后递行，使群臣们常顾盼顺从于你，失去大祭的叙次。我率宗周百官前往新邑，使各卿士、太史诸大寮，勉赴事功，成就宽厚的大政，您也会在后代流传着美好的声誉。"

公曰："已①，汝惟冲子②，惟终③。汝其敬识百辟享④，亦识其有不享。享多仪⑤，仪不及物⑥，惟曰不享，惟不役志于享⑦。凡民惟曰不享，惟事其爽侮⑧。"

[注释]

①已：叹词。②冲子：童子、幼子。③终：通"崇"，尊崇。④识：记。百辟：诸侯。享：献，朝贡之礼。⑤仪：礼意。⑥物：币物。⑦役：营。⑧爽：差。侮：轻慢。

[译文]

周公说："啊！您虽年少，但您地位无比崇高。您要谨慎地辨识诸侯诚心享献的，也要识别不诚心享献者。享献之礼仪式繁多，其心中礼意比不上所献币物，那只能说是没有享献。因为他不专心于供奉，如果民众都仿效他不恭敬奉上，很多事情都会轻慢简率了。

洛诰

"乃惟孺子颁①,朕不暇听②。朕教汝于棐民彝③,汝乃是不覆④,乃时惟不永哉⑤。笃叙乃正、父⑥,罔不若予⑦;不敢废乃命。汝往敬哉!兹予其明农哉⑧!彼裕我民⑨,无远用戾⑩。"

[注释]

①颁:颁赐。②朕不暇听:不敢受命的意思。③棐:非。彝:法。④乃是:若是,如果。覆(máng):勉力。⑤乃:你的。时:统治时间。永:长。⑥笃:厚。叙:顺。正、父:二者都是官长。⑦罔不若予:无不像我,就像对我一样。⑧明农:治理农田理疆洫之事。⑨裕:使丰裕。⑩戾:乖戾。

[译文]

"我王您颁赐我大功,我不敢承受。我教告你民众非法之事,你如果不努力,那就不能长治久安。要厚待众官之长,就像对我一样,那么他们也会像我一样不敢废弃你的教令。你去吧!要恭敬谨慎啊。现在我准备去搞好农田疆界,用来丰富、加厚百姓的生计,那就可以长远安稳了。"

王若曰①:"公,明保予冲子②。公称丕显德③,以予小子扬文武烈④,奉答天命,和恒四方民居师⑤。惇宗将礼⑥,称秩元祀⑦,咸秩无文。惟公德明光于上下,勤施于四方,旁作穆穆⑧,御衡不迷⑨,文武勤教,予冲子夙夜毖祀⑩。"

[注释]

①王若曰:这是史臣记录成王讲话。②明:勉。保:辅。③称:举,扬。丕:大。④以:与。文武烈:文王、武王的事业。⑤和恒:和悦。师:京师洛邑。⑥惇:厚。宗:崇。将:大。⑦秩:叙次,次第。⑧旁:普。穆穆:美盛的样子。⑨御:遭遇。衡:逆,挫折。不迷:不混乱。⑩毖(bì):慎。

[译文]

王这样说:"公啊!你要勉力辅佐我啊。发扬您的大德,和我一起弘扬文王、武王的光辉事业,上以承奉天命,下以和悦四方之民来定居洛邑。我们要厚崇大典，举行元祀，按祀典顺序致祀而不紊乱。您的美德充满天地，普照四方，遇到挫折也不慌乱，又常教导我文治武功之方。我只是早晚敬慎于祭祀的大事啊。"

王曰："公功棐迪笃①，罔不若时②。"王曰："公，予小子其退，即辟于周，命公后。③四方迪乱④，未定于宗礼⑤，亦未克敉公功⑥。迪将其后⑦，监我士、师、工⑧，诞保文武受民⑨，乱为四辅⑩。"

[注释]

①棐（fěi）：辅。迪：教导。笃：厚。②若时：若是，如此，指上面所称述的。③"王曰……命公后"句：此十五字刘起釪说是错简在此，当在下文"王入太室祼"之下。蔡沈《书集传》说："此下成王留周公治洛也。成王言我退，即居于周（宗周镐京），命公留后治洛（成周）。……谓之后者，先成王之辞，犹后世留守留后之义。"其说是。今经文保留在此，译文移到"王入太室祼"之下。④迪：还。乱：需要治理。⑤宗礼：指元祀。⑥克：能。敉：通"弭"，终。⑦后：继续。⑧监：监督领导。士、师、工：指百官。⑨诞：乃。⑩乱：治理。四辅：四方之辅。

[译文]

成王说："您对我的辅助教导十分深厚，无不如上面所称述的。现在四方还没完全治理好，尚未安定于功宗元祀之礼，您的功业没有完全结束。所以您要继续留在洛邑，监督百官大臣，安定文王、武王的民众，治理成我们宗周四方之辅。"

王曰："公定①，予往已公功肃将祇欢②，公无困哉我③，惟无斁其康事④；公勿替刑⑤，四方其世享。"

[注释]

①定：止，留下来。②已：通"祀"。祇：敬。欢：通"灌"，灌礼。③哉我：当作"我哉"。④斁（yì）：厌倦、懈怠。康事：章太炎《古文尚书拾

遗》说当作"庚事",即"更事",更习吏事。⑤替:废。刑:同"型"。

[译文]

成王说:"您留下来,我去祭祀,以公功告庙,谨慎敬恭地完成灌献之礼。您一定要留下来,不要离开让我忧困呀!我将不懈地学习为政之方,以您为永远的模范,四方之民就能世世享受您的大德了。"

周公拜手稽首曰:"王命予来,承保乃文祖受命民①,越乃光烈考武王弘朕②。恭孺子来相宅③,其大惇典殷献民④,乱为四方新辟⑤,作周恭先⑥。曰其自时中乂⑦,万邦咸休,惟王有成绩。予旦以多子越御事笃前人成烈⑧,答其师⑨,作周孚先⑩。考朕昭子刑⑪,乃单文祖德⑫。

[注释]

①文祖:文王。②越:与,这里可理解为继承。光:光辉。烈:威严。考:父亲。弘朕:当作"弘训"。③恭:奉。孺子:指成王。④惇:厚。典:录用。⑤乱为四方新辟:章太炎《古文尚书拾遗》说:"言摄取大要为四方新法也。"⑥恭:敬。先:先导,表率。⑦时:是。中:中土,指洛邑。乂:治。⑧多子:指承担王朝大部分官职的姬姓贵族。越:与。笃:厚。⑨答:符合。师:众。⑩孚:同"郛",包括王城和成周都在其中的广大区域。⑪考朕:于省吾《尚书新证》谓即"朕考",指文王。昭:示。刑:模范。⑫单:大,光大。

[译文]

周公跪拜叩头说:"我王命令我来洛邑,安定您祖父文王的民众,继承您光辉的父亲武王的弘训。我侍奉您察看定居之地,从厚录用殷之贤人,以治殷之法撮举大要为四方的新法,作为将普遍实行的周法的先驱。从此以四方之中的洛邑为治,万国都将因此美盛,我王自会成就大功。我旦以众卿大夫与御事官员笃行文王、武王的遗训，以应和天下众心，筑成王城，以为南系于洛水、北因于郏山的周郭之先导。我的父亲文王昭示您以仪型，您必须要光大您祖父文王的大德。

"伻来毖殷①，乃命宁予②，以秬鬯二卣③，曰：'明禋④，拜手稽首休享⑤。'予不敢宿⑥，则禋于文王、武王：'惠笃叙⑦，无有遘自疾⑧，万年猒于乃德⑨，殷乃引考⑩。'王伻殷，乃承叙⑪，万年其永观朕子怀德⑫。"

[注释]

①伻：使。毖：慎。殷：殷祭之礼。②宁：安。③秬（jù）：黑黍。鬯（chàng）：祭祀时用的香酒。卣（yǒu）：盛酒的器具。④禋（yīn）：古代祭天之礼。⑤休：美。享：祭献。⑥宿：经一宿。⑦惠：顺。笃：厚。叙：次第。⑧遘：遇。疾：病。⑨猒：饱。⑩殷：殷的天命。引：长。考：成。⑪承叙：承顺。⑫朕子：指成王。

[译文]

"您派使者来，敬慎地对待殷祭之礼，命他以两卣黑黍鬯酒来看望我，指示说：'精意洁诚的禋祀，请跪拜好好祭献。'我不敢经宿拖延，马上禋祀于文王、武王，并献祝词说：'祝成王继承文武之道，身不遇疾病，子子孙孙永享其德，殷的天下永成周的天下。'希望我王能使殷人承奉有序，永远瞻仰感怀您的大德。"

戊辰①，王在新邑，烝祭岁②，文王骍牛一③，武王骍牛一。王命作册逸祝册④，惟告周公其后⑤。王宾⑥，杀禋⑦，咸格⑧，王入太室祼⑨。

[注释]

①戊辰：成王七年十二月晦日。②烝：冬祭。岁：岁祭。③骍（xīn）：红色。④作册：官名。逸：人名。祝册：宣读册文以告神。⑤告周公其后：告

诉文王、武王周公留守洛邑之事。⑥王宾：文王、武王之傧。⑦杀：杀牲。禋：禋祀。⑧格：歆享。⑨太室：太庙中央之室。祼（guàn）：以酒灌地降神之礼。"王入太室祼"以下当有"王曰公予小子其退即辟于周命公后"等文错简在此，今正文保留在彼，译文见下。

[译文]

十二月戊辰，成王已在新都洛邑，举行了冬祭和岁祭之礼。祭文王用一头红色的牛，祭武王也用了一头红色的牛。成王命作册之官逸在祭祀时宣读祝册之文，向文王、武王禀报了周公留守洛邑的事情。杀牲禋祀文王、武王，文王、武王都来享受。成王进入太庙中央之室，完成祼祭之礼。成王对周公说："我要退居到镐京，就君位于宗周，特命您留守洛邑。"

王命周公后，作册逸诰①，在十有二月。惟周公诞保文武受命②，惟七年③。

[注释]

①诰：诰命天下。②诞：乃。③惟七年：周公摄政七年。王国维说："书法先日次月次年者，乃殷周间记事之体。"

[译文]

成王命周公留下后，由作册逸作诰，这件事发生在十二月。周公留在了洛邑，承受文王、武王所赐予的大命，这一年是周公执政七年。

多 士①

惟三月②，周公初于新邑洛用告商王士③。

[注释]

①多士：就是众士，指殷商旧臣。本篇是周公代成王向殷商旧臣发布的

诰词，记录了周公借天命强迫殷商遗民迁居洛邑的原因和周王室对他们的政策，希望他们在洛邑安居乐业。刘起釪先生《尚书校释译论·多士》认为："周公称王执政的头三年（亦即周成王同时在位的三年），平定武庚、管、蔡等叛乱，即《大传》云'二年克殷三年践奄'之事。三年，归宗周，诰'四国多方殷侯尹民'于宗周，作《多方》。四年，封康叔于卫，作《康诰》、《酒诰》、《梓材》。接着以三监败后迁至洛邑的庶殷遗民筑成周都邑，形成一组诰辞，即五年所作的《召诰》、《多士》，至七年作雒工程的宗庙部分完成，周公请成王来洛邑举行元祀所作的《洛诰》及《逸周书》的《作雒》，还有《康诰》之首的逸篇。这是《大诰》之后的《周书》主要几篇的先后写成情况。"②惟三月：周公摄政七年三月。③王士：殷商的贵族阶级。杨筠如《尚书核诂》说："《逸周书·世俘解》：'癸丑，荐殷俘王士百人。'则王士盖犹言《春秋》王人也。下文'尔殷遗多士'亦即此王士也。"

[译文]

三月里，周公第一次在新都洛邑代成王告谕商王旧臣。

王若曰："尔殷遗多士！弗吊旻天大降丧于殷①；我有周佑命②，将天明威致王罚敕③，殷命终于帝。肆尔多士④，非我小国敢弋殷命⑤，惟天不畀⑥，允罔⑦，固乱弼我⑧；我其敢求位⑨！惟帝不畀，惟我下民秉为⑩，惟天明畏⑪。

[注释]

①弗：不。吊：善。旻天：指上天。降丧：降下灾祸。②佑命：帮助老天行天命。③将：奉。致：送。敕：告诫。④肆：现在。⑤弋（yì）：取。⑥畀（bì）：给予。⑦允罔：确定灭亡。⑧固：继续。乱：治。⑨其：岂。⑩秉：秉承。为：行事。⑪明畏：圣明威严。畏，通"威"。

[译文]

王这样说："你们这些殷商旧臣们，由于纣王不敬天命，上天给你们降下了大祸。我们周国信奉天命，在刑罚和警戒中贯彻了上帝显赫的威严，殷的天命就此结束。所以告诉你们，不是我们小小周邦敢于夺取你们殷家的天命，只是因为上天不愿意再给你们，决定要你们丧亡，所以他连续佑助我们。我们哪敢奢求这个王位呢！上帝盛明而威严，他不愿意再给你们大命，下民们只能信守奉行他的旨意。

"我闻曰：上帝引逸①，有夏不适逸则②，惟帝降格向于时③。夏弗克庸帝④，大淫泆有辞⑤。惟时天罔念闻⑥，厥惟废元命⑦，降致罚。乃命尔先祖成汤革夏⑧，俊民甸四方⑨。自成汤至于帝乙⑩，罔不明德恤祀⑪，亦惟天丕建保乂有殷⑫；殷王亦罔敢失帝，罔不配天，其泽⑬。在今后嗣王诞罔显于天⑭，矧曰其有听念于先王勤家⑮；诞淫厥泆，罔顾于天显民祗⑯。惟时上帝不保，降若兹大丧。惟天不畀，不明厥德。凡四方小大邦丧，罔非有辞于罚。"

[注释]

①引逸：古代成语，牵引之使收敛，不至于犯下大过。引，限制。逸，放纵。②有夏：夏。适：节制。③降格：指降下灾祸。格，来。时：是。④克：能。庸：用。⑤泆：通"逸"。有辞：有罪状可以指说。⑥惟时：于是。天罔念闻：老天抛弃，不闻不问。⑦元命：天命，大命。⑧成汤：商代的第一个王。革夏：改变夏朝的天命。⑨俊民：贤人。甸：治理。⑩帝乙：商纣王之父，倒数第二代商王。⑪罔：无。明：勉。恤：慎。⑫丕：大。建：建立。保：安。乂：治。⑬泽：通"绎"，连绵不断。⑭后嗣王：即商纣王。诞：大。显：敬畏。⑮矧：何况。⑯天显：天命。祗：通"哉"。

[译文]

"我听说：上帝是不让人过度放纵的。夏桀不节制自己的享乐行为，于是上帝降下了灾祸。但夏桀还不听从接受，反而变本加厉，处处表现了他的罪状。到了这时候，上天就不再顾惜他们，废掉了夏的大命，降下灭亡的责罚。这样他就命令你们的先祖成汤代替夏的统治，成汤又把贤人们安置到四方治理民事。从成汤到帝乙，没有一个不是勤修德行和谨慎于祭祀的，天也就帮助成立了商的天下。商王也不敢违背天命，没有不配合上帝的，所以他们才能一代代传下王业。可是到了末代君王纣，大不敬天道，更说不上尊念先王勤政的故事。他就大肆淫乱起来，根本不管天命和民众疾苦。上帝就不再保佑殷国，降下了灭亡的大祸。由此可知，老天不会赐天命给不修德教的人，四方大大小小国家的灭亡，没有一个不是因为相应的罪状招致惩罚的。"

王若曰："尔殷多士！今惟我周王丕灵承帝事①，有命曰'割殷②'，告敕于帝。惟我事不贰适③，惟尔王家我适④。予其曰：惟尔洪无度⑤，我不尔动⑥，自乃邑。予亦念天即于殷大戾⑦，肆不正⑧。"

[注释]

①丕：大。灵：善。承：承顺。②割殷：指灭殷。割，害。③惟：只有。④适：通"敌"。⑤尔：你们。洪：大。度：法度。⑥不尔动：不动尔，宾语前置。⑦即：就。戾：罪。⑧肆：故。正：治罪。

[译文]

王说："你们这些殷商旧臣啊！现在，只有我们周王能好好地顺承上帝，所以上帝命令说：'你们去惩罚殷家。'我们执行了，并将结果祭告了上帝。我们灭殷只是与王家为敌，并不是敌视你们民众。我要说：是你们武庚太没有法度，我们也并没有采取行动，是你们国都内先发动了叛变。我看到上天已经降下大祸给殷家，所以也就不再诛伐你们这些人了。"

王曰："猷告尔多士①！予惟时其迁居西尔②，非我一人奉德不康宁③，时惟天命④，无违！朕不敢有后⑤，无我怨！

[注释]

①猷告：王引之《经义述闻》说原作"告猷"，伪《古文》所改。猷，于。②迁居西尔：即"迁尔居西"之倒装。洛邑在殷地之西，所以说迁到西面。③奉德：根据道德原则。康宁：安静。④时：是。⑤后：怠慢。

[译文]

王说："我告诫你们！我把你们迁移到这里，不是我不让你们安定，这是上天的命令，违背不得的！我也不敢怠慢上天的命令，你们可不要怨我。

"惟尔知：惟殷先人有册有典①，殷革夏命。今尔又曰：'夏迪简在王庭②，有服在百僚③。'予一人惟听用德④，肆予敢求尔于天邑商⑤。予惟率肆矜尔⑥。非予罪，时惟天命！"

[注释]

①有册有典：有典籍的意思。②迪：进。简：选拔。③服：服务。百僚：泛指百官。④予一人：周公代周王自称。⑤肆：故。求：求取。天邑商，即"大邑商"，甲骨文中常见，指商代都城。⑥率肆矜尔：王引之《经义述闻》引王念孙说："谓放赦之也。'予惟率肆矜尔'者，言我惟用肆尔之罪，矜尔之愚而已。"率，用。肆，宽赦。矜，怜。

[译文]

"你们知道殷家先王传下来的历史典册，记载着殷革夏命的故事，就说：'殷商选拔了很多夏人进入朝廷，让他们担任各种要职。'但我用人是以德行作为标准的，如果你们中间有贤人，我一定会在商都里找出来的；但现在我只有哀怜、赦免你们而已。这不是我的罪过，这是上天的命令！"

王曰："多士！昔朕来自奄①，予大降尔四国民命②。我乃明致天罚，移尔遐逖③，比事臣我宗④，多逊⑤。"

[注释]

①朕：周公自称。奄：古国名，在今山东曲阜市东。奄是东方强大方国，曾参加周初反叛，是东方国家叛乱的中心之一。《尚书大传》曰："周公摄政三年，践奄。"告多士在摄政七年，故曰："昔朕来自奄。"奄地后来是周公受封之地，鲁国就是在奄地建立起来的。②降：下。四国：指参加叛乱的管、蔡、商、奄四国殷民。③遐：远。逖（tì）：远。④比：亲附。事：服事。臣：臣服。我宗：指周王朝。⑤逊：顺。

[译文]

王说："殷商旧臣们！从前我征伐了奄国回来，对参加叛乱的管、蔡、商、奄四国殷民厚赐恩德，为了明确表达出天的责罚，把你们从遥远的地方迁来，好亲近我们的政教，服事、承顺我们周王朝。"

王曰："告尔殷多士！今予惟不尔杀，予惟时命有申①。今朕作大邑于兹洛，予惟四方罔攸宾②；亦惟多士攸服③，奔走臣我④，多逊⑤。"

[注释]

①时：是。有：又。②攸：所。宾：通"摈"，摈弃。③服：服务。④奔走：效力。臣：臣服。⑤逊：顺。

[译文]

王又说："告诉你们殷商的旧臣们！现在我不杀你们，我把以前的命令重申一下。我们在洛水旁造起这座大城邑，为的是包容四方民众；不但不会拒绝你们，而且希望你们能替我们效力，顺从地臣服我们。

"尔乃尚有尔土①，尔乃尚事宁干止②。尔克敬，天惟畀矜尔③；尔不克敬，尔不啻不有尔土④，予亦致天之罚于尔躬⑤！今

多士 217

尔惟时宅尔邑⑥，继尔居⑦，尔厥有干有年于兹洛⑧，尔小子乃兴⑨，从尔迁。"

[注释]

①尚：通"常"。②宁：安。干：通"翰"，屏翰，守护。止：休息。③畀：给予。矜：怜爱。④不啻：不但。⑤躬：身。⑥时：是。宅：居。⑦居：居处，指正常生活。⑧干：通"翰"，保卫。有年：长久。⑨兴：兴盛。

[译文]

"你们还是可以永远占有你们的土地，永远安宁地守护着它。只要你们恭恭敬敬的，老天就会哀怜你们。否则，你们不但不能享有土地，我还要把上天的责罚加到你们身上。现在你们在自己的都邑里安居乐业了，可以好好地在洛邑守护漫长的岁月。从你们迁居开始，你们的子孙后代也会兴旺发展起来的。"

王曰又曰①："时予②，乃或言尔攸居③。"

[注释]

①王曰又曰：曾运乾《尚书正读》说："《尚书》各篇惟周公各语常称又曰，通校各篇，除本篇'今尔又曰'为引或言外，余皆一语复言。本文'又曰'，重言'时予'也。"②时：承，顺。③或：通"克"，能。攸：通"悠"。

[译文]

王说："顺从我吧。"又说："顺从我，才能在这里永久安居。"

无 逸①

周公曰："呜呼！君子所其无逸②！先知稼穑之艰难乃逸③，则知小人之依④。相小人⑤，厥父母勤劳稼穑⑥，厥子乃不知稼穑之艰难,乃逸,乃谚⑦,既诞⑧。否则侮厥父母曰⑨:'昔之人无闻知⑩!'"

[注释]

①无逸:无,通"毋"。《史记·鲁周公世家》载周公作《无逸》"以诫成王"。篇中周公反复告诫成王,要以殷商的灭亡为戒,不能贪图逸乐、酗酒丧德;应知稼穑艰难,要效法周文王勤劳为政。②君子:指"嗣王",君主。所其:于省吾《尚书新证》说"所"原当作"启",金文形似而讹,"启其"乃周人语例,开始。逸:安逸。③稼穑:农事。乃逸:衍文,可删。④小人:下层民众。依:隐忧,苦衷。⑤相:观察。⑥厥:其。⑦谚:同"喭",刚猛、不恭敬。⑧诞:同"延",长久。⑨否则:于是。⑩昔之人:指老一辈。

[译文]

周公说:"啊!国君一开始就不能贪图安逸呀!如果他事先知道耕种和收获的艰难,那才会明白百姓们的疾苦。我们观察到那些小民们,父母在田地上挥汗苦干,可是他们的儿子不理解农事的艰辛,惯于享乐、任性,时间长了,更瞧不起他的父母,说:'他们老人懂什么!'"

周公曰:"呜呼!我闻曰:昔在殷王中宗①,严恭寅畏②,天命自度③,治民祗惧④,不敢荒宁⑤。肆中宗之享国七十有五年⑥。其在高宗⑦,时旧劳于外⑧,爰暨小人⑨;作其即位⑩,乃或亮阴⑪,三年不言⑫,其惟不言,言乃雍⑬;不敢荒宁,嘉靖殷邦⑭,至于小大⑮,无时或怨⑯:肆高宗之享国五十有九年。其在祖甲⑰,不义惟王⑱,旧为小人⑲。作其即位,爰知小人之依,能保惠于庶民⑳,不敢侮鳏寡。肆太宗之享国三十有三年。自时厥后立王㉑,生则逸,生则逸㉒!不知稼穑之艰难,不闻小人之劳,惟耽乐之从㉓。自时厥后亦罔或克寿㉔,或十年,或七、八年,或五、六年,或四、三年㉕。"

[注释]

①中宗：商代第七任贤君祖乙。②严：严肃庄重。寅：敬。③度(duó)：衡量。④祗惧：恭敬谨慎。⑤荒宁：荒废政务，贪图安逸。⑥肆：所以。有：又。⑦高宗：殷王武丁宗庙的称号，武丁是商汤第十一世孙，殷王朝第二十三任君主。⑧时：即位之前。旧：久。⑨爰：于是。暨：通"惎"，惠爱。⑩作：及。⑪亮阴：又作"谅阴"、"谅暗"，旧说多释作沉默不言。⑫三年不言：李民《〈尚书〉与古史研究》认为武丁即位之初，年轻而缺少政治经验，又无干练的辅弼大臣，因而"三年不言"，政事交由冢宰主持，自己去"观国风"，了解民情。其说是。⑬雍：和谐。⑭嘉靖：安定。⑮小大：百姓、群臣。⑯时：是。⑰祖甲：成汤之孙太甲。⑱义：拟，打算。⑲旧：久。⑳保：安。惠：爱。㉑时：是。㉒生则逸，生则逸：曾运乾《尚书正读》说："两言之者，周公喜重言也。"㉓耽乐：沉湎享乐。㉔罔或：没有。克：能。寿：长久。㉕以上一节，旧说怀疑与历史事实不合，疑有简编错乱。刘起釪《尚书校释译论·无逸》据段玉裁《古文尚书撰异》之说，将"其在祖甲"至"三十有三年"四十四字移到开头"昔在殷王"后，"其在"二字置于末尾以接"高宗"，并改"祖甲"为"太宗"。谓："太宗"是汤孙太甲，原"祖甲"只能以武丁之子帝甲当之，末段"自殷王中宗及高宗及祖甲"，也要相应改成"自殷王太宗及中宗及高宗"，其说甚通。但终嫌改动太大，不如先保存经文原貌，而记其说于此，以备参考。

[译文]

周公说："唉！我听说，过去殷王中宗，庄重严肃，以恪守天命来要求自己，治理民事十分小心，不敢怠惰，所以他享有王位七十五年。到了高宗，先前在外面吃了不少苦，于是惠爱小民，后来做了王，三年不论政事，深入民间体察民情，偶尔论及国事，却又得到广泛赞同。他不敢荒废国事，贪图安逸，因此国家治理得很太平，从百姓到朝臣，没有一句怨言。所以他的祚位也有五十九年。祖甲在位时，他本没有准备做王，沦落在民间很久，等到登了王位，却识得小民们的苦衷，能安养惠爱老百姓，连孤苦没有依靠的人都不轻慢。所以他享有帝位三十三年。从这以后立的王，生下来就贪图安逸！生下来就贪图安逸！不了解耕作的艰难，不知道小民的劳苦，只是寻欢作乐。所以此后的殷王也没有一个是长久在位的，或十年，或七八年，或五六年，或三四年罢了。"

周公曰："呜呼！厥亦惟我周，太王、王季克自抑畏①。文王卑服②，即康功田功③；徽柔懿恭④，怀保小民，惠鲜鳏寡⑤；自朝至于日中、昃⑥，不遑暇食，用咸和万民⑦。文王不敢盘于游田⑧，以庶邦惟正之供⑨。文王受命惟中身⑩，厥享国五十年。"

[注释]

①太王：古公亶父，文王的祖父，王季的父亲。王季：文王的父亲。抑畏：谨慎戒惧。②卑服：服从，遵循。卑，通"俾"。③康功田功：章太炎《古文尚书拾遗》说："康功者，谓平易道路之事。田功者，谓服田力穑之事。前者职在司空，后者职在农官，文王皆亲莅之。"可从。④徽：善良。懿：美。恭：敬。⑤惠：爱。鲜：通"斯"，语气助词，无义。⑥朝：早晨。日中：中午。昃（zè）：太阳偏西，指黄昏。⑦用：以。咸：同"諴"，和。⑧盘：乐。田：同"畋"，狩猎。⑨以：与。庶邦：众邦，指臣服于周的诸方国。正：同"政"。供：奉。⑩中身：中年。

[译文]

周公说："啊！只有我们周家太王和王季能谦恭戒惧。文王秉承两位先王的德行，亲身管理平治道路和农业生产两件大事；他心地仁爱恭敬，关心爱护小民，光施恩惠给那些孤苦无依的人；从早到晚，常常忙得没空吃饭，为的是让百姓和谐生活。文王不敢沉湎于游玩寻乐，只忙于和许多属邦诸侯共理政事。因此，他即位时虽已到中年，却还能享位五十年之久。"

无逸

周公曰:"呜呼!继自今嗣王则其无淫于观、于逸①,于游,于田,以万民惟正之供。无皇曰②:'今日耽乐。'乃非民攸训③,非天攸若④,时人丕则有愆⑤。无若殷王受之迷乱⑥,酗于酒德哉!"

[注释]

①淫:过度玩乐。观:游览。逸:安逸。②皇:通"兄"(况),更。③攸:所。训:顺。④若:顺。⑤时:是。丕则:于是。愆:过错。⑥受:商纣王名。

[译文]

周公说:"唉!从今以后继位的王可不要沉湎在游猎的享乐里,要尽力和百姓推行政事。更不要说:'今天玩一玩就好。'要知道这是百姓所不允许的,也是上天所不允许的。这样下去是要犯错的。千万不要像殷纣王那样迷乱,酗酒无度啊!"

周公曰:"呜呼!我闻曰:古之人犹胥训告①,胥保惠,胥教诲,民无或胥诪张为幻②。此厥不听③,人乃训之④,乃变乱先王之正刑⑤,至于小大,民否则厥心违怨⑥,否则厥口诅祝⑦。"

[注释]

①人:指君主和臣民。犹:由,用。胥:互相。②或:有。诪(zhōu)张:欺诈。幻:惑乱。③厥:其,你。④训:以……为榜样。⑤正刑:旧法。⑥否则:于是。违:怨。⑦祝:诅咒。

[译文]

周公说:"唉!我听说古时的君主和臣民之间常常互相告诫,互相爱护,互相教诲,百姓也就没有造谣欺诈的事。如果你们不接受别人的劝导,官员们就会引为榜样,变乱先王的正法,扩及大大小小的法令,结果只会激起百姓的怨恨和诅咒。"

周公曰:"呜呼!自殷王中宗及高宗及祖甲①,及我周文王,兹四人迪哲②。厥或告之曰③:'小人怨汝詈汝④。'则皇自敬德⑤。厥愆,曰:'朕之愆!'允若时⑥,不啻不敢含怒⑦。此厥不听,人乃或诪张为幻。曰:'小人怨汝詈汝。'则信之,则若时,不永念厥辟⑧,不宽绰厥心,乱罚无罪,杀无辜。怨有同⑨,是丛于厥身⑩!"

[注释]

①殷王中宗及高宗及祖甲:其间可能有简编错乱,见上文注释。今暂保留原貌,不加改动。②迪:用。③或:有。④詈(lì):骂。⑤皇:通"兄(况)",更。⑥允:信。若时:如此。⑦不啻(chì):不但。⑧永:长。辟:法度,典型。⑨同:会同。⑩丛:聚集。

[译文]

周公说:"唉!从殷王中宗、高宗、祖甲到我们周家的文王,这四个人是最圣明的。如果有人告诉他们说:'百姓在怨你骂你呀!'他们就更加谨慎于德行。有了过错,他们会很坦率地承认说:'这是我的错!'他们真的就是这样坦白,不只是没有怨恨而已。假如听不进这些话,百官们就会造谣欺诈,说:'百姓在怨你骂你啊!'你一听就信以为真。如果这样,不好好想着先王树立的光辉典型,不开拓自己的心胸,而去惩罚无罪,滥杀无辜,那么百姓的怨恨必有所会同,自然集中到你一个人的身上了!"

周公曰:"呜呼!嗣王其监于兹①!"

[注释]

①嗣王:指周成王。监:同"鉴",借鉴。

[译文]

最后,周公说道:"唉!王,你要以这些为鉴戒啊!"

无逸

君奭①

周公若曰："君奭，弗吊②，天降丧于殷。殷既坠厥命，我有周既受，我不敢知曰厥基永孚于休③。若天棐忱④，我亦不敢知曰其终出于不祥。

[注释]

①君奭(shì)：指召公，君是尊称。《史记·燕召公世家》载："成王既幼，周公摄政，当国践祚，作《君奭》。君奭不说召公。周公乃称'汤时有伊尹，假于皇天……'，于是召公乃说。"《君奭》是周成王时，周公为对同时辅政的召公奭强调大臣对于商周王朝兴衰的重要性，希望能一起借鉴历史教训，和衷共济，团结一致治理国家的一篇谈话。②弗吊：指纣王无道，干尽坏事。弗，不。吊，善。③基：始。孚：信。休：美。④若：语气助词。棐(fěi)：非。忱：诚，信。

[译文]

周公说："君奭啊！由于纣王干尽了坏事，老天把丧亡之祸降给了殷国。现在殷已丧失了他们的天命，由我周朝承受了，但我不敢说我们刚已开始的基业就肯定这样美好下去。天命不可信赖，我也不敢说我们的国运最后能否长久。

"呜呼！君已曰时我①，我亦不敢宁于上帝命②，弗永远念天威越我民③。罔尤违④，惟人在⑤！我后嗣子孙大弗克恭上下⑥，遏佚前人光在家⑦，不知天命不易、天难谌⑧，乃其坠命，弗克经历嗣前人恭明德⑨。

[注释]

①时我：同意我的做法。时，是。②宁：安。③越：与。④罔：无。尤：

罪过。违：违戾。⑤在：通"哉"。⑥大：假如。克：能。上下：指天地。⑦过：绝。佚：失去。光：光烈。家：指周王朝。⑧谌（chén）：诚，信。⑨经历：经营行事。

[译文]

"唉！您曾经同意我的看法，但我也不敢就这样安然信赖于天命，不敢不长远敬念上天的威严和百姓们的疾苦。会不会产生过错，全在于自己啊！假如我们后嗣子孙不能承顺天地神祇的旨意，丢弃掉文王、武王的光辉事业，不知道获得天命的艰难，不懂得老天也难以完全信赖，就会丧失自己的天命，也就无从经营努力于文王、武王的光辉德业了。

"在今予小子旦①，非克有正②，迪惟前人光，施于我冲子③。"

[注释]

①予小子旦：周公自称。②正：匡正，表率。③施：延。

[译文]

"现在我姬旦，虽不能说能有所表率，只有继续发挥文王、武王之光荣传统，好延续到我们年轻的成王身上。"

又曰："天不可信，我道惟宁王德延①，天不庸释于文王受命②。"

[注释]

①道：语气助词。宁王：当作"文王"。②庸：用。释：弃。

[译文]

周公又说道："不可一味信赖老天，我们只有继承和发展文王的大德，老天才不会舍弃文王接受下来的大命。"

公曰：" 君奭，我闻在昔成汤既受命，时则有若伊尹①，格于皇天②。在太甲③，时则有若保衡④。在太戊⑤，时则有若伊陟、臣扈⑥，格于上帝；巫咸乂王家⑦。在祖乙⑧，时则有若巫贤⑨。在武丁⑩，时则有若甘盘⑪。率惟兹有陈⑫，保乂有殷，故殷礼陟配天⑬，多历年所⑭。天惟纯佑命⑮，则商实百姓、王人⑯，罔不秉德明恤⑰。小臣屏侯、甸⑱，矧咸奔走⑲。惟兹惟德称⑳，用乂厥辟㉑，故一人有事于四方㉒，若卜筮，罔不是孚㉓。"

[注释]

①时：当时。若：其，此。伊尹：商汤时的辅政大臣，原为商汤妃有莘氏之媵臣，受汤重用，佐汤灭夏，建立商朝。至太甲时被杀。②格：孙星衍《尚书今古文注疏》说："《释诂》云：'升也。'谓汤得伊尹辅佐成功，升配于天也。"③太甲：商长子太丁之子，殷王朝第五任国王。④保衡：官名，王身边的辅助大臣，陈梦家《殷墟卜辞综述》认为即甲骨文中的黄尹。一般认为保衡就是伊尹。⑤太戊：殷王朝第十任国王，太甲之孙。⑥伊陟（zhì）：商王太戊的辅政大臣，相传与伊奋为伊尹的两个儿子。臣扈：商王太戊时的辅政贤臣。⑦巫咸：商代著名贤臣。一说即卜辞中的咸戊。杨筠如《尚书核诂》说："其名本为咸戊，故或称巫咸，或称巫戊也。"乂：治。王家：商王朝。⑧祖乙：商王朝第十四国王，甲骨文中称为中宗。⑨巫贤：祖乙的贤臣。⑩武丁：商王朝第二十三任国王，即高宗。⑪甘盘：武丁的贤臣。⑫率：大率，大都。兹：这。有陈：吴阖生《尚书大义》说："有陈，谓有列位者。"⑬陟：登，升。俞樾《尚书平义》："谓殷人之礼死则配天而称帝也。《竹书纪年》：'凡帝王之终皆曰陟。'此经陟字，义与彼同。"⑭历：久。所：助词。⑮天惟纯佑命：戴君衡《尚书补商》说："此推言商六臣之功也。'纯佑'，李氏光地曰：'犹良佐也。''命'，天命之也。'天惟纯佑命'，犹云'天惟命纯佑'，倒文也。"⑯实：杨筠如《尚书核诂》说："犹是也，是与之同，古是、之通用。"百姓：异姓之臣。王人：王之族人，即同姓贵族。⑰秉：奉持。明：勉。恤：谨慎。⑱小臣：这里指亲近君主的朝廷重臣。屏：并。侯、甸：泛指商的附属诸侯国。⑲矧：语气助词。咸：都。奔走：效力。⑳兹：此，指上六个名

臣。称：举。㉑乂：通"艾"，相。辟：君主。㉒一人：指君王。㉓孚：信。

[译文]

周公说："君奭啊！我听说过去商王成汤受了天命后，当时有着伊尹这样的贤臣辅佐，就使得他祭祀时享配于天。到太甲时，则有贤臣保衡（黄尹）。太戊时，就有伊陟、臣扈辅佐，也使他祭祀时享配于上帝。还有贤臣巫咸，治理王家有功。祖乙时，有贤臣巫咸。武丁时，又有贤臣甘盘。大概都是因为这些王朝贤臣安定治理了殷王朝，才能使上述诸王死后配祀于天，经历了许多年代。上天降下这几位贤良臣佐，于是商朝异姓、同姓之臣无不秉承其德，谨慎政事。王朝亲近重臣，各地诸侯，也无不奔走效力于王朝。正因为上述诸贤臣以德行见称，群策群力辅佐君王，天子有政事要施行于天下时，四方臣民无不信奉贯彻，就像信奉占卜的灵验一样。"

公曰："君奭，天寿平格①，保乂有殷，有殷嗣②，天灭威③。今汝永念④，则有固命⑤，厥乱明我新造邦⑥。"

[注释]

①寿：久。平格：平康。②嗣：指纣王继位。③威：恶。④永念：永远记住。⑤固命：天命。⑥厥：语气助词。乱：治。明：成。新造邦：刚建立的西周王朝。

[译文]

周公说："君奭啊！上天赐给上述诸臣平顺安康，来辅治殷王朝。但殷王朝嗣君纣继位后，又天灭其恶。你要记住这些，才能获得上天的定命，治理成功我们这个新建立的国家。"

公曰："君奭，在昔上帝割申劝宁王之德①，其集大命于厥躬②？惟文王尚克修和我有夏③，亦惟有若虢叔，有若闳夭，有若散宜生，有若泰颠，有若南宫括④。又曰无能往来兹迪彝教⑤，文王蔑德降于国人⑥。亦惟纯佑秉德⑦，迪知天威⑧，乃惟时昭文王迪见⑨，冒闻于上帝⑩，惟时受有殷命哉！

[注释]

①割：即"害"，同"曷"，为什么。申：重，一再。劝：劝勉。宁王：文王。②躬：身。③修：治。有夏：即"夏"，指中国。④虢（guó）叔、闳天、散宜生、泰颠、南宫括：五人都是文王的卿士、贤臣。《左传》僖公五年云："虢仲、虢叔，王季之穆也。为文王卿士，勋在王室。"《国语·晋语》云："文王在傅弗勤，处师弗烦，敬友二虢。其即位也，咨于二虢，度于闳天，谋于南宫。"《史记·周本纪》载："闻西伯善养老，盍往归之。太颠、闳天、散宜生、鬻子、辛甲大夫之徒皆往归之。"《说苑·君道》篇云："文王以武王、周公为子，以泰颠、闳天为臣。"《史记·周本纪》载武王"命南宫括散鹿台之财，发钜桥之粟，以振贫弱萌隶。命南宫括、史佚展九鼎宝玉"。泰颠、闳天、散宜生、南宫括四人在武王时仍为重臣。⑤又曰：即"有曰"，下文以假设之辞反其意而言之。往来：奔走效力。迪：导。彝：常。⑥蔑：无。⑦纯佑：贤臣良佐。秉：持。⑧天威：天命。⑨时：是。昭：辅助。见：显示。⑩冒：勉励。

[译文]

周公说："君奭啊！过去为什么上帝一再殷勤奖劝文王的美德，把天命集中在他身上呢？因为只有文王，才能把华夏诸民族团结起来，当时更有治国贤才如虢叔、闳天、散宜生、泰颠、南宫括等人。可以说假如没有这些贤臣辅佐文王宣导德教，文王之德无以普及万民。也因为这五位贤臣良佐秉承明德，才能进知天命，也由于这几位辅佐文王以致圣道显著，才能感动而上通于上帝，如此才承受了殷的天命啊！

"武王，惟兹四人，尚迪有禄①。后暨武王诞将天威②，咸刘厥敌③，惟兹四人昭武王惟冒④，丕单称德⑤。

[注释]

①迪:语气助词。有禄:还活着。死者称"不禄"。②暨:与。诞:乃。将:奉。③刘:杀。④冒:覆盖。⑤丕:大。单:同"殚",尽。称:举。

[译文]

"到武王时,这几位贤臣中只有四个还在,他们跟随武王敬奉天命,诛杀敌人。他们四人昭明武王之德覆盖天下,使天下尽称武王之德。

"今在予小子旦①,若游大川,予往暨汝奭其济,小子同未②,在位诞无我责③,收罔勖不及④,耇造德不降⑤,我则鸣鸟不闻⑥,矧曰其有能格⑦。"

[注释]

①今在:现在。予小子旦:周公自称。②同:即"侗"(tóng),幼稚,未成器。未:同"昧",昏暗不明。③诞:其。④收:成。勖:勤勉。及:至。⑤耇(gǒu):老。造:成。降:和同。⑥鸣鸟:比喻说言、高论。⑦矧:况。格:至,知。

[译文]

"现在我小子姬旦就像在大河里游走,需要和你君奭共渡。今我小子姬旦暗昧不成器,在位官员没有一个匡正我、勉励我的,老成有德之人再不来和同响应我,我就听不到有益的高言说论了,更谈不上什么知天命了!"

公曰:"呜呼!君①,肆其监于兹②,我受命无疆惟休③,亦大惟艰,告君乃猷裕我④,不以后人迷⑤。"

[注释]

①君:指召公奭。②肆:今,现在。监:借鉴。③无疆:无限。休:美。④乃:虚词。猷裕:教导。⑤后人:即后王,此指成王。

[译文]

周公说:"啊!君奭!你现在应当对此有所借鉴。我们周朝从老天那里接受大命,可谓无比美好,但却是经历了极大的艰难才得来的。因此希望你教导我,不可使后王迷误啊!"

公曰:"前人敷乃心①,乃悉命汝②,作汝民极③。曰:汝明勖偶王在④!亶乘兹大命⑤。惟文王德,丕承无疆之恤⑥。"

[注释]

①前人:指武王。敷乃心:坦露心意。敷,布。乃,其。②悉:详。汝:指周公和召公。③极:准则。④明勖(xù):同义词连用,勉励。偶:辅佐。在:通"哉"。⑤亶:通"单",即"殚",尽。⑥承:承受。恤:忧患。

[译文]

周公说:"武王曾坦露过他的心思,详尽地说:'命令你们(周公和召公)能够作为大臣和人民的楷模。'还说:'勤勉地辅助成王啊,要诚心诚意接受这个使命!文王的圣德,一定要大加发扬,这将是无穷忧勤的事业!'"

公曰:"君!告汝,朕允保奭①,其汝克敬以予监于殷丧大否②,肆念我天威③。予不允惟若兹诰④。予惟曰:'襄我二人⑤,汝有合哉!'言曰:'在时二人⑥,天休滋至⑦。'惟时二人弗戡⑧。其汝克敬德,明我俊民在⑨!让后人于丕时⑩。呜呼!笃棐时二人⑪,我式克至于今日休⑫。我咸成文王功于不怠⑬,丕冒海隅出日⑭,罔不率俾⑮。"

[注释]

①允:信。保奭:召公为太保,故称保奭。②其:语气助词,表希望。以:与。否:厄。③肆:长。④允:于省吾《尚书新证》谓此"允"亦"兄"之讹,"兄"训作"皇",暇也。不兄即不暇。今从之。⑤襄:助。⑥时:是。

⑦休:美。⑧戡(kān):胜。⑨明:彰明。俊民:贤人。在:通"哉"。⑩让:通"襄",助、成。后人:即后王,指成王。丕时:斯时,此时。⑪笃:诚。棐:非。时:是。⑫我:指周王朝。式:用。克:能够。休:美。⑬咸:皆。⑭丕:大。冒:覆。⑮率:顺。俾:从。

[译文]

周公说:"君奭啊!告诉你,我信任你,希望你能恭敬地和我一道借鉴殷人之丧亡大厄,永远顾念着我周朝的天命。我不单只讲这些,我希望有能襄助我二人的人,你和我要同心合德。有人说:'有此二人共辅王室,老天的美好会日益降临。'不过这不是我二人能独自承受的。希望你能尊敬贤德,彰明显扬我们国家优秀的人才,好在这时襄助成王。唉!如果不是我们两人,我们周家怎么能有今天这样美好的局面?让我们一起来成就文王的大功,永不懈怠,使四海之内都感受着文王的德教,无不遵循服从我们周朝的统治。"

公曰:"君!予不惠若兹多诰①,予惟用闵于天越民②。"

[注释]

①惠:惟。②闵:忧虑。越:与。

[译文]

周公说:"君奭啊!我不想这么多话,只是忧虑天命和我们的人民。"

公曰:"呜呼!君!惟乃知民德,亦罔不能厥初①,惟其终。祗若兹②。往敬用治③。"

[注释]

①罔:不。②祗:敬。③用:以。

[译文]

周公说:"唉!君奭!你知道民众的脾性,做一件事情,开始都是不错的,但却很少能善始善终、坚持到底,你要慎重对待这个问题。从今往后,希望你恭敬地治理好国家。"

蔡仲之命[1]

惟周公位冢宰[2],正百工[3],群叔流言[4]。乃致辟管叔于商[5],囚蔡叔于郭邻[6],以车七乘[7];降霍叔于庶人[8],三年不齿[9]。蔡仲克庸祗德[10],周公以为卿士[11]。叔卒,乃命诸王邦之蔡[12]。

[注释]

[1]蔡仲之命:周公平定管、蔡和武庚叛乱后,杀管叔与武庚,放逐蔡叔。后来,蔡叔死了,其子胡修行善德,对周王室很忠诚。周公就请成王册封胡于蔡,延续蔡叔的宗祀。本篇即册封的命辞。《蔡仲之命》属梅赜《古文尚书》。[2]冢宰:周代官名,也称大宰,百官之长。[3]正:统领。百工:百官。[4]群叔:即管、蔡等人。流言:诽谤。[5]乃:于是。致辟:行诛杀之刑。商:商都朝歌一带,在今河南安阳附近。[6]囚:囚禁。蔡叔:姬姓,又叫蔡叔度,文王之子、武王之弟。郭邻:国外极远之地,具体不详。[7]乘(shèng):一车四马谓之乘。[8]降:下。霍叔:姬姓,又称霍叔处,文王之子,武王之弟。庶人:平民。[9]齿:录用。[10]蔡仲:蔡叔度之子胡。克:能。庸:用。祗:敬。[11]卿士:这里指鲁国的卿士。[12]乃:于是。邦:国。

[译文]

周公任冢宰,统领百官,管叔、蔡叔等几个兄弟散布流言并发动叛乱。周公于是率兵征伐,在商都杀了管叔,囚禁了蔡叔,把他流放到国外,只配了七乘车的随从;把霍叔降为平民,三年不予录用。蔡叔之子蔡仲因为能敬守德行,周公任用他为鲁国卿士。蔡叔死后,周公请命于成王,封蔡仲于蔡国。

王若曰："小子胡①！惟尔率德改行②，克慎厥猷③，肆予命尔侯于东土④。往即乃封⑤，敬哉！

[注释]

①小子胡：年轻的蔡仲。②尔：你。率：循。③克：能。猷：道。④肆：故。侯：封为诸侯。东土：蔡地在今河南上蔡县西南，在东方，故称。⑤即：就。封：封地。

[译文]

周成王说："年轻的胡，因为你遵循德义，改正你父亲的恶行，能够谨慎于为臣之道，所以我封你为东方蔡地的诸侯。前去你的封地吧，要恭敬啊！

"尔尚盖前人之愆①，惟忠惟孝。尔乃迈迹自身②，克勤无怠③，以垂宪乃后④。率乃祖文王之彝训⑤，无若尔考之违王命⑥。

[注释]

①尚：庶几，表希望语气。盖：掩盖。前人：指其父蔡叔度。愆：过失。②迈：行。自：从。③克：能。④宪：法。乃后：你的后代。⑤率：循。彝：常法。训：教导。⑥无：毋。若：像。尔考：你的父亲，指蔡叔度。

[译文]

"倘若你要弥补前人蔡叔的罪过，只有靠忠孝。你要从自身做起，不断前进，勤勉不懈，来给你的后代树立榜样。遵循你的祖父文王的常法和教导，不要像你父亲那样违抗天子的命令。

"皇天无亲，惟德是辅①；民心无常，惟惠之怀②。为善不同，同归于治；为恶不同，同归于乱。尔其戒哉③！

[注释]

①辅：佑护。②惠：爱。怀：安。③其：语气助词，表祈使语气。戒：

警戒。

[译文]

"老天没有特别的亲疏之见,只是佑护有德之人;民众的忠心也不是固定不变的,只归附、爱护他们的君王。行善的方式各不相同,但都能达到安定;作恶的方式也各不一样,却都会造成混乱。你要警戒呀!

"慎厥初,惟厥终①,终以不困;不惟厥终,终以困穷。懋乃攸绩②,睦乃四邻,以蕃王室③,以和兄弟,康济小民④。率自中⑤,无作聪明乱旧章⑥。详乃视听,罔以侧言改厥度⑦。则予一人汝嘉⑧。"

[注释]

①惟:思念。②懋(mào):勉力。攸:所。③蕃:保卫。④康:安。济:成。⑤率:循。自:用。中:中正之道。⑥无:通"毋"。旧章:先王的成法。⑦侧言:片面之言。⑧予一人:成王自称。汝嘉:"嘉汝"的倒装,嘉奖你。

[译文]

"谨慎对待每件事情的开始,考虑它的结局,就不会陷入困境;凡事不考虑结局,就会陷入困窘之境。努力于你的功业,和睦你的邻国,以此屏卫周王室,和谐姬姓之国,使民众安居乐业。要沿用不偏不倚的中正之道,不要自作聪明变乱先王成法。要仔细审慎你的见闻,不要因片面之词而改变你的法度。能做到这些,我就会赞扬你。"

王曰:"呜呼!小子胡,汝往哉!无荒弃朕命①。"

[注释]

①荒弃:废弃。

[译文]

周成王说:"啊,年轻的胡,你去吧!不要忘记我的告谕。"

多 方①

惟五月丁亥②,王来自奄③,至于宗周④。

[注释]

①多方:多方即众国。本篇是周公摄政三年平定奄地叛乱,回到宗周,对各诸侯国君以及殷商旧臣等所作的一篇诰词,强调他们应认清天命,忠实服从周王朝的统治。②五月丁亥:周公摄政三年的五月丁亥。③王:指周公。奄:古国名,在今山东曲阜市东。奄是东方强大方国,曾参加周初反叛,是东方国家叛乱的中心之一。④宗周:镐京,武王始都,在今陕西长安县西南。

[译文]

五月丁亥这一天,王从奄地归来,到了宗周。

周公曰:"王若曰①:猷告尔四国多方惟尔殷侯尹民②,我惟大降尔命③,尔罔不知。

[注释]

①王若曰:周公代成王言,故云。②猷告:马融本作"大告猷"。猷,于。四国多方:于省吾《尚书新证》认为京畿范围内京师四外之地称四国,四国之外诸地称多方。殷墟卜辞中有土方、鬼方、羌方等,都是指殷王畿之外存在的不同部族。所以"四国多方",指四国境内的各族首领及多方境内称为方的各族首领。惟:与。殷侯尹民:泛指殷诸侯的正长。③命:宽宥,好处。

[译文]

周公说:"君王这样说,告诉你们四国、多方的首领们和殷的诸侯、官员们,我安排你们美好的命运,你们没有不知道的。

"洪惟图天之命①，弗永寅念于祀②。惟帝降格于夏③。有夏诞厥逸④，不肯戚言于民⑤，乃大淫昏，不克终日劝于帝之迪⑥。乃尔攸闻。厥图帝之命⑦，不克开于民之丽⑧，乃大降罚，崇乱有夏⑨，因甲于内乱⑩。不克灵承于旅⑪，罔丕惟进之恭⑫，洪舒于民⑬。亦惟有夏之民，叨懫日钦⑭，劓割夏邑⑮。天惟时求民主，乃大降显休命于成汤⑯，刑殄有夏⑰。

[注释]

①洪惟：发端词，无义。图：败坏。②寅：敬。祀：祀典。③格：谴告。④诞：大。逸：放纵。⑤戚：忧。言：语气助词。⑥克：能够。劝：劝勉。迪：导，由。⑦图：败坏。⑧丽：法则。⑨崇：重，增。⑩甲：通"狎"，习。⑪灵承：周人成语，自下奉上之词，善受之意。旅：嘉美。⑫罔丕惟：古成语，无不如此。进：财。恭：共。⑬洪：大。舒：通"荼"，荼毒。⑭叨(tāo)：贪婪。懫(zhì)：忿戾。钦：兴。⑮劓(yì)割：残害。劓，五刑之一，割鼻。⑯显：光。休：美。⑰殄：绝。

[译文]

"夏代败坏了天命，不敬重于祀典。老天对夏王朝降下了谴告。而夏王仍大肆放纵，不肯忧念百姓，甚至大大的发昏，不终日勤勉于天道。这是你们所共知的。他败坏了天命，不能宣示人们以法度政教，还大降罪孽，增加祸乱，狎习淫恶。他不好好接受上天的美命，却和臣下无不大力搜刮财货，荼毒人民。因而夏民也唯以贪饕忿戾相鼓动，竞相残害着夏朝。上天为了寻求一个较好的君王，大降美命于成汤，让他灭绝夏朝。

"惟天不畀纯①，乃惟以尔多方之义民②，不克永于多享③。惟夏之恭多士④，大不克明保享于民⑤。乃胥惟虐于民⑥，至于百为，大不克开⑦。乃惟成汤克以尔多方简代夏作民主⑧。慎厥丽乃劝⑨，厥民刑用劝。以至于帝乙⑩，罔不明德慎罚，亦克用劝。

要囚⑪，殄戮多罪，亦克用劝。开释无辜，亦克用劝。今至于尔辟⑫，弗克以尔多方享天之命。呜呼！"

[注释]

①畀（bì）：给。纯：福命。②以：与。义民：贤者。③克：能够。④恭：通"供"，指所供职位。⑤明：勉。保：安。⑥胥：皆。惟：为。⑦开：通。⑧乃惟：只有。简：虚词，无义。⑨丽：法则。⑩帝乙：商纣王之父。⑪要囚：幽囚。⑫辟：君，指商纣王。

[译文]

"老天之所以不降命给桀，只是由于桀任用的多方官员不能长久享其职位、保育人民，却大肆残害人民，无所不至，夏朝自然陷入了无可救药之地步。只有成汤善于取得多方众士的支持，取代了夏王做了人民的君主。他谨慎于刑法，民众感动而勤勉从善；他一旦用刑于有罪，也使民畏惧而知向善。从汤王直到帝乙，都是明德慎罚，能使人民勉力从善；对幽囚的犯人，杀戮其中罪大恶极的，人民也由此勉力向善；释放无辜的犯人，人民也由此勉力向善。今天你们的纣王，竟然不能和你们多方首领们共享天命而至于灭亡。唉！"

王若曰："诰告尔多方，非天庸释有夏①，非天庸释有殷，乃惟尔辟以尔多方大淫，图天之命②，屑有辞③。乃惟有夏，图厥政，不集于享④；天降时丧⑤，有邦间之⑥。乃惟尔商后王⑦，逸厥逸，图厥政，不蠲烝⑧，天惟降时丧⑨。

[注释]

①庸：用。释：厌弃，丢弃。②图：败坏。③屑：繁碎众多的样子。④集：和。享：祭祀。⑤时：是。⑥有邦：这里指商。间：代替。⑦商后王：即商朝末代王纣。⑧蠲（juān）：清洁。烝（zhēng）：祭祀活动。⑨惟：又。

[译文]

王这样说："告诉你们多方之人，并不是上天厌弃了夏朝，也并不是上天厌弃殷朝，实在是因为你们君主率多方首领大肆淫恶，败坏天命，甚至还巧言粉饰罪行。夏王败坏了政事，遭到神祇的厌弃而不能和谐于享祀，老天才降了灭亡之命给他，从而使商王取代了他。但是你们商代后王，贪图逸乐，败坏政事，不清洁诚恳地奉行祭祀，老天也只得又降了这丧亡之命给他。

"惟圣罔念作狂①，惟狂克念作圣。天惟五年须暇汤之子孙②，诞作民主③，罔可念听。天惟求尔多方，大动以威④，开厥顾天⑤，惟尔多方罔堪顾之⑥。惟我周王灵承于旅⑦，克堪用德，惟典神天⑧。天惟式教我用休⑨，简畀殷命⑩，尹尔多方⑪。

[注释]

①惟：虽。圣：聪明睿智。念：敬念，念善。狂：愚狂无知。②须：等待。暇：宽暇。子孙：指纣王。③诞：其。民主：君王。④大动以威：指天降下灾异谴告下民。⑤厥：其，指多方。顾天：仰承天意。⑥罔：不。⑦灵承于旅：善受嘉休，指文王、武王善承上天所赐大命。⑧典：主。⑨式：用。教：告。休：美。⑩简：大。畀（bì）：给。⑪尹：正，治理。

[译文]

"聪明睿智的人不念善行就会渐成愚昧，狂荡愚昧的人一心念善也会渐成睿智。上天考察你们汤的子孙纣王，等了他五年，希望他能改恶从善，当好人民的君主。可他根本不考虑，也根本不信天命。老天只有对你们多方，降下灾异来谴告，希望能出现仰承天意的人。但你们多方中没有能仰承天意的人，只有我周王善承天的美命，又能施行德政，足以主持天地神祇的祭祀。老天就将吉祥美好的迹象告诉了我们，将以前殷朝所承受的天命转给了我们，我们就靠这天命管辖多方诸侯。

"今我曷敢多诰①，我惟大降尔四国民命。尔曷不忱裕之于尔多方②？尔曷不夹介乂我周王③，享天之命？今尔尚宅尔宅④，畋尔田⑤，尔曷不惠王熙天之命⑥？

[注释]

①曷敢：岂敢，哪里敢。②忱裕：劝导。③夹：近。介：善。乂：治。④宅尔宅：前一个宅作动词，居住。后一个宅是居住之处。⑤畋（tián）：平治田亩。⑥惠：顺。熙：广。

[译文]

"现在我何敢烦琐地对你们讲这么多告诫的话，我只是郑重地赐予你们四国民众美好的命运。你们四国之民为什么不以这些好处劝导多方诸侯？你们为什么不靠拢、亲附于我周王共享天命？现在你们都安居乐业，耕种着自己的田园，为什么不依顺我周王以发扬上天的美命？

"尔乃迪屡不静①，尔心未爱②，尔乃不大宅天命③，尔乃屑播天命④，尔乃自作不典⑤，图忱于正⑥。

[注释]

①乃：竟。迪：作。屡：多次。②爱：惠，顺。③宅：度，考虑。④屑：通"泆"，失去。播：弃。⑤典：法。⑥图：图谋。忱：信。正：正义。

[译文]

"你们屡次搞叛变活动，心里没有驯顺之意，你们竟然不认真考虑天命，敢轻易抛弃掉天命，你们自为非法乱常，还企图以正义取信于人。

"我惟时其教告之①，我惟时其战要囚之②。至于再，至于三。乃有不用我降尔命③，我乃其大罚殛之④。非我有周秉德不康宁⑤，乃惟尔自速辜⑥。"

[注释]

①惟时：于是。②战：通"殚"，尽。③有：又。④殛：诛。⑤康：安。

⑥速：召。辜：罪。

[译文]

"我只好严肃教训你们，必要时我会尽数把不法之徒幽囚起来。我教导再三，如果还有不遵行我安排的，我只好大行惩罚，直至诛杀。这并非我周朝秉持德教，故为不宁，实在是你们自取其罪。"

王曰："呜呼！猷告尔有方多士暨殷多士①：今尔奔走臣我监五祀②。越惟有胥伯小大多正③，尔罔不克臬④。自作不和⑤，尔惟和哉⑥。尔室不睦⑦，尔惟和哉。尔邑克明⑧，尔惟克勤乃事。尔尚不忌于凶德⑨，亦则以穆穆在乃位⑩。克阅于乃邑谋介尔⑪，乃自时洛邑⑫，尚永力畋尔田⑬。天惟畀矜尔⑭，我有周惟其大介赉尔⑮，迪简在王庭⑯，尚尔事，有服在大僚⑰。"

[注释]

①暨：及。②奔走：效劳。监：指灭殷后所立监督殷民的三监。五祀：五年。指监殷民之日起至这篇诰词对殷民讲话之时正好五年。③越惟：发语词。胥：徭役，亦即赋税。伯：通"赋"。正：征调。④臬（niè）：法度。⑤和：和睦。⑥惟：思。⑦室：家庭。⑧克：能。⑨忌：通"期"，期望。⑩穆穆：和敬的样子。⑪阅：历久。乃：则。介：助。⑫时：是。⑬永：长。⑭畀：赐予。矜：怜。⑮介：助。赉（lài）：赐。⑯迪：进。简：择。⑰服：事。僚：官。

[译文]

王说："唉！告诫你们多方的首领和殷商旧臣们：现在你们臣服效劳于我周朝的管理已经五年了，对于规定的大小徭役、赋税等各种征调，你们都能按法度交纳。如果你们之间有不和的，应该和好起来；家庭有不亲睦的，也要和睦起来。如果你们能够治理好自己的居邑，就算你们能勤于职守。我不期望你们遇到坏事，希望你们能和敬地保有禄位。只要能长久相安于你们的居邑，我当设法相助,使你们在洛邑安定下来,长期从事田亩。上天也会怜惜你们,我周朝更会大大帮助和赏赐你们。你们中有才干的,将选拔到王庭来。勤勉于职守的,可以提升到高级机构任职。"

王曰:"呜呼!多士,尔不克劝忱我命①,尔亦则惟不克享,凡民惟曰不享。尔乃惟逸惟颇②,大远王命,则惟尔多方探天之威③,我则致天之罚,离逖尔土④。"

[注释]

①劝:勉。忱:信。②逸:逸乐放荡。颇:邪。③探:触冒。④离逖:分离夺走。

[译文]

王说:"唉!四方诸侯和殷商旧臣们,如果你们不能努力服从我的命令,你们就不能享有你们的禄位,下面的小民也不能享有财富。如果你们只知道逸乐放荡,背弃王命,那就是你们敢于触犯天威,我就只好执行天谴,远远流放你们,夺走你们的土地。"

王曰:"我不惟多诰,我惟祗告尔命①。"

[注释]

①祗:敬。

[译文]

王说:"我不想费口舌告诫你们了,我只是恭敬地告知你们所承受的上天赐下的命运。"

又曰:"时惟尔初①,不克敬于和,则无我怨。"

[注释]

①时:是。

[译文]

王又说:"现在是你们从头开始的机会,如果你们不能敬遵天命和谐相处,可别怨我执行处罚!"

立 政①

周公若曰②:"拜手稽首,告嗣天子王矣③!用咸戒于王曰王左右常伯、常任、准人、缀衣、虎贲④。"

[注释]

①立政:"政"与"正"同,"立政"即建立长官。《史记·鲁周公世家》载:"周之官政未次序,于是周公作《周官》,官别其宜;作《立政》,以便百姓,百姓说。"《立政》篇中周公总结夏、商两代设官的经验教训,向成王提出一套设立职官、任用官员的建制和法度,特别强调了君王不能干预司法程序。②周公若曰:周公这样说。史臣记录之词。③嗣天子王:成王继承武王即天子之位,故称。④用:因此。咸:都。戒:告诫。曰:通"越"。左右:指王身边的大臣。常伯:管理民事的长官,即下文的"牧"。常任:执掌政事的长官,即下文的"任人"。准人:司法长官,即下文的"准夫"。缀衣:掌管王的衣服的官。虎贲:王的侍卫武官。

[译文]

周公这样说:"我跪拜叩头敬告继天子大位的王,我要同时对王和左右的常伯、常任、准人三大臣和缀衣、虎贲等官员都告诫一番。"

周公曰:"呜呼!休兹知恤鲜哉①!

[注释]

①休兹知恤:犹今云"居安思危"。休,美。兹,这。恤,忧。

[译文]

周公说:"唉!居安思危的人实在是很少啊。

"古之人迪惟有夏①,乃有室大竞②,吁俊尊上帝③,迪知忱恂于九德之行④。乃敢告教厥后曰⑤:拜手稽首后矣。曰:宅乃事⑥,宅乃牧⑦,宅乃准⑧,兹惟后矣⑨。谋面用丕训德⑩,则乃宅人⑪,兹乃三宅无义民⑫。

[注释]

①迪惟:语气助词,无义。②乃:代词,指夏朝。有室:王室。③吁俊:求贤。④迪:蹈。忱:诚,信。恂:信。九德:泛指多种德行。⑤后:君王。⑥宅:度,考虑。事:执掌政务的长官,即"常任"。⑦牧:管理民事的长官,即"常伯"。⑧准:公平执法,其长官即"准人"。⑨兹惟后矣:如此而后可以为君王。⑩谋面:通"黾勉"。丕:语气助词。训:顺。⑪宅人:宅而任之。⑫三宅:即上文"宅乃事、宅乃牧、宅乃准"。义:通"俄",侧。

[译文]

"古时夏朝王室非常强盛,是得力于求贤治国、尊事上帝、恪守德行。大臣们敢于敬告他们的君主说:我们跪拜且口头敬告陛下,选择任命好您的执掌政事的大臣常任、管理民事的大臣常伯和公平执法的大臣准人。做好这三宅,就会成为好君主。尽力重用有才德之人,就能很好地任命大臣,使得三宅之任用不会有邪僻之人。

"桀德惟乃弗①,作往任②,是惟暴德罔后③。

[注释]

①桀:夏末代君王。弗:通"咈",违背、悖戾。②作:使。往:彼。③罔后:无后,指大命灭绝。

[译文]

"到了德性悖戾的夏桀,任用的都是暴德之人,所以很快灭绝大命了。

"亦越成汤①，陟丕釐上帝之耿命②。乃用三有宅③，克即宅④。曰三有俊⑤，克即俊。严惟丕式⑥，克用三宅三俊。其在商邑，用协于厥邑；其在四方，用丕式见德。

[注释]

①越：及。②陟：升，即帝位。釐（xī）：受。耿：光。③三有宅：即上文"三宅"。④克：能。即：就。宅：居官。⑤三有俊：孙诒让《尚书骈枝》说"当即三宅之属官"，曾运乾《尚书正读》说："以事、牧、准之科目登进人才，曰'三有俊'。"⑥惟：思。丕：大。式：法。

[译文]

"接着又有成汤，能敬受上天的大命，择用三大臣的事，能干得很好；而择用三大臣，又是为了选取有俊德的属官，这也确实做好了。谨严地求贤，以此为取法，就能择用好三大臣及俊德之士。这样，在邦邑之内，就能用汤的选官之道协和邦邑；在四方，此大法之用更彰显了汤的圣德。

"呜呼！其在受德暋①，惟羞刑暴德之人②，同于厥邦③。乃惟庶习逸德之人④，同于厥政。

[注释]

①受：即商纣王。暋（mǐn）：通"闻"。②羞：进。刑暴德：性情残暴只知用刑的人。③同：汇集。④庶：众多。习：亲近。逸：失。

[译文]

"唉！到了商纣王，恶德远闻，只选用残暴好用酷刑的人，这些人充斥邦国；又狎近丧德之徒，这些人充斥邦政。

"帝钦罚之①，乃伻我有夏式商受命②，奄甸万姓③。

[注释]

①钦：敬。②伻：使。有夏：这里是周人自称，非指夏朝。式商：代替

商。③奄：抚。甸：治理。万姓：指天下民众。

[译文]

"上帝针对纣王的恶德严敬地降下惩罚，就使我有夏之裔周家代替商受了天命，抚治天下民众。

"亦越文王、武王①，克知三有宅心②，灼见三有俊心③，以敬事上帝，立民长伯④。立政⑤：任人、准夫、牧⑥，作三事；虎贲、缀衣、趣马、小尹、左右携仆、百司、庶府⑦；大都、小伯、艺人、表臣百司、太史、尹伯、庶常吉士⑧；司徒、司马、司空、亚、旅；夷、微、卢烝，三亳、阪尹⑨。

[注释]

①越：及。②克：能。③灼：明。④长伯：正长侯伯，这里泛指官员。⑤立政：即"立正"，设立官长。⑥任人、准夫、牧：这三位属机要大臣。⑦趣马：负责养马的官。小尹：小臣之长。左右携仆：携带王所用器物或驾车的仆夫。百司：内廷中分管王各项事务的官。庶府：分管王库藏的官。以上几位都是王的侍从，所谓宫中之官。⑧大都：管理诸侯和王子、王弟们的采邑的官。小伯：管理卿、大夫采邑的官。艺人：居官的技术人员，如卜、祝、乐师、工师之流。表臣百司：在外廷分管政务的。太史：记事和作册命之官。尹伯：百官之长。庶常吉士：许多担任常务的士。以上都是办理政务的，所谓府中之官。⑨司徒、司马、司空：诸侯的三卿。亚：次于卿的大夫。旅：位次于亚的众大夫。以上侯国之官。夷：泛指古代东方少数民族。微：泛指南方的少数民族。卢：泛指西方的少数民族。烝：上三支少数民族的君长，臣服于周。三亳：商人早期都邑之所在。汤时三亳，一般指南亳、北亳、西亳。阪尹：孙星衍《尚书今古文注疏》说："阪是山陂之名，尹是正长之称，既分亳为三邑，自必各为立长，其长称阪尹，以居峻险之处。"以上是封疆之官。

[译文]

"接着是文王、武王，能深知禹、汤贤王选拔三宅之人的用心，明白其选取才德的用意，由此敬奉上帝，为人民建立官长。设立了以下官职：任人、准夫、牧，是执掌政务、公平执法、管理民事的三大正长。虎贲、缀衣、趣马、小尹、左右携仆、百司、庶府，负责侍奉国君，是王的近臣。大都、小伯、艺人、表臣百司、太史、尹伯、庶常吉士，这是外朝执行政务的官员。司徒、司马、司空、亚、旅，这是诸侯的三卿及次于卿的众大夫，负责处理侯国事务。夷、微、卢烝，三亳、阪尹等封疆大臣，处理边疆事务。

"文王惟克厥宅心①，乃克立兹常事、司、牧人②，以克俊有德③。文王罔攸兼于庶言、庶狱、庶慎④，惟有司之牧夫⑤，是训用违⑥。庶狱庶慎，文王罔敢知于兹。

[注释]

①克：能。厥：其，指上述被任用的内外服官员。宅：度，考虑。②常事、司、牧人：即上文的三事，常事即常任，常司即准人，牧人即常伯。③克俊有德：能用才俊有德的人为官。④罔：无。攸：所。庶言：教令。庶狱：狱讼，即司法案件。慎：于省吾《尚书新证》说通"讯"，典法情讯。今从之。⑤牧夫：即"牧人"。⑥违：违背命令。

[译文]

"文王因为善于考察官员的德行，所以能任用有才德的人担任常事、常司、牧人等三宅之职。文王从不兼管法令之官、刑狱之官、掌典法情讯等官的职权，全部由主管官员全权负责，文王只是严明观察这些官员们是否能贯彻命令而已。刑狱、典法情讯之事，文王根本不去干预。

"亦越武王①，率惟敉功②，不敢替厥义德③，率惟谋从容德④，以并受此丕丕基⑤。

[注释]

①越：及。②率：遵循。敉：安抚天下。③替：废。厥：其。义德：仁

义道德。④率惟：语助词。谋：勉。容：颂。⑤丕丕：伟大。基：基业。

[译文]

"到了武王，遵循着文王安抚天下之伟大功绩，不敢丢失大义与明德，勉力地加以颂美，因此，文王和武王共同完成了建立周朝的伟大基业。

"呜呼！孺子王矣①。继自今我其立政②：立事、准人、牧夫。我其克灼知厥若③，丕乃俾乱④，相我受民⑤。和我庶狱庶慎，时则勿有间之⑥，自一话一言。我则末惟成德之彦⑦，以乂我受民⑧。

[注释]

①孺子：长辈对年轻晚辈的亲昵称呼，此指周成王。②继自今：杨筠如《尚书核诂》说："此篇凡四见。盖系当时成语，意谓自今以后也。"其：将。③克：能够。灼：明。厥若：指示代词，指上文"三有宅心"、"三有俊心"。④丕乃：这样。俾：使。乱：治。⑤相：助。受民：受自上天与祖先的臣民。⑥时：是，此。间：干预。⑦末：终。惟：思。彦：美士，指有才德的人。⑧乂：治。

[译文]

"啊！我年轻的王呀，从今以后，我们要这样设立官员正长：司政事的立事，司刑狱的准人，司民政的牧夫。我们要能明白了解其德行，使他们好好治理政务，帮助我们管理周所受之万民。要协和调理我们的刑狱之官和典法情讯之官，一句话一个字也不要干预其中。我们要重用才德超群之士，来治理我周所受之万民。

"呜呼！予旦已受人之徽言①，咸告孺子王矣，继自今文子文孙②，其勿误于庶狱庶慎③，惟正是乂之④。

[注释]

①予旦：周公自称。已受：段玉裁《古文尚书撰异》说今文作"以前"，

立 政　247

杨筠如《尚书核诂》说:"'已'、'以'古通。'前'、'受'古文并从舟,盖以形近致讹,而今文之义较长。"杨说可从。徽言:美言。②文:美称。③误:失。④惟:只。正:主管官员。

[译文]

"唉!我姬旦已经把前代任贤美谈都告诉你这年轻的王了!从今以后我们周家即位的贤子贤孙们,千万不要错误地去干预刑狱之政与典法情讯之事,要让主管官员去全权处理。

"自古商人,亦越我周文王立政①:立事、牧夫、准人,则克宅之②;克由绎之③,兹乃俾乂④。国则罔有立政用憸人⑤,不训于德⑥,是罔显在厥世。继自今立政,其勿以憸人,其惟吉士⑦,用劢相我国家⑧。

[注释]

①越:到,及。②宅:任用。③由:用。绎:陈。④俾:使。⑤憸(xiān)人:好利之人。⑥训:顺。⑦吉士:善美君子之士。⑧劢(mài):勉力。相:助。

[译文]

"从以前的商代名王,到我们周文王建立官员,设立立事、牧夫、准人,都能妥善考察并择优任用,而且能施展其所长,使之成就治功。没有一个国家在建立各官职时任用小人的,小人不循守德行,君王不会因此光显于世。自今以后,设立各级官员,千万不要用小人,只应任用吉士贤才,让他们勤勉地治理我们的国家。

"今文子文孙孺子王矣,其勿误于庶狱,惟有司之牧夫。

[译文]

"周家文王的贤子贤孙,年轻的王啊,千万不要失误去干预刑狱的事,要完全由主管部门去办理。

"其克诘尔戎兵①,以陟禹之迹②。方行天下③,至于海表,罔有不服,以觐文王之耿光④,以扬武王之大烈。

[注释]

①诘:治。戎兵:戎服兵器。②陟:履,蹈。③方:通"旁",遍。④觐:见。耿:明亮。

[译文]

"要整治武备,军事力量要能达到禹迹所及之域,遍及天下,直到海边,都没有不臣服于我们的,这才能显现文王的光辉,弘扬武王的丰功伟业!

"呜呼!继自今后王立政,其惟克用常人①。"

[注释]

①常人:吉士贤才。

[译文]

"唉!从今以后的嗣位之王设立官职、选拔官员时,必须要用有德行的吉士贤才。"

周公若曰:"太史、司寇苏公①,式敬尔由狱②,以长我王国③,兹式有慎④,以列用中罚⑤。"

[注释]

①太史:史官。司寇:负责司法诉讼。苏公:苏忿生。此处他兼太史、司寇二职。②式:用。由:经。③长:培植,延长。④兹:这。式:法式。⑤列:通"例",按成例。中:适中。

[译文]

周公这样说道:"太史、司寇苏公,我敬重你经手的刑狱,那些经验足够裨益王国。依你这样的法式谨慎讯讼,按成例给予适中的刑罚。"

立政 249

周官①

惟周王抚万邦②,巡侯甸③,四征弗庭④,绥厥兆民⑤。六服群辟⑥,罔不承德⑦。归于宗周⑧,董正治官⑨。

[注释]

①周官:《史记·鲁周公世家》云:"成王在丰,天下已安,周之官政未次序,于是周公作《周官》,官别其宜。"司马迁所说的《周官》已经散佚了。本篇《周官》属梅赜《古文尚书》,记载了周成王向百官阐述周王室设官分职的原则。②周王:周成王。③侯甸:泛指诸侯国。④四征:各处征讨。庭:通"廷",朝见。⑤绥:安。兆民:指天下民众。⑥六服:蔡沈《书集传》说:"六服,侯、甸、男、采、卫,并畿内为六服也。《禹贡》五服通畿内。周制五服在王畿外也。《周礼》又有九服,侯、甸、男、采、卫、蛮、夷、镇、蕃,与此不同。"群辟:指各个诸侯王。⑦承:顺。⑧宗周:《孔疏》说:"《(书)序》云:'还归在丰。'知宗周即丰也。周为天下所宗,王都所在皆得称之,故丰、镐与洛邑皆名宗周。"这里的宗周指丰邑。⑨董:督。治官:治事之官。

[译文]

周成王安抚四方,巡行诸侯国,各处征讨反叛朝廷的诸侯,安定天下民众。各方诸侯没有不承顺周王室的德教的。成王返回宗周丰邑,督导治事的官员。

王曰:"若昔大猷①,制治于未乱②,保邦于未危。"

[注释]

①若:顺。猷:道。②制:制定。治:政教。

[译文]

成王说:"顺从先王的治国大道,制定政教要在国家还未出现动乱的时候，安定国家要在国家还没有出现危机的时候。"

曰："唐虞稽古①，建官惟百②。内有百揆四岳③，外有州牧侯伯④。庶政惟和⑤，万国咸宁。夏、商官倍⑥，亦克用乂⑦。明王立政⑧，不惟其官，惟其人。今予小子祗勤于德⑨，夙夜不逮⑩。仰惟前代时若⑪，训迪厥官⑫。

[注释]

①唐：唐尧。虞：虞舜。稽：考。②建：立。官：官职。③百揆：百官之首，相当于周代的冢宰。揆，揆度。四岳：尧舜部落的官名或大臣名。也有人说是四方部落首领，在联盟内参政议事，也通。④州牧侯伯：泛指归附尧舜部落联盟的诸侯方国。州牧，州的长官。侯伯，地方诸侯。⑤庶政：众多政务。⑥官倍：官数增加一倍。⑦克：能。乂：治。⑧立政：设立官长。⑨予小子：成王谦称。祗：敬。⑩夙夜：早晚。逮：及。⑪前代：指古代尧舜之时。时：是。若：顺。⑫训：顺。迪：蹈，依循。

[译文]

成王说："唐尧、虞舜考察古代的历史，设立官职一百左右。内有百揆、四岳，外有州牧、侯伯。各种政事和顺，四方安宁。夏代、商代官员数量增加了一倍，也可以用来治理。圣王设立官长，不在于职位多少，而在于任用贤才。现在小王我，恭敬勤劳于德政，从早到晚地干都怕达不到。觉得还是要顺从古人，像他们那样建立官职。

"立太师、太傅、太保①，兹惟三公。论道经邦②，燮理阴阳③。官不必备，惟其人。

[注释]

①太师、太傅、太保：辅助天子之官。《孔传》说："师，天子所师法；傅，傅相天子；保，保安天子德义者：此惟三公之任佐王。"②论：阐明。经：治理。③燮（xiè）：调和。

[译文]

"设置太师、太傅、太保这三公。阐明大道,治理国家,调和阴阳。三公不必齐备,关键要任用有德之人。

"少师、少傅、少保①,曰三孤。贰公弘化②,寅亮天地③,弼予一人④。

[注释]

①少师、少傅、少保:官职名,较三公低。《孔传》说:"此三官名曰三孤。孤,特也。言卑于公,尊于卿,特置此三者。"②贰:副贰,协助。弘化:弘扬教化。③寅:敬。亮:明。④弼:辅。予一人:成王自称。

[译文]

"少师、少傅、少保,称为三孤。协助三公弘扬教化,敬明天神地祇,辅佐我这个君主。

"冢宰掌邦治①,统百官,均四海。司徒掌邦教②,敷五典③,扰兆民④。宗伯掌邦礼⑤,治神人,和上下。司马掌邦政⑥,统六师⑦,平邦国。司寇掌邦禁⑧,诘奸慝⑨,刑暴乱。司空掌邦土⑩,居四民,时地利。六卿分职,各率其属,以倡九牧⑪,阜成兆民⑫。

[注释]

①冢宰:百官之长。②司徒:官名,掌教化。③敷:布,开展。五典:即父义、母慈、兄友、弟恭、子孝五教。④扰:安。⑤宗伯:官名,掌宗庙祀典。⑥司马:官名,掌军事征伐。⑦六师:周代有宗周六师,成周八师。⑧司寇:官名,掌管司法刑律。⑨诘:查究,查办。慝(tè):邪恶不正。⑩司空:官名,掌国土。⑪倡:倡导。九牧:九州牧伯。⑫阜:厚。成:安定。

[译文]

"冢宰主管国政,统领百官,协调天下四方。司徒掌国家教化,传播五教，安定民众。宗伯掌宗庙祀典，处理人、神关系，协调上下尊卑。司马掌军事，统领六师，安定国家。司寇掌司法刑律，查办奸恶，惩治暴乱。司空主管国家土地，安置士农工商，顺应天时，以获得地利。上述六卿分掌职事，各自统率自己的属官，倡导九州四方的诸侯，使百姓富足安乐。

"六年，五服一朝①。又六年，王乃时巡②，考制度于四岳③。诸侯各朝于方岳④，大明黜陟⑤。"

[注释]

①五服：《孔传》说："侯、甸、男、采、卫。六年一朝会京师。"这里泛指四方诸侯。朝：朝觐。②巡：巡狩。③考：正。四岳：或指东岳泰山、南岳衡山、西岳华山、北岳恒山。④方岳：四岳所在方位。⑤黜：降。陟(zhì)：升。

[译文]

"每隔六年，四方诸侯来朝觐一次。再过六年，天子按季节巡视四方，在四岳考察诸侯的制度、礼仪。各方诸侯分别朝于所在方岳，天子公开进行升降赏罚。"

王曰："呜呼！凡我有官君子①，钦乃攸司②。慎乃出令，令出惟行，弗惟反③。以公灭私，民其允怀④。学古入官⑤，议事以制⑥，政乃不迷⑦。其尔典常作之师⑧，无以利口乱厥官⑨。蓄疑败谋⑩，怠忽荒政⑪。不学墙面，莅事惟烦⑫。

[注释]

①有官君子：在位的官员。②钦：敬。乃：你们的。攸：所。司：职事。③反：违逆。④允：信。怀：安，服。⑤学古入官：《孔传》说："言当先学古训，然后入官治政。"⑥制：裁断。⑦迷：错谬。⑧其：副词，表命令语气。典常：典章旧法。师：师法。⑨利口：烦琐巧辩之言。乱：扰乱。⑩蓄：积。

⑪怠：懈怠。忽：疏忽。荒：废。⑫莅（lì）：临。

[译文]

成王说："啊！我周王室在位的官员们，恭敬你们的职事。慎重发布政令，政令一出只能实行，不能违逆。用公心消除私欲，民众就会心悦诚服。先学古法，再去为官。商议政事后再行裁断，就不会出现错误。希望你们用旧的典章作为法则，不要以烦琐巧辩的言论扰乱官政。积疑不决，必然会败坏谋略，懈怠轻慢，也必荒废政务。人不学，就像面墙而立，一无所见，遇到事情就会烦乱。

"戒尔卿士①，功崇惟志②，业广惟勤。惟克果断，乃罔后艰。位不期骄③，禄不期侈。恭俭惟德，无载尔伪④。作德心逸日休⑤，作伪心劳日拙。居宠思危，罔不惟畏⑥，弗畏入畏。推贤让能，庶官乃和⑦，不和政厖⑧。举能其官，惟尔之能；称匪其人⑨，惟尔不任。"

[注释]

①戒：告诫。卿士：治事大臣。②崇：高。志：志向。③位：在位。④载：事。伪：奸伪。⑤日：天天。休：美。⑥惟：思。畏：畏惧。⑦庶：众。和：和睦。⑧厖（máng）：杂乱。⑨称：推举。匪：非。

[译文]

"告诫诸位卿士大臣，功高在于志大，业广在于勤勉。遇事能够果断，就不会遗留后患。居高官不应当骄傲，享厚禄也不应奢侈。恭敬节俭就是美德，不要干奸伪之事。行德义之事，内心快乐，每天都很美好；做坏事，内心劳苦却一天天笨拙。身居宠信之位而忧患思危，凡事都要有畏惧之心，不知畏惧就会陷入可怕的境地。推举贤才，谦让能人，官员们就能和谐相处，一旦不和睦就会导致杂乱。被推举的人胜任官职，是你们的贤能；他们不能称职，也代表你们不能胜任。"

王曰:"呜呼!三事暨大夫①:敬尔有官,乱尔有政②,以佑乃辟③。永康兆民④,万邦惟无斁⑤。"

[注释]

①三事:上文《立政》篇云:"立政:任人、准夫、牧,作三事。"即此。任人、准夫、牧这三位都属于机要大臣。②乱:治。③佑:辅助。乃:你们的。辟:君王。④康:安。兆民:指天下民众。⑤斁(yì):厌弃。

[译文]

成王说:"啊!任人、准夫、牧和大夫们,要恭敬你们的职守,办好你们的政务,以此辅佐你们的君王。长久安定天下民众,四方万国就会归顺我周朝了。"

君 陈①

王若曰:"君陈,惟尔令德孝恭②。惟孝友于兄弟,克施有政③。命汝尹兹东郊④,敬哉!昔周公师保万民⑤,民怀其德⑥,往慎乃司⑦。兹率厥常⑧,懋昭周公之训⑨,惟民其乂⑩。

[注释]

①君陈:《书序》云:"周公既没,命君陈分正东郊成周,作《君陈》。"本篇是成王策命大臣君陈(周公之子)的命辞,希望他遵循周公之法,用德政感化殷民。《君陈》属梅赜《古文尚书》。②令:美。③施:移。④尹:治理。东郊:西周东都洛邑的东郊。⑤师:教诲。保:安抚。⑥怀:念。⑦司:职事。⑧率:循行。⑨懋:勤勉。昭:发扬。训:教化。⑩乂(yì):治。

[译文]

周成王说:"君陈,你能行孝顺恭敬的美德。孝顺父母,友爱兄弟,这就可以移来从政了。我命令你治理东都洛邑的东郊成周,要恭敬啊!从前周公在成周教诲安抚民众,民众怀念他的德政,你去可要慎于职守啊!要遵循旧法,努力发扬周公的教导,民众就能得到治理。

"我闻曰①:至治馨香,感于神明;黍稷非馨,明德惟馨。尔尚式时周公之猷训②,惟日孜孜③,无敢逸豫④!凡人未见圣,若不克见;既见圣,亦不克由圣⑤。尔其戒哉!尔惟风⑥,下民惟草。图厥政⑦,莫或不艰⑧;有废有兴,出入自尔师虞⑨,庶言同⑩,则绎⑪。尔有嘉谋嘉猷,则入告尔后于内⑫,尔乃顺之于外。曰:'斯谋斯猷,惟我后之德。'呜呼!臣人咸若时⑬,惟良显哉⑭!"

[注释]

①我:成王。②尚:庶几,表祈使语气。式:用。时:通"是"。猷:道。训:教。③惟:思。日:每天。孜孜:勤勉的样子。④无:毋。逸豫:悠闲逸乐。⑤克:能。由:用,遵循。⑥惟:为。⑦图:图谋。⑧莫或:没有。⑨出入:反复。师:众。虞:谋划。⑩庶言:大家的意见。⑪绎(yì):寻究,深思。⑫后:君王。⑬臣人:即"人臣"。咸:都。若时:像这样。⑭惟良显哉:《孔传》说:"是惟良臣则君显明于世。"

[译文]

"我听说这样的话:天下大治,祭祀的馨香能感动神灵;不是黍稷的香气,是明德才有的香气。你应该效法周公的德教,每天孜孜不倦,不要贪图安逸。凡人没能坚持见到圣道,好像不能见到一样;已经见到了圣道,却又不能遵行。你可要引以为戒啊!因为你是风,民众是草,草随风动。谋划政事,没有不艰难的。有兴有废,要反复和众人商讨,大家意见相同,还要三思而行。你有好谋略、好想法,就要进宫告诉我,在外你还要顺从君王,说:'这样的好谋略、想法,是我们君王美德的体现。'啊!臣下都这般贤良,君王之功才会显扬啊。"

王曰:"君陈!尔惟弘周公丕训①!无依势作威,无倚法以削②。宽而有制③,从容以和④。殷民在辟⑤,予曰辟⑥,尔惟勿辟;予曰宥⑦,尔惟勿宥:惟厥中⑧。有弗若于汝政⑨,弗化于汝训,辟以止辟⑩,乃辟。狃于奸宄、败常、乱俗⑪,三细不宥⑫。尔无忿疾于顽⑬,无求备于一夫⑭。必有忍,其乃有济⑮;有容⑯,德乃大。简厥修⑰,亦简其或不修;进厥良⑱,以率其或不良⑲。

[注释]

①弘:弘扬。丕:大。②削:行峭刻苛虐之政。③宽:宽容。制:节制。④从容:举止行为。⑤辟:罪。⑥辟(bì):处罚。⑦宥(yòu):赦宥。⑧中:中正公平。⑨若:顺。⑩辟以止辟:《孔传》说:"刑之而惩止犯刑者,乃刑之。"⑪狃(niǔ):习。奸宄:犯法作乱。败:败坏。常:典章。俗:风俗。⑫三细:奸宄、败常、乱俗三者中的小罪。⑬顽:冥顽不化。⑭求备:求全责备。⑮济:成。⑯容:包容。⑰简:选择,鉴别。⑱进:进用。良:贤良的人。⑲率:表率,劝勉。

[译文]

成王说:"君陈!你要弘扬周公的伟大教导。不要倚恃权力作威作福,不要倚恃刑法行苛政。要宽容而有节制,从容而又和谐。殷民有罪当受处罚的,我说惩罚,你不要轻易惩罚;我说宽赦,你也不要轻易赦免:要考虑公平。有人不顺从你的政令,不接受你的教化,如果惩罚他可以制止犯罪,可以惩罚。惯于作奸犯科,破坏常法,败坏风俗的,三项罪行哪怕犯下细微的罪过,也不能赦免。不要忿恨冥顽不灵的蠢人,不要对每个人都求全责备。一定要有所忍耐,才能有所成就;有所包容,德行才会扩大。鉴别出善良的,也鉴别有不善行为的;进用贤良之人,来劝勉、鼓励那些不善之人。

"惟民生厚①,因物有迁②,违上所命,从厥攸好③。尔克敬典在德④,时乃罔不变⑤。允升于大猷⑥,惟予一人膺受多福⑦,其尔之休⑧,终有辞于永世⑨。"

[注释]

①生:通"性"。厚:敦厚。②迁:变化。③攸:所。好:喜欢。④敬典在德:蔡沈《书集传》说:"敬典者,敬其君臣、父子、兄弟、夫妇、朋友之常道也。在德者,得其典常之道,而著之于身也。"⑤时:通"是"。⑥允:确实。猷:道。⑦予一人:成王自称。膺(yīng):受。⑧休:美名。⑨辞:称颂。

[译文]

"百姓本性敦厚,只是会因为外界事物的影响而发生改变,以至于违背君王教命,放纵自己的爱好。你要能敬重常法并从中获取美德,百姓就没有不能改变的。如果你确实能通达大道,我将享受上帝赐予的福命,你的美名也将永远受到赞誉。"

顾 命①

惟四月哉生魄②,王不怿③。甲子④,王乃洮頮水⑤,相被冕服⑥,凭玉几⑦。乃同召太保奭、芮伯、彤伯、毕公、卫侯、毛公、师氏、虎臣、百尹、御事⑧。

[注释]

①顾命:《史记·周本纪》云:"成王将崩,惧太子钊之不任,乃命召公、毕公率诸侯以相太子而立之。成王既崩,二公率诸侯,以太子钊见于先王庙,申告以文王、武王之所以为王业之不易,务在节俭,毋笃信临之,作《顾命》。"本篇记述周成王病危将死,召集召公、毕公等辅政大臣,吩咐王位继嗣的遗命,成王死后,太子钊依礼即位为康王。篇中详细记载康王庙见受命、继位的典礼和仪节。西汉《今文尚书》中《顾命》和下篇《康王之诰》

是合成一篇的，现从东晋晚出古文本分为两篇。②四月：周公摄政七年还政成王，成王在位二十八年而崩。哉生魄：月初。③王：周成王。不怿（yì）：又作"不豫"，不安、病不好。④甲子：不可考。曾运乾《尚书正读》说是"哉生魄"的第二天。⑤洮（táo）：洗头发。頮（huì）：洗脸。⑥相：郑玄说："正王服位之臣，谓太仆。"即负责侍候天子冠服的太仆。被：披。冕：冠。服：衮服，天子的礼服。⑦凭：依。⑧太保：官名。奭：召公名。芮伯、彤伯、毕公、卫侯、毛公：六人都是成王时代的重臣或诸侯，与召公共称六卿。师氏：从事征伐的武官。虎臣：平时作为王的警卫，也从事征伐行动。百尹：百官之长。御事：为王室政事服务的近臣。

[译文]

四月，月初的一天，成王得了重病，很不舒服。甲子那天，王沐发洗脸，由侍候的近臣给他披上衮服，靠在玉几上，同时又召来了太保召公奭及芮伯、彤伯、毕公和卫侯、毛公，还有武官师氏、虎臣，百官之正长以及王室内供奉职务的近臣们。

王曰："呜呼！疾大渐①，惟几②，病日臻③，既弥留④，恐不获誓言嗣⑤，兹予审训命汝⑥。昔君文王、武王，宣重光⑦，奠丽陈教⑧，则肆肆不违⑨，用克达殷⑩，集大命⑪。在后之侗⑫，敬迓天威⑬，嗣守文武大训，无敢昏逾⑭。今天降疾，殆弗兴弗悟⑮，尔尚明时朕言⑯，用敬保元子钊⑰，弘济于艰难⑱，柔远能迩⑲，安劝小大庶邦，思夫人自乱于威仪⑳，尔无以钊冒贡于非几㉑。"

[注释]

①渐：剧。②惟：语助。几：危。③臻：至。④弥留：临终将死之际。⑤誓：誓命。嗣：嗣子，指康王。⑥审：详。汝：指上文被召集的几位顾命大臣。⑦宣：显。重光：重明。⑧奠：奠定。丽：法则。陈：列。教：教令法则。⑨肆肆：勤勉的样子。⑩达（tà）：挞伐。⑪集：成就。⑫侗：通"僮"，幼稚。⑬迓（yà）：迎。天威：天命。⑭昏：混乱。逾：逾越。⑮殆：将

兴：起。悟：觉。⑯明：勉。时：通"承"。⑰元子钊：即太子钊，周康王长子名钊。⑱弘：大。济：渡过。⑲柔远能迩：安抚绥柔远方的，和谐亲善近的。⑳夫人：指太子钊。乱：治。㉑以：使。冒：触。贡：又作"赣"，陷。非几：不善。

[译文]

王说："唉！我的病加重了，快不行了，恐怕匆忙间来不及留下关于嗣位之事的遗言，所以现在我详细地训告你们。以前，我们的君主文王、武王交相辉映，制定法令，颁布德教，勤勉而不敢稍违，因此才能打垮殷国，成就上天的大命。武王死后，我还是一个不成器的嗣子，但我能恭敬地承受天命，继承并遵守文王、武王的伟大德教，不敢胡乱改变。现在上天降下疾病给我，已经没有起色了，神智也快不行了，你们要努力听从我的话，以恭敬地保护我的太子钊渡过这艰难时期。安抚远方，亲善近邻，以此安抚劝导小大众邦，使康王自己树立威仪，你们也不要使他陷于不善非礼之地。"

兹既受命①，还②，出缀衣于庭③。越翼日乙丑④，王崩。

[注释]

①受命：即"授命"。②还：返回寝宫。③缀衣：伪《孔传》说："缀衣，幄帐。群臣既退，撤出幄帐于庭。"庭：朝位。④翼日：第二天。

[译文]

成王传授诰命之词后，返回了寝宫，所用的幄帐也撤到了朝位。到第二天乙丑日，成王就逝世了。

太保命仲桓、南宫毛①，俾爰齐侯吕伋②，以二干戈虎贲百人③，逆子钊于南门之外④，延入翼室⑤，恤宅宗⑥。丁卯⑦，命作册度⑧。越七日癸酉，伯相命士须材⑨。

[注释]

①太保：官名，即召公奭。仲桓、南宫毛：成王两个大臣名。南宫毛可

能是武王时名臣南宫括的后人。②俾：从。爰：引。齐侯吕伋：姜太公之子，齐国国君。③二干戈：即仲桓、南宫毛二人所执，负责宫廷戍卫。虎贲：警卫。④逆：迎。南门：天子有五门，由外至内依次为：皋门、库门、雉门、应门、路门。雉门、库门之间称为外朝，应门以内称内朝；应门、路门之间称治朝，路门以内称燕朝（路寝朝）。这里的南门可能是路寝之门。⑤延：请。翼：路寝中的一室。⑥恤宅宗：忧居为丧主。⑦丁卯：成王死后第三天。⑧作册：史官的一种。度：事先考虑安排。⑨伯相：指召公，以西伯兼冢宰之职。命士须材：命令官员们分别负责准备各种应用的器物。

[译文]

太保召公命令仲桓、南宫毛两人，跟随齐侯吕伋，率二干戈及虎贲之士百人，迎接子钊于南门之外，迎入路寝的东夹室，忧居为丧主，主持大礼。丁卯那天，命令作册预备好册书及典礼程序。过了七天，到癸酉那天，西伯兼冢宰的召公命令群士准备好典礼所需的器物陈设。

狄设黼扆缀衣①，牖间南向②，敷重篾席、黼纯③，华玉仍几④。西序东向⑤，敷重厎席、缀纯⑥，文贝仍几⑦。东序西向，敷重丰席、画纯⑧，雕玉仍几⑨。西夹南向⑩，敷重笋席、玄纷纯⑪，漆仍几。

[注释]

①狄：乐官的一种，职位较低。黼扆：设在门窗之间饰有斧形花纹的屏风。黼，斧纹。扆，门窗之间。缀衣：幄帐。②牖间：指门窗之间。牖，窗户。③敷：布置。重：几层，天子三重。篾席：竹席。黼纯：以黑色和白色的丝织品错杂制成席子的花边。纯，花边。④华玉：五色玉。仍：因。几：几案。⑤序：堂上的东西墙叫序，东边的叫东序，西边的叫西序。东向：西墙朝东。⑥厎席：青蒲席。缀纯：以杂彩饰作花边。⑦文贝：指有花纹的贝壳。文，花纹。⑧丰席：莞（guān）席。莞是一种水草，《广雅》谓之"葱蒲"，茎圆而中空，故可作席。画纯：五彩画帛为边缘。⑨雕：刻镂。⑩西夹：西堂

的夹室。孔疏说:"天子之室有左右房,房即室也。以其夹中央之大室,故谓之夹室。"⑪笋席:以幼竹青皮织成的席子。玄纷纯:用黑色的丝带装饰为席子的边缘。

[译文]

由乐官陈设屏风和幄帐,在门窗间朝南的方向,铺设三层黑白缯饰花边的篾席,席旁设五色玉装饰的凭几。西墙朝东的地方,铺设三层杂彩花边的青蒲席,席旁设五彩贝壳装饰的凭几。东墙朝西的地方,铺设三层五彩画帛为花边的丰席,席旁设雕玉的凭几。西夹室朝南的地方,铺设三层黑色丝带为花边的笋席,席旁设有鬃漆的凭几。

越玉五重、陈宝、赤刀、大训、弘璧、琬、琰①,在西序。大玉、夷玉、天球、河图②,在东序。胤之舞衣、大贝、鼖鼓③,在西房。兑之戈、和之弓、垂之竹矢,在东房。大辂在宾阶面④,缀辂在阼阶面⑤,先辂在左塾之前⑥,次辂在右塾之前⑦。

[注释]

①越玉:越地所献之玉。五重:五双。陈宝:玉石之名。赤刀:玉刀。大训:刻有古代谟训的玉器。弘璧:大玉璧。琬(wǎn):圆顶玉圭。琰(yǎn):尖顶玉圭。②大玉:华山所产可以制磬之玉。夷玉:东夷所贡的美玉。天球:一种璞玉。河图:玉石类宝器。③胤:人名。相传善于制作舞衣的人。下文的兑、和、垂分别是善于制作戈、弓、竹矢的巧匠。其中,垂也叫"倕",是战国秦汉间人最称道的古代工艺技术能人。大贝:特大的贝壳。鼖(fén):大鼓。④大辂:"辂",也叫"路",即车。《周礼·巾车》谓王有五辂,"玉辂、金辂、象辂、革辂、木辂"。大辂即玉辂。宾阶:宾客之位,西阶。⑤缀辂:次于大辂,即金辂。阼阶:主人之位,东阶。⑥先辂:较金辂又次,即象辂。塾:门侧之堂。⑦次辂:又次于先辂,即木辂。孔疏解释王之五辂此处仅用其四,革辂未用的原因说:"木辂之上犹有革辂,《礼》五辂而此四辂,于五之内必将少一,盖以革辂是兵戎之用,于此不必陈之,故不云革

辂，而以木辂为次。"

[译文]

还陈设了越地所产美玉五双，以及名为陈宝、赤刀、大训、弘璧的玉石、玉器，还有琬琰之圭安放在西墙前；华山所产的大玉、东夷族所贡夷玉，还有名为天球的璞玉以及河图玉安放在东墙前。巧匠胤所制舞衣和一种特大的贝壳以及大鼓陈设在西房；巧匠兑所制的戈，巧匠和所造的弓，以及名工垂所作的竹矢陈设在东房。天子的大辂车在宾阶前面，缀辂车在阼阶前面，先辂车在左塾的前面，次辂车在右塾的前面。

二人雀弁①，执惠②，立于毕门之内③；四人綦弁④，执戈上刃⑤，夹两阶戺⑥；一人冕⑦，执刘⑧，立于东堂；一人冕，执钺⑨，立于西堂；一人冕，执戣⑩，立于东垂⑪；一人冕，执瞿⑫，立于西垂；一人冕，执锐⑬，立于侧阶⑭。

[注释]

①雀弁：即"爵弁"，士的礼服，其色赤而微黑。弁，帽子。②惠：刺戟。③毕门：祖庙门，下文说"诸侯出庙门俟"。④綦（qí）弁：较爵弁次一等的青黑色礼帽。綦，青黑色。⑤戈上刃：钩戟。⑥夹：站在道路两旁。两阶：即宾阶、阼阶。戺（shì）：程瑶田《释宫小记》说："戺，谓阶之两旁自堂至庭地斜安一石，搘阶齿而辅之，如今楼梯必有两髀以安步级，俗谓之楼梯腿也。"其说是也。⑦冕：比爵弁高一等的礼帽。⑧刘：斧钺类兵器。⑨钺（yuè）：大斧。⑩戣（kuí）：三角援戈。⑪垂：堂的东西两边尽头。⑫瞿：与"戣"同为三角援戈。⑬锐：矛类兵器。⑭侧阶：曾运乾《尚书正读》说："侧，特也。侧阶，北堂北下阶也。北下阶无东西之别，故云特阶。"

[译文]

武士两人戴着爵弁，执刺戟，站在庙门之内；武士四人戴着綦弁，执钩戟，分别夹立在阼阶和宾阶这两阶边石的两侧。大夫一人戴冕，手执名为"刘"的斧钺形武器，站在东堂；大夫一人戴冕，执着"钺"这种大斧形武器,站在西堂;大夫一人戴着冕,手执戈形武器"戣",站在堂东尽头;大夫一人戴着冕,也执戈形武器"瞿",站在堂西尽头;大夫一人戴着冕,手执矛类兵器"锐",站在北面的侧阶。

王麻冕黼裳①,由宾阶跻②。卿士、邦君③,麻冕蚁裳④,入即位。太保、太史、太宗⑤,皆麻冕彤裳⑥。太保承介圭⑦,上宗奉同瑁⑧,由阼阶跻⑨。太史秉书⑩,由宾阶跻,御王册命⑪。

[注释]

①王:指康王。麻冕:麻制的礼帽。黼裳:黑白斧形花纹的礼服。②宾阶:西阶。跻(jī):升、登。王国维《观堂集林·周书顾命考》说:"王由宾阶跻者,未受册,不敢当主位也。"③卿士:指周王朝的内朝公卿高级官员。邦君:诸侯国君,属外服。④蚁裳:玄裳。⑤太宗:即上文宗伯。⑥彤裳:赤裳。孙诒让《尚书骈枝》说:"卿士、邦君无事陪位,则服正齐服玄冕玄裳。……惟太保、太史、太宗以方行册命之盛典,不得不吉服,则玄冕而彤裳,此其义也。"⑦承:捧着。介圭:伪《孔传》说:"大圭,尺二寸,天子守之。故奉以莫康王所位。"⑧上宗:即太宗,变文言之。同:酒器。瑁:一种玉器。天子召见诸侯时所用的礼器。此"瑁"字很可能是后加的,因为《顾命》册命全过程并没有用到。⑨阼阶:东阶,主阶。王国维《周书顾命考》说:"太保由阼阶跻者,摄主(注者按:摄成王主位),故由主阶。"⑩书:策书。王国维《周书顾命考》说:"古者命必有辞,辞书于册,谓之命书。"⑪御:迎。册命:成王的遗命。

[译文]

康王戴了麻制礼帽,穿着黑白两色斧形花纹的丧礼服,由西面的宾阶走上堂。卿士、诸侯戴着麻冕,穿着黑色的丧礼服,入庙各就其位。太保、太史、太宗都戴着麻制礼帽,穿着红色礼服。太保捧着大圭,太宗捧着酒爵,由东边的阼阶升上堂;太史拿着写有成王遗命的册书,由西边的宾阶升上堂,迎着康王读命书之词。

曰："皇后凭玉几①，道扬末命②：命汝嗣训③，临君周邦，率循大卞④，燮和天下⑤，用答扬文武之光训。"王再拜，兴⑥。答曰："眇眇予末小子⑦，其能而乱四方⑧，以敬忌天威⑨。"

[注释]

①皇后：指成王。皇，大。后，君。②道扬：称说。末命：遗命。③嗣：继，遵循。训：先王遗命。④率：完全。卞：法度。⑤燮：和。⑥兴：起。⑦眇眇：微，小。末：浅薄。小子：康王自称。⑧其：岂。乱：治。⑨敬忌：敬畏。

[译文]

册命说："王当日凭玉几宣布临终之命，命你钊承受文王、武王遗训，即位治理周邦，恭循先王大法，和谐天下，以此报答文王、武王，彰显他们伟大的圣训。"康王再拜，起来回答说："以我的浅薄，哪里能治理四方、敬畏天命呢？"

乃受同①，王三宿、三祭、三咤②。上宗曰："飨③。"太保受同，降④，盥⑤，以异同秉璋以酢⑥，授宗人同⑦，拜。王答拜。太保受同，祭、哜、宅⑧，授宗人同，拜。王答拜。太保降⑨，收⑩。诸侯出庙门俟。

[注释]

①乃受同：王国维《周书顾命考》说："受同者王，授之者大宗也。"同下原有"瑁"字，乃是衍文，今删。②宿：即"肃"，徐行向前。三宿是从所立处徐行至神处以进爵。祭：洒酒至地。咤（zhà）：祭毕，后退。③飨（xiǎng）：享用福酒。④降：下堂把同放回筐里。⑤盥（guàn）：洗手。⑥异同：另外一个酒器。璋：璋瓒，酒器名，为祭祀时大臣所用。酢：酬报答祭之礼。⑦宗人：即太宗。⑧哜（jì）：尝，以酒入口至齿。宅：同"咤"。⑨降：下阶。王国维《周书顾命考》说："案此云大保降，知大保自酢在堂上也，不言王与太宗、太史降者，略也。"⑩收：撤，礼毕而撤收祭物。

[译文]

于是康王接受了太宗所献的酒爵,缓缓行进三次至神所进爵,接着洒酒于地行祭礼三次,祭完后退三次。太宗说:"请飨用福酒。"王喝酒后,将酒爵授太保。太保接受酒爵后,走下堂,奠爵于篚,洗手,取另一酒爵,持璋瓒为勺,酌酒以为酬酢报祭之礼。然后将酒爵给太宗,下拜行礼,康王答拜。太保又从太宗手中接受酒爵,祭酒,浅尝,后退,将酒爵给宗人,下拜行礼,康王又行礼答拜。太保下堂,诸执事官撤收诸礼器,典礼完毕。诸侯走出庙门,等候拜见新君康王。

康王之诰①

王出,在应门之内②。太保率西方诸侯入应门左,毕公率东方诸侯入应门右,皆布乘黄朱③。宾称奉圭兼币④,曰:"一二臣卫⑤,敢执壤奠⑥。"皆再拜稽首。王义嗣德答拜⑦。

[注释]

①康王之诰:《史记·周本纪》云:"康王即位,遍告诸侯,宣告以文、武之业以申之,作《康诰》(注者按:即《康王之诰》)。"本篇即康王即位时的诰词,记载了君臣间相互劝勉的话。西汉欧阳、大小夏侯传本《尚书》乃将《康王之诰》与《顾命》合为一篇,今据梅赜古文本析为两篇。②应门:应门为王朝正门,也叫朝门,其门内即为治朝,亦称正朝。③布乘:《白虎通·绋冕篇》作"黼黻",盖古音通假,诸侯朝服。黄朱:蔽膝绋,黄朱言其色。④宾:通"摈"。称:告。天子见诸侯,皆摈者传辞。奉:献。币:玉帛之礼。⑤臣卫:诸侯自称。⑥壤:封土(所出特产)。奠:贡献。⑦义嗣:礼辞。黄式三《尚书启蒙》说:"义嗣,礼辞也。经传言礼辞者,以礼辞之,不坚辞也。辞词古通用,转写作'嗣'。"德:升。

[译文]

康王走出祖庙,来到应门之内。太保召公率领西方诸侯入应门,立于左侧,毕公率东方诸侯入应门,立于右侧。这些诸侯都穿着黼黻衣、黄朱色蔽膝。摈相谒者传令诸侯按享礼敬奉圭、币,并传辞说:"我们这些守卫之臣,各自将封地内土产作为贽见之礼。"诸侯们再次行跪拜礼。康王按照礼节辞谢,然后升位答拜。

太保暨芮伯咸进相揖①,皆再拜稽首,曰:"敢敬告天子,皇天改大邦殷之命,惟周文武诞受羑若②,克恤西土③,惟新陟王毕协赏罚④,戡定厥功⑤,用敷遗后人休⑥。今王敬之哉!张皇六师⑦,无坏我高祖寡命⑧。"

[注释]

①暨:和。咸:都。②诞:大。羑(yǒu):诱导。若:善。③克:能。恤:忧。④新陟王:指成王。陟,升(天)。毕:尽。协:合理。⑤戡(kān):克。厥:其。⑥敷:布,普。休:美。⑦张皇:整顿,弘扬。六师:周代天子有宗周六师,驻镐京。另有成周八师,驻洛邑。均由周天子直辖。旧说二千五百人为一师,则六师为一万二千五百人。⑧高祖:文王或文王以上诸王。寡命:大命。

[译文]

太保和芮伯同时上前,互相作揖施礼,对王行跪拜叩头之礼,他们说:"敬告天子,老天更改了殷邦大命,由我周文王、武王承受了日进于善的美命,安恤治理好了西土。而新升天的成王赏罚严明,能成就伟业,广布幸福给子孙后代。现在我王要特别谨慎啊!要整顿好宗周六师,弘扬我王室军威,不要毁了我周代先祖的大命。"

王若曰①:"庶邦侯甸男卫②,惟予一人钊报诰③,昔君文、武④，丕平富⑤，不务咎⑥，厎至齐信⑦，用昭明于天下⑧。则亦有熊罴之士，不二心之臣，保乂王家，用端命于上帝⑨，皇天用训厥道，付畀四方⑩，乃命建侯树屏⑪，在我后之人⑫。今予一二伯父⑬，尚胥暨顾绥尔先公之臣服于先王⑭。虽尔身在外，乃心罔不在王室。用奉恤厥若⑮，无遗鞠子羞⑯。"

[注释]

①王若曰：王这样说。②庶邦：众邦。③予一人：康王自称。报：答。④君：君王。⑤丕：斯。平：遍。富：福善美备。⑥务：求。咎：灾。⑦厎（zhǐ）：致。齐：适中。⑧用：因。⑨端：始。⑩畀（bì）：给。⑪建侯：分封诸侯。树：立。屏：屏障。⑫在：顾。⑬伯父：孔疏引《仪礼·觐礼》中说天子呼诸侯之礼云："同姓大国则曰伯父，其异姓则曰伯舅；同姓小邦则曰叔父，其异姓则曰叔舅。"⑭尚：还。胥：相。暨：和。顾：念。绥：通"緌（ruí）"，继。⑮奉：助。恤：勤劳，忧恤。厥若：古成语，指示代词，这里指周王室。⑯鞠子：幼子，康王自称。

[译文]

康王这样说："诸位封国的侯甸男卫各级诸侯们，我姬钊将答以诰词。从前我们的国君文王、武王治国太平，万民富有。杜绝罪恶之事，做到公平诚信，圣德昭明于天下。所以有熊罴般的勇士和忠贞不贰的贤臣，共保王家，才从上帝那里始获天命。老天因此承顺我文武之命，付与天下四方，先王命令分封诸侯，树立藩屏，眷顾我们后嗣子孙。现在我们一二伯父辈的诸侯大国，还当相互眷念，像你们先公臣服我先王一样。虽然你们身处外地为诸侯，但你们的心应无不眷念我王室。要辅助、勤恤王室，不要使我这稚子负羞于先王。"

群公既皆听命，相揖趋出。王释冕①，反丧服②。

[注释]

①释冕：脱去即位典礼时所穿戴的礼服。②反丧服：重新穿上丧服，回

到守丧之处。反，同"返"。

[译文]

群臣诸侯听完康王诰命，相互作揖施礼而退，快步出应门之外。康王脱去吉服礼帽，返回侧室守丧，重新穿上丧服。

毕命①

惟十有二年六月庚午②，朏③。越三日壬申④，王朝步自宗周⑤，至于丰⑥，以成周之众⑦，命毕公保厘东郊⑧。

[注释]

①毕命：毕指毕公高，是周文王之子，武王灭商后，受封于毕（今陕西长安西北）。康王时，他与召公共同辅政。《史记·周本纪》载："康王命作策毕公，分居里，成周郊，作《毕命》。"司马迁所说《毕命》早就散逸了。本篇属梅赜《古文尚书》。《毕命》记载康王命毕公继承周公、君陈治理成周的旧法，谨慎对待殷民，安定天下。②十有二年：指周康王即位十二年。有，又。③朏（fěi）：新月初放光明。④越：经过。⑤王：康王。朝：早晨。步：行。宗周：镐京。⑥丰：丰邑，文王旧都。⑦成周：西周东都洛邑，周公营建，有王城和成周二城。成周是殷民所在。⑧保：安。厘（lí）：治理。东郊：成周在王城的东郊，此指成周。

[译文]

周康王十二年六月庚午日，新月初放光明。过了三天到了壬申日，周康王早晨从镐京出发，到达丰邑，命令太师毕公在洛邑东郊安定治理成周的殷民。

王若曰："呜呼！父师①。惟文王、武王敷大德于天下②，用克受殷命③。惟周公左右先王④，绥定厥家⑤，毖殷顽民⑥，迁于洛邑，密迩王室⑦，式化厥训⑧。既历三纪⑨，世变风移⑩，四方无虞⑪，予一人以宁⑫。道有升降⑬，政由俗革⑭，不臧厥臧⑮，民罔攸勤⑯。惟公懋德⑰，克勤小物⑱，弼亮四世⑲，正色率下⑳，罔不祗师言㉑。嘉绩多于先王㉒，予小子垂拱仰成㉓。"

[注释]

①父师：蔡沈《书集传》说："毕公代周公为太师也。"②敷：布。③用：因。克：能。④左右：辅佐。⑤绥：安。家：指周王室。⑥毖（bì）：告诫。殷顽民：指参加武庚叛乱的殷人。⑦迩：近。⑧式：用。化：教化。训：教。⑨既：已经。纪：十二年为一纪。⑩风：风俗。⑪虞：忧患。⑫予一人：康王自称。宁：安。⑬道：世道。升降：盛衰之意。⑭由：用。俗：风俗。革：变革。⑮不臧厥臧：不能褒奖善良。前一个臧作动词用，褒奖之意；后一个臧是名词，善良。⑯罔：无。攸：所。⑰公：毕公。懋：努力。⑱小物：小事。⑲弼亮四世：《孔传》说："辅佐文、武、成、康四世。"弼、亮皆辅佐之意。⑳正色：指仪态风采。率下：统率臣下。㉑祗：敬。师言：指毕公的训教。㉒嘉绩：善功。多：重视。㉓予小子：康王自称。垂拱仰成：蔡沈《书集传》说："垂衣拱手以仰其成而已。"

[译文]

周康王说："啊！父师。文王、武王遍行德政于天下，因此才能代受殷商的天命。周公辅助先王安定我们周王室，告诫叛乱的殷商顽民，把他们迁到洛邑，使他们靠近周王室，因而被周公的教训所感化。自从迁徙以来，已过了三十六年。世变俗移，四方没有忧患，我感到十分安宁。世道有盛有衰，政教也要因民俗而改变。若不能褒奖善良，民众就会无所劝勉。毕公您努力行德，小事都要努力操心，辅助了四代周王，凭着庄重的仪态统领臣下，没有人不敬服您的训导。您被先王所重视，年轻的我愿意垂衣拱手仰视您的成就。"

王曰："呜呼！父师。今予祗命公以周公之事①，往哉！旌别淑慝②，表厥宅里③，彰善瘅恶④，树之风声⑤。弗率训典⑥，殊厥井疆⑦，俾克畏慕⑧。申画郊圻⑨，慎固封守⑩，以康四海⑪。政贵有恒⑫，辞尚体要⑬，不惟好异⑭。商俗靡靡⑮，利口惟贤⑯，余风未殄⑰，公其念哉！

[注释]

①祗：敬。周公之事：指当年周公迁徙、教化殷民之事。②旌别：识别。淑：善。慝（tè）：恶。③表：标记。宅里：居里。④彰：显扬。瘅（dàn）：病，这里引申为憎恨。⑤风：风俗。声：名声。⑥率：循。训：教导。典：常。⑦殊：异。井：井里。疆：界。⑧俾：使。克：能。畏：畏惧。慕：美慕。⑨申：申明。画：划分。郊圻（qí）：泛指以国都及周围构成的统治中心。郊，邑外称郊。圻，国都周围。⑩慎：谨慎。固：坚固。封守：封疆之守。⑪康：安。⑫恒：持久。⑬辞：言辞。尚：崇尚。体要：简要，精当。⑭好：喜欢。异：奇异。⑮商俗：殷商人的风俗。靡靡：奢华。⑯利口：能言善辩。⑰殄（tiǎn）：绝。

[译文]

康王说："啊！父师。我现在恭敬地命令毕公您继承周公的事业，去吧！识别善恶，标志善人的居处，表彰善良，憎恨邪恶，树立起良好的风气来。对不遵循教化常法的，就区别出他的井里田界，使人们知道畏惧和敬慕的对象。还要规划出都邑外郊圻的界限，谨慎加固封疆的守备，以安定天下。为政贵在有常法，言辞则崇尚精要，不为喜好奇异。殷商人的风俗奢丽浮华，以能言善辩为贤，遗风还没有断绝，毕公您要考虑啊！

"我闻曰：'世禄之家①，鲜克由礼②。'以荡陵德③，实悖天道④。敝化奢丽⑤，万世同流。兹殷庶士⑥，席宠惟旧⑦，怙侈灭义⑧，服美于人⑨。骄淫矜侉⑩，将由恶终⑪，虽收放心⑫，闲之惟艰⑬。资富能训⑭，惟以永年⑮。惟德惟义，时乃大训⑯。不由古训，于何其训⑰？"

[注释]

①世禄：世代有禄位的贵族。②鲜（xiǎn）：少。克：能。由：用。③荡：放荡。陵：凌驾。④悖：违逆。⑤敝：敝俗。化：风化。⑥兹：此。庶士：众士。⑦席：居。旧：久。⑧怙（hù）：凭恃。侈：奢侈。⑨服美于人：蔡沈《书集传》则说："徒以服饰之美，侉之于人，而身之不美，则莫之耻也。"⑩骄淫：骄恣过分。矜侉（kuā）：自我夸耀。侉，通"夸"。⑪由：以。⑫放心：放纵之心。⑬闲：约束。艰：难。⑭资：资财。训：接受教化。⑮永年：长命。⑯时：通"是"。训：教。⑰训：通"顺"。

[译文]

"我听说：'世代享有禄位的贵族，很少能遵守礼法。'他们以放荡来凌驾有德之人之上，实在有悖天道。奢丽浮华这类陋俗风化，可谓万世相同。这些殷商众士，处在骄宠之位已经很久了，凭着奢侈丢弃德义，服饰华美，虚有其表。他们骄恣过分，自我夸耀，终究不得善终。现在虽然收敛了放纵之心，但防备他们还是很难。资财富足而能接受教化，才能长久。施行德义，才是最重要的教诲。如果不遵守古人的教诲，对于他们来说，如何能顺从呢？"

王曰："呜呼！父师，邦之安危，惟兹殷士①，不刚不柔，厥德允修②。惟周公克慎厥始③，惟君陈克和厥中④，惟公克成厥终⑤。三后协心⑥，同底于道⑦，道洽政治⑧，泽润生民⑨。四夷左衽⑩，罔不咸赖⑪，予小子永膺多福⑫。公其惟时成周⑬，建无穷之基⑭，亦有无穷之闻⑮。子孙训其成式⑯，惟乂⑰。呜呼！罔曰弗克⑱，惟既厥心⑲；罔曰民寡⑳，惟慎厥事㉑。钦若先王成烈㉒，以休于前政㉓。"

[注释]

①殷士：殷商遗民。②允：的确。修：好。③克：能。始：开始，这里指周公平定叛乱，迁徙殷民至成周之事。④中：指周公之子君陈继承周公旧

法，继续在成周教化殷民。⑤终：指毕公要在成周完成对殷民的教化。⑥三后：三君，指周公、君陈、毕公。⑦厎：致。道：教化。⑧洽：融洽。治：治理。⑨生民：民众。⑩四夷：古代对少数民族的称呼。左衽：与古代华夏族衣服前襟向右掩不同，少数民族服饰前襟向左掩，故谓之"左衽"。⑪咸：都。赖：依赖。⑫予小子：康王自称。膺：受。⑬时：治理好。⑭基：基业。⑮闻：好名声。⑯训：顺。成式：成法。⑰乂：治。⑱罔：毋。弗克：不能。⑲既：尽。⑳寡：少。㉑慎：谨慎。㉒钦：敬。若：顺。成：盛。烈：功业。㉓休：美。前政：周公、君陈等前人治理殷民的教化。

[译文]

周康王说："啊！父师，国家的安危，系于这些殷商众士。不刚不柔，那样的德教的确不错。周公最初迁徙教化殷民，开始就很慎重，中间君陈能使他们和睦，现在到毕公您最终完成教化。三君同心协力，共同致力于教化，教化融洽了，政事才会得到治理，民众才会得到润泽。四方披发左衽的少数民族，没有不信赖我们的，年轻的我也会永远享受福命。毕公您要治理好成周，建立无穷的基业，您也因此会获得无穷的赞誉。后世子孙顺从这些成法，天下就安定了。啊！不要说不能胜任，要竭尽心力；不要说民众太少，要谨慎于政事。恭顺先王的大业，使它比前代更美好！"

君 牙①

王若曰②："呜呼！君牙。惟乃祖乃父③，世笃忠贞④；服劳王家⑤，厥有成绩，纪于太常⑥。惟予小子⑦，嗣守文、武、成、康遗绪⑧，亦惟先王之臣⑨，克左右乱四方⑩。心之忧危，若蹈虎尾⑪，涉于春冰⑫。

[注释]

①君牙：相传为周穆王的大臣，《君牙》是周穆王任命君牙为大司徒时

发布的策命之辞。此篇属梅赜《古文尚书》。《书序》："穆王命君牙为大司徒，作《君牙》。"篇中，穆王希望君牙为自己分忧，宣扬五常之教，像他的祖、父那样尽忠于君王。②王：周穆王，名满，周康王孙，周昭王子，在位五十五年。③乃：你的。④笃：厚。⑤服：服事。王家：周王室。⑥纪：记录。太常：《孔传》说："王之旌旗画日月，曰太常。"⑦予小子：穆王谦称。⑧嗣：继。⑨惟：思。⑩克：能。左右：辅佐。乱：治。⑪蹈：踩。⑫春冰：春天的薄冰。

[译文]

周穆王这样说道："啊！君牙。你的祖父和你的父亲，世代笃厚忠贞；勤劳于周王室，其功绩记录在画有日月的太常旗上。年轻的我继守文、武、成、康的遗业，也想让先王的大臣能够辅助我治理四方。我心里忧虑畏惧，就像踩着老虎尾巴，又像走在春天的薄冰上。

"今命尔予翼①，作股肱心膂②。缵乃旧服③，无忝祖考④！弘敷五典⑤，式和民则⑥。尔身克正⑦，罔敢弗正；民心罔中，惟尔之中。夏暑雨，小民惟曰怨咨⑧；冬祁寒⑨，小民亦惟曰怨咨。厥惟艰哉⑩！思其艰以图其易⑪，民乃宁⑫。呜呼！丕显哉⑬，文王谟⑭。丕承哉⑮，武王烈⑯。启佑我后人⑰，咸以正罔缺⑱。尔惟敬明乃训，用奉若于先王⑲。对扬文武之光命⑳，追配于前人㉑。"

[注释]

①予翼："翼予"的倒装。翼，辅。②股肱（gōng）心膂（lǚ）：泛指辅佐之臣。股，大腿。肱，大臂。膂，背。③缵（zuǎn）：继。乃：你的。旧服：指君牙的祖先忠贞勤劳之于王室的事迹。④忝：辱。⑤弘：大。敷：布。五典：父义、母慈、兄友、弟恭、子孝的五常之教。⑥式：用。则：法则。⑦尔身：你自身。克：能。正：中正无邪。⑧惟：只是。怨：叹。咨：嗟。⑨祁：大。⑩厥：其。艰：难。⑪图：谋。易：改变。⑫乃：才。宁：安。

⑬丕：大。显：明扬。⑭谋：谋。⑮承：承受。⑯烈：功业。⑰启：开。佑：佑护。⑱咸：都。正：中正。⑲用：以。若：顺。⑳对：答。扬：显扬。光命：即天命、福命。㉑配：匹配。

[译文]

"现在我命令你辅助我，做我的心腹。要像你祖先过去服事周王室一样，不要辱没他们。要广泛开展五常之教，作为和谐民众的准则。你自身中正，没有人敢不正；民众心中没有中正的标准，只能以你的行为为准。夏天炎热多雨，民众只是嗟叹；冬天严寒，民众也只是嗟叹。他们很艰难啊！想到他们的艰难，继而谋求改变的办法，民众才会安宁。啊！光明显扬啊，文王开辟周王室的谋略。大力继承啊，武王伐商的功业。这些都启示佑护我们后人，凡事都要出于中正之道，无所偏缺。你当恭敬宣导你的五常之教，以此恭顺先王。还要答谢颂扬文王、武王所传授的福命，争取匹配于你的祖先。"

王若曰："君牙！乃惟由先正旧典时式①，民之治乱在兹。率乃祖考之攸行②，昭乃辟之有乂③。"

[注释]

①乃：你的。由：用。先正：前贤，指君牙的祖、父。时：善。式：法。②率：遵循。祖考：祖、父。攸：所。③昭：赞助。辟：君王，指穆王。乂（yì）：治。

[译文]

周穆王说："君牙！你要尊奉你祖先的旧典良法，治理民众好坏与否关键在此。遵循你祖先的德行，襄助你的君王治理好天下。"

冏命①

王若曰②："伯冏！惟予弗克于德③，嗣先人宅丕后④，怵惕惟厉⑤，中夜以兴⑥，思免厥愆⑦。

[注释]

①冏（jiǒng）命：冏即伯冏，是周穆王的贤臣。《史记·周本纪》云："穆王即位，春秋已五十矣。王道衰微，穆王闵文武之道缺，乃命伯臩（冏），申诫太仆国之政，作《臩命》。复宁。"司马迁所说《臩命》早已散佚，本文属梅赜《古文尚书》。②王：周穆王。③克：能够。④嗣：继。先人：前人，指穆王的父亲昭王。宅：居。丕：大。后：君。⑤怵（chù）：恐惧。惕：警惕。惟：思。厉：危险。⑥中夜：半夜。兴：起。⑦愆：过失。

[译文]

周穆王这样说道："伯冏！我在德行方面不能胜任，继承先人处于君主之位，戒惧警惕，甚至半夜起来，思考怎样来避免过错。

"昔在文、武，聪明齐圣，小大之臣，咸怀忠良。其侍御仆从①，罔匪正人②，以旦夕承弼厥辟③。出入起居，罔有不钦④；发号施令，罔有不臧⑤。下民祗若⑥，万邦咸休⑦。

[注释]

①御：驾车之官。仆从：君王的随从。②罔：无。匪：非。正人：正直的人。③旦夕：早晚。承：承顺。弼：辅助。辟：君王。④钦：敬。⑤臧（zāng）：善。⑥祗：敬。若：顺。⑦休：美。

[译文]

"以前文王、武王通达圣明，大小臣下都怀抱忠良之心。左右的侍御仆从，没有不正直的，从早到晚侍奉自己的君王。所以君王出入起居，没有不恭敬的；发号施令，没有不善的。民众恭敬顺从，天下四方都很美好。

"惟予一人无良①，实赖左右前后有位之士②，匪其不及③。绳愆纠谬④，格其非心⑤，俾克绍先烈⑥。

[注释]

①予一人：穆王自称。无良：不善。②左右前后：指近臣。有位之士：在位的官员。③匡：正。④绳：纠正。愆：过失。纠：纠正。谬：错误。⑤格：端正。非心：《孔疏》说："非理枉妄之心。"⑥俾：使。克：能。绍：继承。先烈：先王的功业。

[译文]

"我没有善行，实在要依赖左右近臣和在位官员，匡正我的不周之处，纠正过失错误，端正我的荒谬思想，使我能够继承先王的功业。

"今予命汝作大正①，正于群仆侍御之臣②。懋乃后德③，交修不逮④。慎简乃僚⑤，无以巧言令色、便辟侧媚⑥，其惟吉士⑦。仆臣正，厥后克正；仆臣谀⑧，厥后自圣⑨。后德惟臣，不德惟臣⑩。尔无昵于憸人⑪，充耳目之官⑫，迪上以非先王之典⑬。非人其吉⑭，惟货其吉⑮。若时⑯，瘝厥官⑰，惟尔大弗克祗厥辟。惟予汝辜⑱。"

[注释]

①汝：伯冏。大正：即太仆正。正，长。②正：领导。群仆侍御：《孔疏》说："案《周礼》：太驭，中大夫，掌御玉辂；戎仆，中大夫，掌御戎车；齐仆，下大夫，掌驭金辂；道仆，上士，掌驭象辂；田仆，上士，掌驭田辂。群仆谓此也。"③懋：努力。后：君王。④交：共同。修：修养。逮：及。⑤慎：谨慎。简：选择。僚：近侍之臣。⑥巧言：花言巧语。令色：装好脸色。便：顺从。辟：回避，指善于投其所好。侧：奸邪。媚：谄媚。⑦吉士：忠厚中正的君子。⑧谀（yú）：谄媚。⑨后：君。自圣：自以为圣。⑩后德惟臣，不德惟臣：《孔传》说："君之有德惟臣成之，君之无德惟臣误之。言君所行善恶专在左右。"⑪尔：你。昵：亲近。憸（xiān）人：小人。⑫耳目之官：指君王心腹近臣。⑬迪：引导。⑭其：通"綦"，极、最。下句"其"同。⑮惟：只。货：财货。⑯若时：如果是这样。⑰瘝（guān）：病、败坏。

冏命　277

⑱汝辜:"辜汝"的倒装,惩罚你。辜,罪,这里用作动词。

[译文]

"现在我任命你担任太仆长,统领群仆、侍御等近侍之臣。劝勉君王敬修德行,共同修养不足之处。你要谨慎选择下属,不要任用巧言令色、阿谀奉承之人,要任用忠厚正直的君子。近臣们正直了,君王才能正直;近臣们阿谀谄媚,君王也会自以为圣明。君王有德,在于臣下的成就;君王丧德,也在于臣下误导。你不要亲近小人,让他充当心腹,引导君王违背先王旧典。不以贤人为最好,只以财货为最善。如果是这样,就会败坏自己的官职,就是你对君王的大不敬。那我就要惩罚你了。"

王曰:"呜呼!钦哉①!永弼乃后于彝宪②。"

[注释]

①钦:敬。②弼:辅助。于:以。彝(yí)宪:常法,指先王旧典。

[译文]

周穆王说:"哎呀!要谨慎啊!要永远用常法辅佐你的君王。"

吕 刑①

惟吕命王享国百年②,耄③,荒度作《刑》以诘四方④。

[注释]

①吕刑:《史记·周本纪》载:"甫侯言于王,作修刑辟。"据此,旧说多以为本篇乃吕侯(即"甫侯")受命于周穆王而作。因此,篇首"惟吕命王享国百年"于"命"字读断,释为"吕侯受命辅佐穆王"之意。刘起釪先生《尚书校释译论·吕刑》在傅斯年先生考证的基础上,断言:"此篇内容与周穆王毫无关系,故先秦文献中所引《吕刑》(或《甫刑》)共达十六次,无一次涉及周穆王,及至汉代,始盛称《吕刑》为周穆王之文,这是毫无根据

的。"今从刘说及其断句。本篇叙述了蚩尤及其后裔三苗的恶行,回忆了从"民神杂糅"到"绝地天通"的社会变化。篇中提出中国古代自成体系的刑法纲领和"祥刑"思想。②惟:语气助词。吕:吕国,原是姜姓一支,灭商后封于吕地,在今河南南阳市一带。命王:英明之王,受命之王。命是赞美之辞。③耄:年老。④荒:大。度:考虑。诘:禁。

[译文]

我吕国圣明的君主享国已达百年了,年纪老了,又用宽容大度的精神制定刑书来约束四方。

王曰①:"若古有训:蚩尤惟始作乱②,延及于平民,罔不寇贼、鸱义、奸宄、夺攘、矫虔③。苗民弗用灵④,制以刑⑤,惟作五虐之刑曰法⑥。杀戮无辜,爰始淫为劓、刵、椓、黥⑦,越兹丽刑⑧,并制罔差有辞⑨。民兴胥渐⑩,泯泯棼棼⑪,罔中于信⑫,以覆诅盟⑬。虐威庶戮方告无辜于上⑭。上帝监民⑮,罔有馨香德刑⑯,发闻惟腥。

[注释]

①王曰:此史臣记吕王说。②蚩尤:神话传说中的人物,东夷部落集团的首领,与黄帝在中原发生阪泉之战,被打败。在舜、禹时代,蚩尤部落与舜、禹也曾发生过冲突。③寇:攻击。贼:杀人。鸱(chī):鸱枭,一种恶鸟。义:通"俄",倾斜。奸宄:泛指作奸犯科。夺:强取。攘:窃取。矫:诈取。虔:强取。④苗:苗族,九黎之后,与黄河流域各部落一直斗争。灵:善。⑤制:使折服。⑥虐:杀。⑦爰:句首语气词。淫:过度。劓:割鼻,五刑之一。刵:断耳。椓(zhuó):宫刑,五刑之一。黥(qíng):在脸上刺字,染上黑色,即墨刑,亦五刑之一。⑧越兹:于是。丽:施。⑨并制罔差有辞:孙星衍《尚书今古文注疏》说:"制作五虐之法,无有差减,亦无罪状谳,其可轻可缓,刻深之至。"罔,无。差,差等。辞,罪状。⑩兴:起。胥:相。渐(jiān):欺诈。⑪泯泯棼棼:纷乱的样子。⑫罔:无。中:通"忠"。⑬覆:败。诅盟:盟誓。⑭方:通"旁",普。⑮上:上帝。监:视。

⑯刑：法。

[译文]

王说："古时候有过教训，那时蚩尤大肆作乱，恶习扩及平民百姓，人们互相攻击抢劫，谋财害命，邪恶不堪，作奸犯科，巧取豪夺，无恶不作。苗民不行善道，就制订刑法惩处他们，创了五种酷刑作为法律。渐渐滥杀无辜，还造了截鼻、断耳、宫刑、黥面等酷刑，不问是非及具体罪状，一律加以刑戮。从此苗民中兴起欺诈手段，社会混乱不堪，没有公平信义，经常违背誓约。刑罚的酷虐，使庶民遭到冤害，他们只好把冤气控述到上帝那里。上帝察看民情，发现根本没有德行的馨香，只有刑戮的腥臭。

"皇帝哀矜庶戮之不辜①，报虐以威，遏绝苗民②，无世在下③。乃命重黎绝地天通④，罔有降格⑤。群后之逮在下⑥，明明棐常⑦，鳏寡无盖⑧。

[注释]

①皇帝：即上帝。皇，大。②遏：遏制。绝：灭。③世：嗣。下：人世。④乃命重黎绝地天通：《国语·楚语》云："昭王问于观射父曰：'《周书》所谓重黎实使天地不通者，何也？若无然，民将能登天乎？'对曰：'非此谓之也。古者民神不杂……各司其序，不相乱也。民是以能有忠信，神是以能有明德。民神异业，敬而不渎，故神降之嘉生，民以物享，祸灾不至，求用不匮。及少昊之衰也，九黎乱德，民神杂糅，不可方物，夫人作享，家为巫史，无有要质。民匮于祀而不知其福，烝享无度，民神同位。民渎齐盟，无有严威，神狎民则，不蠲其为。嘉生不降，无物以享。祸灾荐臻，莫尽其气。颛顼受之，乃命南正重司天以属神，命火正黎司地以属民。使复旧常，无相侵渎，是谓"绝地天通"。其后三苗复九黎之德，尧复育重黎之后，不忘旧者，使复典之。以至于夏商，故重黎氏世叙天地，而别其分主者也。'""重黎"也叫祝融，是芈姓楚民族的宗神，但上引《国语》中已分作两人，可见是神话人物在不同传说记载中的分化。绝地天通，不让民众与天直接沟通，而由神祀人员代替。

⑤格:升。⑥群后:诸侯。⑦明:勉。棐:非。⑧盖:害。

[译文]

"上帝哀怜无罪而被刑戮的广大百姓,对那些肆行酷刑的人给予了威严的惩处,灭绝了那些作乱的苗人,不让他们有后代留在人间。上帝于是命令重黎严分民、神事务,禁止民神杂糅的巫术,断绝了地下庶民与上天直接沟通的旧习。民众与上天再也不能直接联系。后来继位的君王们,都努力遵守明德,不能像往日一样肆行非理,鳏寡无告的小民也不会再受到伤害。

"皇帝清问下民①,鳏寡有辞于苗②,德威惟畏,德明惟明③。乃命三后恤功于民④:伯夷降典⑤,折民惟刑⑥;禹平水土,主名山川⑦;稷降播种⑧,农殖嘉谷⑨。三后成功,惟殷于民⑩。爰制百姓于刑之中⑪,以教祗德⑫。

[注释]

①清问:即"问"。②有辞:有怨恨。③德威惟畏,德明惟明:蔡沈《书集传》说:"苗以虐为威,以察为明,帝反其道,以德威而天下无不畏,以德明而天下无不明也。"④三后:指下文的伯夷、禹、稷。恤:忧勤。⑤伯夷:姜姓族的始祖神。降:立下。⑥折:制。⑦主名山川:为山川神主。⑧稷:后稷。⑨农:勉。殖:种植。嘉:美。⑩殷:大,远,盛。⑪制:制御,治理。⑫祗:敬。

[译文]

"上帝询问了天下民众,连鳏寡小民都仍在埋怨苗民酷刑之害。于是上帝以德行威,万民无不畏服;又以德施明,使万民远离冤枉。上帝命令三位方国君主下到人间,抚恤民众,建立功业。伯夷制定法典,凭刑法治理人民;大禹平治水土,为山川的神主;后稷教民播种,勉力种植庄稼。三位君主大功告成,给予民众的好处又大又长远。以后,治理人民只用适中的刑罚来教育人民敬行德教。

"穆穆在上①,明明在下②,灼于四方③,罔不惟德之勤。故乃明于刑之中④,率乂于民棐彝⑤。典狱⑥,非讫于威⑦,惟讫于富。敬忌⑧,罔有择言在身⑨。惟克天德⑩,自作元命⑪,配享在下⑫。"

[注释]

①穆穆:和敬的样子,指天子。②明明:光辉的样子,指群臣。③灼:彰显。④刑之中:用刑适中。⑤率:语气助词。棐:非。彝:法。⑥典狱:主持刑狱。⑦讫:止。⑧忌:戒。⑨择:通"斁",败。⑩惟:只。克:肩负。天德:犹言"帝德",上天所立的道德。陈经《尚书详解》说:"天德无私,威福之事绝于外,敬忌之心存乎中,此无私之天德也。死生寿夭之命,乃天以制斯人者,今典狱者德与天一,则制生人之大命,岂非在下而与天配合乎?"⑪元命:大命。⑫配享:配合天命而享其禄位。

[译文]

"那个时候,君主秉持着美好的品德在上,群臣努力明察、建立事功在下,政治清明,光辉普照四方,没有人不勤于德行了。所以用刑适中,为的是引导治理人民远离非法活动。掌刑狱的士师,也不应以立威为目标,而应该为民造福。要时刻敬畏戒惧,远离恶言,如此才能肩负老天赐予的大德,才是自己成就大命,可以配享天禄。"

王曰:"嗟!四方司政典狱①,非尔惟作天牧②?今尔何监③?非时伯夷播刑之迪④,其今尔何惩⑤?惟时苗民匪察于狱之丽⑥。罔择吉人⑦,观于五刑之中⑧,惟时庶威夺货⑨,断制五刑以乱无辜⑩,上帝不蠲⑪,降咎于苗,苗民无辞于罚,乃绝厥世。"

[注释]

①四方司政典狱:指主持刑狱的官员。②牧:治理(民众)。③监:借

鉴。④时：是。迪：用。⑤惩：鉴戒。⑥匪：不。丽：施。⑦吉人：善人。⑧观：视事。中：中正。⑨惟时：只是。庶威：盛为威虐的人。夺货：广征货贿。⑩断制五刑：用割断、摧折等方式强力破坏五刑。五刑，墨（刻面）、劓（yì，割鼻）、剕（fèi，断足）、宫（去生殖器）、大辟（死）五刑，见下文。⑪蠲（juān）：除，引申为赦免。

[译文]

王说："唉！执掌刑狱的四方各级官员们，你们不是身负重任为天治民吗？那么现在你们要效法谁呢？难道不是伯夷所宣扬传播的刑法吗？要何所鉴戒呢？难道不正是苗民的不察刑狱而滥用刑罚吗？由于不能选择善人管理，考察五刑是否公正，导致权贵以威势行贿乱政，破坏五刑条律以乱伤无辜。上帝不能赦免他们，给苗民降下灾祸，苗民无话可说，只得承受，于是他们的世系就被断绝了。"

王曰："呜呼！念之哉！伯父、伯兄、仲叔、季弟、幼子、童孙①，皆听朕言，庶有格命②。今尔罔不由慰日勤，尔罔或戒不勤。天齐于民③，俾我一日④，非终惟终，在人⑤。尔尚敬逆天命⑥，以奉我一人。虽畏勿畏，虽休勿休⑦，惟敬五刑，以成三德⑧。一人有庆⑨，兆民赖之⑩，其宁惟永。"

[注释]

①伯父、伯兄、仲叔、季弟、幼子、童孙：蔡沈《书集传》说："此告同姓诸侯也。"②庶：庶几。格命：吉祥美善之事。③齐：整齐。④俾：使。⑤非终惟终，在人：曾运乾《尚书正读》说："'非终'，如《康诰》言：'乃有大罪，非终，乃惟眚灾，适尔。''惟终'，如《康诰》言：'人有小罪，非眚，乃惟终，自作不典，式尔。'文言民有过恶，天欲整齐之，俾我一日司其柄，我不可以私意参与其间。'眚灾肆赦'、'怙终贼刑'，亦在人之本身而已。"⑥逆：迎。⑦虽畏勿畏，虽休勿休：曾运乾说："'虽畏勿畏'，不畏高明也。'休'，喜也。'虽休勿休'，得其情，哀矜勿喜也。"⑧三德：即《洪

范》篇所谓正直、刚克、柔克。⑨一人：君王自称。庆：善。⑩兆民：广大臣民。赖：利。

[译文]

王说："哎呀！记住这个教训吧。我的叔伯、兄弟、子孙们：都要听从我的话，这样就会有吉祥美善之事。现在你们无不是因为我的宽慰和勉励而日益勤奋于政务，你们也没有不警戒自己勤于职守的。民众有罪行，老天要处理，使我掌管了这大权。人有犯大罪的，但不是有意，属于'非终'之列。人有犯小罪的，但属于蓄意而且死不坦白，则属于'惟终'之列。这些判定全在于所犯的情况。你们要敬迎天命，来辅助我。处理五刑之政时，要不畏权威，治狱审讯到真情也要懂得哀矜，不要只顾着欢喜。要谨敬于五刑之用，以成刚、柔、中正之德。君王一人有可庆的善政，万民都会赖以得到幸福，天下就能长久安宁了。"

王曰："吁①！来，有邦有土②，告尔祥刑③。在今尔安百姓，何择非人，何敬非刑，何度非及④。

[注释]

①吁：叹词。②有邦有土：曾运乾《尚书正读》说："有邦者，畿外诸侯。有土者，畿内有采邑之臣。"③祥刑：善刑。不滥用而强调德教为主，故称善。④度：谋。及：赶上（古代圣人伯夷、禹、稷等的道德）。

[译文]

王说："唉！各级诸侯长官们，我把少用惩罚、注重德教的祥刑制度详细告诉你们。现在你们安抚天下民众，要选择什么？难道不是贤人吗？要谨慎对待什么？难道不是刑法吗？要思考什么？难道不是要追模古圣先王伯夷、禹、稷的治道吗？

"两造具备①，师听五辞②；五辞简孚③，正于五刑④；五刑不简⑤，正于五罚⑥；五罚不服，正于五过⑦；五过之疵⑧，惟官、惟反、惟内、惟货、惟来⑨。其罪惟均⑩，其审克之⑪。

[注释]

①两造：诉讼双方。②师：士师，即刑官。五辞：五刑相关的供词。③简：检核。孚：信。④正：定。⑤不简：供词与所察情形不一致，是为疑罪不定。⑥罚：赎。⑦五罚不服，正于五过：孔疏说："欲令赎罪，而其人不服，狱官重加简核，无复疑似之状，本情非罪，不可强遣出金，如是者则正之于五过，虽事涉疑似，有罪乃是过失，过则可原，故从赦免。"⑧疵：弊病。⑨官：依仗威势。反：不顾案情，随意抗上。内：内亲妻室说情，后世所谓裙带风。货：贿赂。来：靠关系请托。⑩其：指犯有"五过之疵"的刑官。均：等。⑪克：核实。

[译文]

"诉讼双方都到场了，法官们共听狱讼中相关口供，经考察核实，就按五刑定罪。如果囚犯经过复审不合考察结果，属于情况不确定，就不再处以五刑，而定从五罚，让罪犯出罚金赎罪。如果定了五罚而罪犯依然不服，要再加审核，如果发现处罚与过失不相应，就改按五种过失处理，可以赦免他的罪。但在审理五过中往往发生五种弊病，一是高官利用权势，不公正审判；二是不顾案情，随意抗上；三是内亲妻室说情改变审判；四是行贿受贿，贪赃枉法，混乱审判；五是私情请托，干扰审判。法官有上述弊端的，其罪与犯法者等同，要详加审核。

"五刑之疑有赦①，五罚之疑有赦②，其审克之。简孚有众，惟貌有稽③，无简不听④，具严天威⑤。

[注释]

①五刑之疑有赦：所定五刑情有可疑，就应该直接赦免。与上文"五刑不简，正于五罚"有微别。②五罚之疑有赦：所定五罚情有可疑，也应该直接赦免。与上文"五罚不服，正于五过"有微别。③貌：微细之处。稽：考

查。④听：听受。⑤具：共。严：敬。

[译文]

"如果发现所判五刑情有可疑，可以直接赦免；同样，发现所定五罚情有可疑，也要赦免。这都必须详加审核。罪状经审核，有多人证实，还要对细微之处详加稽查，此时可判定刑罚。如果案情无从核实，则不必受理。刑狱之事要审慎，乃是由于天威可畏，必须谨慎尊敬。

"墨辟疑赦①，其罚百锾②，阅实其罪③。劓辟疑赦，其罚惟倍④，阅实其罪。剕辟疑赦⑤，其罚倍差⑥，阅实其罪。宫辟疑赦，其罚六百锾，阅实其罪。大辟疑赦，其罚千锾，阅实其罪。

[注释]

①墨：墨刑，刻面并用墨水染黑。辟：罪。疑赦：罪有可疑而不能定，就赦免。②锾（yuán）：古代货币单位。③阅：检阅。④其罚惟倍：劓刑较上墨刑罚金加倍，即二百锾。⑤剕（fèi）：断足。⑥倍差：是劓刑的一倍半，即五百锾。

[译文]

"如果判了墨刑的案情有疑问，可以从轻改判罚金一百锾，但一定要经过再度核实。犯了劓刑的如果案情可疑，也减等改判罚金二百锾，也一定要经再度核实。判了剕刑的如果案情有疑问，减等改判罚金五百锾，也一定要核实。判了宫刑的如案情可疑，减等改判罚金六百锾，也一定要再度核实。判了死刑的如果案情可疑，减等改判罚金一千锾，也一定要再度核实。

"墨罚之属千①，劓罚之属千，剕罚之属五百，宫罚之属三百，大辟之罚其属二百，五刑之属三千②。

[注释]

①属：类，条款。②五刑之属三千：《周礼》成于《吕刑》之后，其

《秋官·司刑》载："掌五刑之法，以丽万民之罪。墨罪五百，劓罪五百，宫罪五百，刖罪五百，杀罪五百。"合为两千五百条。重罪加多而轻罪减少。

[译文]

"关于墨刑处罚的条款有一千条，劓刑也有一千条，剕刑五百条，官刑三百条，死刑二百条，五刑加起来共三千条。

"上下比罪①，无僭乱辞②，勿用不行③，惟察惟法，其审克之。上刑适轻下服④，下刑适重上服。轻重诸罚有权。刑罚世轻世重⑤，惟齐非齐⑥，有伦有要⑦。

[注释]

①上下比罪：罪行无专属时，可上比重罪、下比轻罪来确定罪行。孙星衍《尚书今古文注疏》说："言上下之罪，律有成事，及条目所无，比附而行之，勿增其条于三千之外。"②僭：差错。③不行：不当行之理。④上刑：重刑。适：宜。下服：以轻刑处置。⑤世：时。⑥齐非齐：江声《尚书集注音疏》说："上刑适轻，下刑适重，非齐也。轻重有权，随此制宜，齐非齐也。"⑦伦：道理。要：纲要。

[译文]

"刑律条款上没有的罪，可上比重罪、下比轻罪，加以确定，但不得出现差错。不要用不当行之理而成狱，只需察其情况而遵用刑法，而且要详加审核。如果犯了重刑，适宜从轻发落的，就轻罚。犯了轻罪，但情节恶劣宜从重发落的，可以服重刑。量刑行罚，可以灵活掌握。刑罚也要因时制宜，或轻或重，根据实际情况做出调整，自会有条理，有纲要。

"罚惩非死，人极于病①，非佞折狱②，惟良折狱③。罔非在中。察辞于差④，非从惟从⑤，哀敬折狱。明启刑书胥占⑥，咸庶中正⑦。其刑其罚，其审克之，狱成而孚⑧，输而孚⑨，其刑上备,有并两刑⑩。"

[注释]

①罚惩非死,人极于病:蔡沈《书集传》中说:"罚以惩过,虽非致人于死,然民重出赎,亦甚病矣。"极,困厄。病,痛苦。②佞:指巧言之人。③良:善。④差:供词中参差矛盾的地方。⑤非从惟从:江声《尚书集注音疏》说:"囚证之辞或有参差,听狱者于其参差察以求其情。既得其情,非从其辞,惟从其辞。"⑥启:开。骨:相。占:揣度。⑦咸:皆。中正:正确。⑧狱成:判定狱讼。孚:信。⑨输:王引之《经义述闻》说:"'成'与'输'相对为文,'输'之言'渝'也,谓变更也。……狱词或有不实,又察其曲直而变更之,后世所谓平反也。狱辞足而人信之,其有变更而人亦信之,所谓民自以为不冤也。"⑩其刑上备,有并两刑:曾运乾《尚书正读》说:"其刑上备者,轻重同犯,以轻罪并入重罪,不复科其轻。有并两刑者,两罪俱发,则但科以一罪,不复责其余,皆取宽厚之意也。"

[译文]

"实行罚金赎罪,虽然可以使犯者免死,但其被罚后所受痛苦也非常大。断狱不要凭巧言善辩,靠善良公正,才能合于中道,准确无误。供词常有矛盾之处,要善于从中明察虚实,才能获得真实案情。所以原则上不是听从口供,而是核查实情。要怀着哀怜之心来主持刑狱,当场打开刑书,与众人一起斟酌,取得狱官们的一致见解,这样才可能获得准确判决。所判五刑、五罚,都必须详加审核再加定夺,才能使人信服。狱辞如有不实,更要查实内情加以变更,也必要使人信服。如果有人轻罪、重罪并犯,则并轻罪入重罪,按重罪惩罚。如果犯有两种同样轻重的罪,只按其中一种加以惩处。"

王曰:"呜呼!敬之哉!官伯族姓①,朕言多惧②,朕敬于刑,有德惟刑。今天相民③,作配在下④,明清于单辞⑤。民之乱⑥,罔不中听狱之两辞⑦,无或私家于狱之两辞⑧。狱货非宝⑨，惟府辜功⑩，报以庶尤⑪。永畏惟罚，非天不中⑫，惟人在命⑬。天罚不极⑭，庶民罔有令政在于天下⑮。"

[注释]

①官伯：主管政事、执掌刑狱的官员。族姓：即上文所呼"伯父、伯兄、仲叔、季弟、幼子、童孙"等同族。②惧：戒惧。③相：助，治。④作：为，配：这里指君王上配天帝。⑤明清：明察。单辞：一面之词。⑥乱：治。⑦中听：中立，不偏听一面之词。两辞：诉讼双方的供词。⑧私：私利。⑨狱货：审理诉讼时接受的贿赂赃物。⑩府：聚集。辜功：罪行。⑪报：报应。庶：众。尤：罪过，祸害。⑫中：公平。⑬在命：自终其命。在，终。⑭极：极致。⑮令政：善政。

[译文]

王说："啊！要谨慎对待刑狱呀！各级主管政务、执掌刑狱的官员们和我的叔伯、兄弟、子孙们，要对我的话有所戒惧。我谨慎对待刑狱之事，施行德政，善用刑罚。现在上天治理民众，在人间设立君王以承配天意。听讼办案时要明察一面之词，不可偏听偏信。民众得到治理，都是因为狱官们的公正不偏、善察讼词。不可因为私利而偏袒诉讼的任何一方。办案时收受贿赂，得到财货，那些根本就不是宝，只是在聚集罪行，会得到无数恶报。要永远畏惧这种惩罚，天道中正无偏，都是人们自绝其命。如果上天对赃吏不加以严惩，天下百姓就享受不到善政了。"

王曰："呜呼！嗣孙。今往何监①？非德于民之中②。尚明听之哉！哲人惟刑③，无疆之辞④，属于五极⑤，咸中有庆⑥。受王嘉师⑦，监于兹祥刑⑧。"

[注释]

①今往：从今往后。监：临下。②非德：不应该是德治吗。中：中正，公平。③哲：通"折"，制。④无疆：无尽。⑤五极：五刑的标准。⑥咸：皆。中：指狱讼的处置公平适当。庆：福泽。⑦嘉师：美好的训导。⑧监：

遵循。

[译文]

王说:"啊!继嗣的子孙们,从今往后,你们怎样临下治民呢?难道不是靠德政使百姓得到公平吗?好好听清楚呀!治理民众要依赖刑法,要处理无穷无尽的讼词。要仔细明察,使其一一合于五刑的标准,而且要处置适中,这样才值得庆贺。要接受、听从我的训导,遵循德治之刑的原则。"

文侯之命[①]

王若曰[②]:"父义和[③],丕显文武[④],克慎明德[⑤],昭升于上[⑥],敷闻在下[⑦]。惟时上帝[⑧],集厥命于文王。亦惟先正[⑨],克左右昭事厥辟[⑩],越小大谋猷罔不率从[⑪]。肆先祖怀在位[⑫]。

[注释]

①文侯之命:关于本篇,有两种异说。一说据《史记·晋世家》及《周本纪》所载晋文公助周襄王(前651—前619)平定叛乱而得封赐,认为本篇乃襄王命晋文公为侯伯的命书。另一说据《书序》"平王锡晋文侯秬鬯、圭瓒,作《文侯之命》"等认为本篇乃周平王(前770—前720)命晋文侯为侯伯的命书。当今大部分学者都从第二说,认为本篇作于春秋初期周平王时。②王:指周平王。③父:伯父,周天子对姬姓大国诸侯的尊称。义和:文侯的字。④丕:大。显:显耀。⑤慎:谨慎。⑥昭:明。上:上天。⑦敷:布。闻:声望。下:下民。⑧惟时:于是。⑨先正:先臣,公卿大夫。⑩昭:通"绍",助也。厥:其。辟:君王。⑪越:于。猷:谋。率:循。⑫肆:故。怀:安。

[译文]

周平王这样说道:"伯父义和啊!伟大光辉的文王、武王能够兢兢业业昭明大德,因此,他们的圣德显赫地升到上天,声望广布在臣民之中。于是上帝把天命降给了文王、武王。也因为此前的贤臣大夫们能左右辅弼，对先王的大小谋划无不一致遵从，先祖才能够安居在位。

"呜呼！闵予小子嗣①，造天丕愆②，殄资泽于下民③，侵戎我国家纯④，即我御事⑤，罔或耆寿俊在厥服⑥，予则罔克。曰惟祖惟父，其伊恤朕躬⑦。呜呼！有绩予一人永绥在位⑧。

[注释]

①闵：哀伤。予小子：平王自称。嗣：继位。②造：遭。丕：大。愆：灾祸。指西周灭亡，平王被迫东迁洛邑。③殄：绝。资：财货。泽：禄命。④侵戎：外寇侵害的兵祸。纯：大。⑤御事：治事之臣。⑥罔：无。或：有。耆：年老。俊：通"骏"，长久。⑦伊：维。恤：忧。⑧绩：功绩。绥：安。

[译文]

"哎呀！不幸的是，我继承王位时，遭受了老天降下的大灾，断绝了先祖遗留给下民的财货禄位，蒙受了外寇侵害的兵戎之难。我身边的臣僚，没有老成耆宿长久在位，我真的是无能为力，只是一味依靠我祖辈、父辈的诸侯大臣们的忧念和关心。唉！只要有了功绩，就能使寡人我永远安居在位。

"父义和，汝克昭乃显祖①；汝肇刑文武②，用会绍乃辟③，追孝于前文人④。汝多修⑤，捍我于艰⑥，若汝予嘉⑦。"

[注释]

①昭：发扬光大。显：光荣。祖：指晋始封之君唐叔。②肇：始。刑：同"型"，效法。③用：以。会：会合。绍：继承。辟：君王，指周平王。《竹书纪年》载："平王元年，王东迁洛邑，晋侯会卫侯、郑伯、秦伯以师从王入于成周。"④追孝：杨筠如《尚书覈诂》说："追孝，古成语。《祭统》：'祭者所以追养继孝也。'是追孝之本义。引申为能继前人之志之意。"其说极是。文人：周人对前代之王的美称。⑤多：战功。修：通"休"，美。⑥捍：

捍卫。⑦嘉：嘉奖。

[译文]

"义和伯父啊！您能发扬光大您光荣的先祖唐叔的功业，又开始效法文王和武王，融会、继承这两种大德来辅助您的君主，以此继承先祖之志。您战功卓著，在我困难时期保卫了我，我要嘉奖你。"

王曰："父义和，其归视尔师①，宁尔邦②。用赉尔秬鬯一卣③，彤弓一④，彤矢百，卢弓一⑤，卢矢百，马四匹，父往哉！柔远能迩⑥，惠康小民，无荒宁⑦，简恤尔都⑧，用成尔显德。"

[注释]

①其：副词，表希望。归：返回晋国都城。视：视察，整顿。师：军队。②宁：安。③赉（lài）：赏赐。秬（jù）鬯（chàng）：祭祀用的香酒。秬，黑黍。鬯，香酒。卣（yǒu）：古代的一种酒器。④彤：红。⑤卢：黑。⑥柔远能迩：安抚绥柔远方的，和谐亲善近的。⑦荒：荒诞。宁：安逸。⑧简恤：苏轼《书传》说："简阅其士，惠恤其民。"

[译文]

王说："义和伯父啊！回去整饬您的部队，安定您邦国上下吧！现在赏赐给您祭祀所用香酒一卣，红色的弓一张，红色的箭一百支，黑色的弓一张，黑色的箭一百支，马四匹。伯父，您回去吧！安抚远方，亲善近邻，造福百姓，不要荒废政事，贪图安逸。检阅您的士众，惠爱您的人民，成就您显赫的德业。"

费 誓①

公曰②："嗟③！人无哗，听命！徂兹淮夷、徐戎并兴④，善敹乃甲胄⑤，敽乃干⑥，无敢不吊⑦。备乃弓矢，锻乃戈矛，砺乃锋刃，无敢不善。

[注释]

①费（bì）：古地名，在今山东费县西北。《费誓》，是鲁国国君征讨淮夷、徐戎的誓师词。《史记·鲁周公世家》作《肸誓》，《尚书大传》称《鲜誓》，西汉欧阳、大小夏侯三家今文本及东汉马、郑古文本皆作《粊誓》。东晋伪《古文尚书》传至唐代始由卫包改作《费誓》。本篇产生年代，有很多说法，或以为作于周公归政成王的第二年，或以为春秋时鲁僖公（前659—前627在位）所作，未有定论。②公：指鲁侯。③嗟：叹词。④徂：语气助词。兹：此。淮夷：古代少数民族，居住在今山东省境内，自商代起陆续南迁，至西周大部分迁至今淮水流域。徐戎：淮夷中主要的一支，常以它代表淮夷，有时称"徐夷"，是我国古代东方较早的一个少数民族。⑤敹（liáo）：缝缀（衣服等）。甲：甲衣。胄：头盔。⑥敽（jiǎo）：系结。干：盾牌。⑦吊：善，指完成好。

[译文]

鲁公说："喂！大家不要喧哗了，听我的命令！现在淮夷、徐戎都起来叛乱了。赶快缝好你们的铠甲和头盔，系好你们的盾牌，做好一切准备！准备好你们的弓箭，锻造好你们的戈矛，磨好兵器的刃口，不能不准备好啊！

"今惟淫舍牿牛马①，杜乃擭②，敜乃阱③，无敢伤牿④。牿之伤，汝则有常刑。马牛其风⑤，臣妾逋逃⑥，无敢越逐⑦。祗复之⑧，我商赉汝⑨。乃越逐不复，汝则有常刑。无敢寇攘⑩，逾垣墙、窃马牛、诱臣妾，汝则有常刑。

[注释]

①淫：大。舍：释放。牿（gù）：牛马的桎梏。②杜：闭塞。擭（huò）：捕兽的工具。③敜（niè）：堵塞。阱：陷阱。④无敢伤牿：孔疏说："既言牛马在牿，遂以牿为牛马之名。下云'无敢伤牿'，谓伤牛马。牿之伤，

谓牛马伤也。……今律文，施机抢作坑穽者杖一百，伤人之畜产者，偿所减价。"⑤马牛其风：牛马乱跑走失。风，走散。⑥臣妾：军中的奴隶厮役，男曰臣，女曰妾。逋（bū）：逃亡。⑦越逐：（不顾军纪）捕捉追赶。⑧祗：敬。复：还。⑨商赉：即"赏赉"。商，金文"赏"字的省借。⑩寇攘：抢劫掠夺。

[译文]

"现在要把牛马从桎梏中释放出来，把捕兽机关关掉，填塞捕兽的陷阱，不得伤害牛马。如果伤害了牛马，你们就要受到刑罚。如果牛马乱跑走失了，随军的男女厮役们跑掉了，你们万万不要脱离战阵去追赶。如果得到了这些牛马和厮役奴隶的，要恭敬地送还失主，我会给予赏赐。如果你们违纪追赶，又不返还失主，就要受刑罚。不许抢劫掠夺，如果你们翻墙偷盗、盗窃牛马、诱逃奴隶，也要受刑罚。

"甲戌，我惟征徐戎。峙乃糗粮①，无敢不逮②，汝则有大刑③。鲁人三郊三遂④，峙乃桢干⑤。甲戌，我惟筑⑥。无敢不供，汝则有无余刑，非杀⑦？鲁人三郊三遂，峙乃刍茭⑧，无敢不多⑨，汝则有大刑。"

[注释]

①峙：通"庤"，储备。糗（qiǔ）粮：干粮。糗，熬熟的米麦捣成粉。②逮：及。③大刑：死刑。④三郊三遂：西周地方制度有郊、遂，城外称郊，郊外叫遂。《史记·鲁世家》集解引王肃说："不言四者，东郊留守，故言三也。"⑤桢干：筑墙的工具。王先谦《尚书孔传参正》说："凡筑墙及城者，以绳束板置于两旁，更竖木于其端首，乃取土实其中而筑之，桢是其端首之木，故云在前，干则其两旁之板也。"⑥筑：构筑攻敌的工事。⑦汝则有无余刑，非杀：曾运乾《尚书正读》说："本意言非杀尚有余刑无？犹上下文汝则有大刑，特变文以取曲折耳。"⑧刍（chú）茭（jiāo）：喂牛马的草料。⑨多：充足。

[译文]

"甲戌这一天,我要征伐徐戎。大家要备好干粮,谁敢达不到军需的干粮标准,就判处死刑。鲁国各地居民,要准备好修筑营垒的器材,甲戌这天我们要构筑工事,如果谁胆敢不准备,除了死刑,没有别的了。鲁国各地居民还得储备好喂养牛马的草料,谁敢储备得不够,就要处死刑。"

秦 誓[①]

公曰:"嗟!我士[②],听无哗。予誓告汝群言之首[③]。古人有言曰:'民讫自若是多盘[④],责人斯无难,惟受责俾如流[⑤],是惟艰哉[⑥]!'我心之忧,日月逾迈[⑦],若弗云来[⑧]。

[注释]

①秦誓:鲁僖公三十三年(前627),秦穆公不听老臣劝阻,派遣孟明视、西乞术、白乙丙率师远袭郑国,不果,返至殽地时被晋军伏击,全军覆没,三个统帅都被擒获(《左传》载此事)。秦穆公对此事极为懊悔,对群臣讲了一篇自我责备的话。史臣录下,即为此篇。②我士:群臣、士卒。③首:要义,核心。④讫:终。若是:如此。盘:游乐。⑤受责俾如流:犹今云"从谏如流"。俾,使。⑥艰:难。⑦逾:越。迈:行。⑧云:又作"员",旋也。

[译文]

公说:"唉!我的全军将士们,听着,不要喧哗。我要向你们发表誓言,讲讲最重要的话。古人有这样一句话:'人总是贪图安逸,责备别人不难,但要做到自己受责备还能从谏如流,这就很难了。'我很忧虑,往事随着时间飞逝,再也回不去了,懊悔也来不及了。

"惟古之谋人①，则曰未就予忌②；惟今之谋人，姑将以为亲③。虽则云然④，尚猷询兹黄发⑤，则罔所愆⑥。番番良士⑦，旅力既愆⑧，我尚有之⑨。仡仡勇夫⑩，射御不违⑪，我尚不欲⑫。惟截截善谝言⑬，俾君子易辞⑭，我皇多有之⑮。

[注释]

①古：过去。谋人：谋臣。②忌：通"惎（jì）"，意志。③姑：姑且。④然：如此。⑤尚：副词。猷：谋。询：咨询。黄发：老人发白复黄，此处似隐指蹇叔等贤臣。《左传》载殽之战前，蹇叔再三劝阻秦穆公不要劳师袭远，秦穆公不听，遂致战败，此其追悔之言。⑥愆：过失。⑦番：通"皤（pó）"，老人发白。良士：善士。⑧旅：同"膂"，体力。愆：过错，这里指年老体衰。⑨有：通"友"，亲善、信任。⑩仡（yì）仡：勇壮的样子。⑪射：射箭。御：驾车。违：失。⑫欲：任用。⑬截截：又作"戋戋"，巧言。谝（pián）：《说文》："谝，便巧言也。"⑭俾：使。易：轻忽。辞：通"怠"，怠惰。⑮皇：通"惶"，暇。

[译文]

"过去的谋臣，我认为不太承顺我的意志；现在的谋臣，承顺我意，我一时就信任他们了。虽说如此，我感觉军国大事还是得去咨询德高望重的老臣，才不会发生失误。因此，那些满头白发的老臣，虽然体衰力弱，我还要信赖他们；那些勇壮武夫，虽说射箭、驾车很熟练，我却不想任用；而那些谗佞之徒，长于巧言，容易使在位贤士迷惑怠惰，我更无暇理会他们。

"昧昧我思之①，如有一介臣②，断断猗③，无他技④，其心休休焉⑤，其如有容⑥。人之有技，若己有之，人之彦圣⑦，其心好之，不啻如自其口出⑧，是能容之，以保我子孙黎民，亦职有利哉⑨！人之有技，冒疾以恶之⑩。人之彦圣而违之⑪，俾不达⑫，是不能容，以不能保我子孙黎民⑬，亦曰殆哉！

[注释]

①昧昧:默默深思的样子。②介:个。③断断:忠诚专一的样子。猗:语气助词,无义。④技:技能。⑤休休:宽容。⑥如:能。⑦彦:美士。圣:道德高尚。⑧不啻:不只。自:从。⑨职:一作"尚",庶几。⑩冒:通"媢(mào)",嫉妒。⑪违:庋。⑫达:进用。⑬以:任用。

[译文]

"我深思熟虑过,如果有一个大臣,忠贞专一但却没有什么其他才能,但心胸宽广,很能包容。看到别人有技能,就像自己有一样高兴。别人有才华有品德,他心底里欢喜,不只是嘴上夸夸而已。这样的宽容大度,是可以保护我的子孙、黎民的,也能造福于他们啊!还有另外一种人,看到别人有才能,就妒忌、厌恶,看到有才有德的人,就想方设法去扼杀,使他不能被进用。这样一个心地狭隘的人,是不能保住我的子孙、黎民的,对他们只有危害啊!

"邦之杌陧①,曰由一人②。邦之荣怀③,亦尚一人之庆④。"

[注释]

①杌(wù)陧(niè):不安的样子。②曰:助词,无义。③荣怀:光荣与安宁。④尚:还是。

[译文]

"国家危险不安,往往是因为一个坏人。国家繁荣安定,也往往由于一个贤臣的美善。"

主要参考书目

黄侃《黄侃手批白文十三经》，上海古籍出版社，1983。

（唐）孔颖达《尚书正义》，中华书局影印《十三经注疏》本，1980。

（宋）蔡沈《书经集传》，《新刊四书五经》本，中国书店，1994。

（清）阎若璩《尚书古文疏证》，《清经解续编》，上海书店影印本，1988。

（清）胡渭《禹贡锥指》，《清经解》，上海书店影印本，1988。

（清）江声《尚书集注音疏》，《清经解》本。

（清）王鸣盛《尚书后案》，《清经解》本。

（清）段玉裁《古文尚书撰异》，《清经解》本。

（清）孙星衍《尚书今古文注疏》，中华书局，1986。

（清）王引之《经义述闻》，江苏古籍出版社，1985。

（清）黄式三《尚书启蒙》，《续修四库全书》影印清光绪十四年黄氏家刻《儆居遗书》本。

（清）王先谦《尚书孔传参正》，《续修四库全书》影印清光绪三十年虚受堂刊本。

（清）孙诒让《尚书骈枝》，《续修四库全书》影印民国18年燕京大学铅印本。

（清）皮锡瑞《今文尚书考证》，中华书局，1989。

王国维《观堂集林》，中华书局，1959。

杨筠如《尚书核诂》，陕西人民出版社，1959。

曾运乾《尚书正读》，中华书局，1964。

王世舜《尚书译注》，四川人民出版社，1982。

李民、王健《尚书译注》，上海古籍出版社，2000。

周秉钧《尚书注译》，岳麓书社，2001。

顾颉刚、刘起釪《尚书校释译论》，中华书局，2005。

蒋善国《尚书综述》，上海古籍出版社，1988。

刘起釪《尚书学史》，中华书局，1989。

图书在版编目(CIP)数据

尚书/顾迁注译. —郑州:中州古籍出版社,2010.1
(2015.1 重印)
(国学经典)
ISBN 978-7-5348-3292-5

Ⅰ.①尚… Ⅱ.①顾… Ⅲ.①中国-古代史-商周时代 ②尚书-注释③尚书-译文 Ⅳ.①K221.04

中国版本图书馆 CIP 数据核字(2010)第 005676 号

出版社:中州古籍出版社
（地址:郑州市经五路 66 号　邮政编码:450002）
发行单位:新华书店
承印单位:河南大美印刷有限公司
开本:640mm×960mm　1/16　印张:19
字数:240 千字　　　　　　　印数:10 001-15 000 册
版次:2010 年 1 月第 1 版　印次:2015 年 1 月第 3 次印刷

定价:26.00 元
本书如有印装质量问题,由承印厂负责调换。